EDUCANDO MENINOS

JAMES DOBSON

EDUCANDO MENINOS

COMO VENCER O DESAFIO DE CRIAR A NOVA
GERAÇÃO DE HOMENS

Traduzido por NEYD SIQUEIRA

Copyright © 2001 por James Dobson
Publicado originalmente por Tyndale House Publishers, Inc., Illinois, EUA.

Os textos das referências bíblicas foram extraídos da versão Almeida Revista e Atualizada, 2ª ed. (Sociedade Bíblica do Brasil), salvo indicação específica.

Todos os direitos reservados e protegidos pela Lei no 9.610, de 19/02/1998.

É expressamente proibida a reprodução total ou parcial deste livro, por quaisquer meios (eletrônicos, mecânicos, fotográficos, gravação e outros), sem prévia autorização, por escrito, da editora.

Dados Internacionais de Catalogação na Publicação (CIP)
(Câmara Brasileira do Livro, SP, Brasil)

Dobson. James C., 1936-
Educando meninos / James Dobson; traduzido por Neyd Siqueira. — São Paulo:
Mundo Cristão, 2003.

Título original: Bringing up Boys.
Bibliografia
ISBN 978-85-7325-321-4

I. Meninos — Vida religiosa 2. Papel dos pais — Aspectos religiosos —
Cristianismo   I. Título.

03.2663   CDD-248.845

Índice para catálogo sistemático:
1. Meninos: Educação cristã: Papel dos pais: Cristianismo   248.845
Categoria: Educação

Edição revisada segundo o Novo Acordo Ortográfico

Publicado no Brasil com todos os direitos reservados por:
Editora Mundo Cristão
Rua Antônio Carlos Tacconi, 79, São Paulo, SP, Brasil, CEP 04810-020
Telefone: (11) 2127-4147
www.mundocristao.com.br

1ª edição: agosto de 2003
26ª reimpressão: 2024

*Este livro é afetuosamente dedicado ao meu filho, Ryan,
que trouxe tamanha alegria e felicidade
para sua mãe e para mim.*

*De todos os títulos com os quais fui agraciado, incluindo
psicólogo, autor, professor e presidente, aquele que mais
estimo é o de simplesmente "Pai".*

*Ser pai para Ryan e para sua irmã, Danae, tem
sido o ponto alto de minha vida.*

Sumário

Agradecimentos	9
1. O mundo maravilhoso dos meninos	11
2. *Vive la différence*	20
3. Qual é então a diferença?	32
4. Espíritos feridos	48
5. O pai essencial	72
6. Pais e filhos	87
7. Mães e filhos	105
8. Perseguindo a lagarta	123
9. As origens da homossexualidade	138
10. Pais solteiros e avós	156
11. Vamos em frente!	174
12. Os homens são tolos	182
13. Meninos na escola	197
14. Predadores	207
15. Proximidade	226
16. Disciplinando meninos	239
17. A suprema prioridade	260
Notas	275

Agradecimentos

QUERO EXPRESSAR MINHA APRECIAÇÃO a vários assistentes e colaboradores especiais que muito contribuíram para que este livro fosse escrito. O principal entre eles é Craig Osten, que pesquisou incansavelmente a literatura profissional e a imprensa popular em busca de estudos e materiais relevantes para me ajudar. A observação da sua habilidade como pesquisador foi algo realmente digno de admiração. Por exemplo, pedi a ele certo dia que procurasse uma citação obscura, da qual me lembrava vagamente, nos escritos do filósofo russo Alexander Solzhenitsyn. Eu não conseguia me lembrar das palavras exatas, mas transmitia a ideia de que a geração de Solzhenitsyn não sabia a razão do seu significado. Eu não me lembrava do nome do livro que continha este pensamento, o ano em que fora escrito, ou quaisquer outros detalhes que pudessem ajudar na identificação da sua fonte. Não obstante, Craig perseguiu caracteristicamente o assunto como um perdigueiro atrás de um condenado. Na manhã seguinte, ele me trouxe a declaração, palavra por palavra, e disse que o autor não era Solzhenitsyn, mas o dr. Francis Schaeffer[1], e que estava incluída num texto poeirento de 1972 intitulado: *He Is There and He Is Not Silent*. A citação aparece agora no capítulo final de *Educando Meninos* e diz o seguinte: "O dilema do homem moderno é simples: ele não sabe por que o homem tem qualquer significado. Esta é a maldição da nossa geração, o âmago do problema do homem moderno".

Obrigado, Craig, pela sua diligência e competência durante a árdua tarefa de escrever este livro. O manuscrito final teria sido bem diferente e muito menos completo sem a sua contribuição.

Quero agradecer também minha assistente pessoal, Patty Watkins, e sua equipe, Sherry Hoover, Joy Thompson e Mary Jo Steinke, pela sua constante ajuda. Esta equipe, junto com Bill Berger e Ron Reno, é composta de pessoas do tipo "vamos fazer", que nunca desistem. Sou igualmente grato a Herb e Dona Fisher e Elsa Prince Broekhuizen, que providenciaram "esconderijos" confortáveis para que eu pudesse escrever em solitude. Devo também reconhecer a contribuição dos drs. Walt Larimore e Brad Beck, que revisaram e burilaram o capítulo que trata da fisiologia e neurologia da masculinidade, assim como o neurologista Randall Bjork, M.D., que forneceu consultas adicionais. Beneficiei-me também significativamente das sugestões feitas pelo psicólogo dr. Tim Irwin e das cartas inclusas neste manuscrito, escritas pelo rev. Ben Browekhuizen, dr. C.H. McGowen e Karen Cotting. A cada um de vocês e a tantos outros o meu muito obrigado pela sua bondade e colaboração.

Em último lugar, quero expressar meu mais profundo amor e apreciação para uma senhora muito especial em minha vida. Depois de quase 41 anos de casamento e mais de vinte livros, Shirley sabe o que é ter um marido que se "perde" dias a fio num manuscrito que parece nunca ter fim. Neste caso, cerca de trinta meses de nossa vida foram investidos no preparo de *Educando Meninos,* enquanto continuávamos dirigindo uma organização grande e ativa. Shirley foi a primeira a me incentivar a escrever sobre esse assunto de meninos e ficou ao meu lado quando a tarefa parecia esmagadora. Isso não é de surpreender. Ela tem sido minha inspiração, apoio e paixão há mais de quatro décadas. E o melhor está ainda por vir.

1 O mundo maravilhoso dos meninos

SAUDAÇÕES A TODOS OS homens e mulheres abençoados por serem chamados de pais. Não existe privilégio maior na vida do que introduzir um pequenino ser humano no mundo e depois tentar criá-lo adequadamente durante os dezoito anos seguintes. Executar corretamente essa tarefa exige toda a inteligência, sabedoria e determinação que você consegue reunir dia a dia. Para os pais cujas famílias incluem um ou mais meninos, o maior desafio pode ser apenas mantê-los vivos durante a infância e adolescência.

Temos um garotinho adorável de 4 anos em nossa família, Jeffrey, que é "o nosso menino". Certo dia da semana passada, seus pais e avós estavam conversando na sala quando perceberam que o menino não aparecera nos últimos quinze minutos. Procuraram rapidamente de aposento em aposento, mas nada! Quatro adultos percorreram a vizinhança, chamando: "Jeffrey! Jeffrey!" Nenhuma resposta. O menino simplesmente desaparecera. O pânico tomou conta da família, enquanto possibilidades terríveis surgiam diante deles. Teria sido sequestrado? Estaria perdido? Corria perigo mortal? Todos murmuraram uma oração enquanto corriam de lugar em lugar. Depois de cerca de quinze minutos de puro terror, alguém sugeriu chamar a polícia. Ao voltarem para casa, o menino surgiu à frente deles dizendo olá para o avô. O pequeno Jeffrey estivera escondido debaixo da cama enquanto o caos girava à sua volta. Aquela fora a sua ideia de uma brincadeira. Ele sinceramente pensou que todos fossem também achar graça. Ficou chocado ao ver que quatro adultos estavam muito zangados com ele.

Jeffrey não é uma criança má ou rebelde. É apenas um menino. E no caso de você não ter notado, os meninos são diferentes das meninas. Esse fato nunca foi questionado nas gerações anteriores. Eles sabiam intuitivamente que cada sexo era uma espécie à parte e que os meninos eram tipicamente os mais imprevisíveis das duas. Você já não ouviu seus pais ou seus avós dizerem com um sorriso: "As meninas são feitas de açúcar, de especiarias e de tudo o que é agradável, mas os meninos são feitos de cobras, de lesmas e de caudas de cachorrinhos"? Isso era dito com ironia, mas as pessoas de todas as idades pensavam que estava baseado em fatos. "Meninos são meninos", diziam elas sabiamente. E tinham razão.

Os meninos são geralmente (mas nem sempre) mais difíceis de criar do que suas irmãs. As meninas podem ser também difíceis de lidar, mas há algo especialmente desafiador sobre os meninos. Embora os temperamentos individuais variem, os meninos foram designados para serem mais afirmativos, audaciosos e excitados do que as meninas. O psicólogo John Rosemond os chama de "pequenas máquinas agressivas"[1]. Um pai se referiu ao filho como um "motor a jato, sem direção". Essas são algumas das razões pelas quais Maurice Chevalier jamais cantou: "Agradeça ao Céu pelos Meninos". Eles realmente não inspiram muito sentimentalismo.

Num artigo intitulado: "De Que São Feitos os Meninos?", a repórter Paula Gray Hunker citou uma mãe chamada Meg MacKenzie, que declarou que criar seus dois filhos era como viver com um tornado. "A partir do momento em que chegam da escola, ficam correndo pela casa, subindo nas árvores lá fora e fazendo uma tal barulheira dentro de casa que parecem uma manada de elefantes subindo as escadas. Tento acalmá-los, mas meu marido diz que os meninos são assim e devo acostumar-me com eles."

Hunker continuou: "A sra. MacKenzie, a única mulher numa família de homens, diz que esta tendência [dos meninos] para saltar — e depois ficar ouvindo — a deixa maluca. Ela não consegue dizer aos filhos: 'Arrumem as coisas', porque então guardam um ou dois brinquedos e já acham que a tarefa está feita. Aprendeu então que deve ser muito específica. Descobriu que os meninos não reagem a insinuações sutis, mas precisam que os pedidos sejam claramente apresentados. Diz ela: 'Quando coloco uma cesta de roupas limpas na escada, os meninos passam por ela vinte vezes e nunca lhes ocorre parar e levá-la para cima'"[2].

O mundo maravilhoso dos meninos 13

Isso parece familiar? Se você der uma festa para crianças de 5 anos, os meninos irão provavelmente comportar-se de modo muito diferente das meninas. Um ou mais deles irá talvez atirar pedaços de bolo, colocar a mão na vasilha de ponche ou atrapalhar as brincadeiras das meninas. Por que são assim? Alguns diriam que sua natureza travessa foi aprendida da cultura. Certo? Por que então os meninos são mais agressivos em todas as sociedades ao redor do mundo? E por que o filósofo grego Platão escreveu há mais de 2.300 anos "Dentre todos os animais, os meninos são os mais indóceis"?[3]

Um de meus livretos favoritos tem o título: *Up to No Good: The Rascally Things Boys Do,* publicado por Kitty Harmon. É uma compilação de histórias contadas por "homens adultos perfeitamente decentes", lembrando-se dos seus anos de infância. Estes são alguns exemplos que me fizeram sorrir:

Na sétima série, o professor de biologia nos fez dissecar fetos de porcos. Meus amigos e eu pegamos o focinho do porco e o enfiamos na fonte de água de modo que água espirrava diretamente das narinas do porco. Ninguém notou até que se abaixaram para tomar água. O problema é que nós queríamos ficar por ali e ver os resultados, mas começamos a rir tanto que fomos apanhados. Todos levamos um castigo por causa disso.

MARK, OHIO, B. 1960

Um amigo e eu encontramos uma lata de gasolina na garagem e decidimos jogar um pouco num bueiro, acender um fósforo e ver o que aconteceria. Abrimos a boca de Iobo, derramamos a gasolina lá dentro e pusemos a tampa de novo, de modo a ficar meio aberta. Ficamos atirando fósforos acesos, mas nada aconteceu. Derramamos então todo o resto da gasolina. Finalmente, ouvimos um barulho como de um motor a jato esquentando, e depois um enorme BOOM! A tampa do bueiro voou longe e uma chama com cerca de 4 m levantou-se no ar. O chão tremia como num terremoto e a tampa do bueiro caiu a uns três metros de distância na entrada do vizinho. O que aconteceu foi que a gasolina correu pelas linhas de esgoto por um quarteirão ou mais e evaporou com todo o metano que havia ali, explodindo os vasos sanitários da vizinhança. Sou um encanador hoje e sei então exatamente o que aconteceu.

DAVE, WASHINGTON, B. 1952

Sou cego e quando criança eu brincava às vezes com outras crianças cegas. Sempre encontrávamos tantos meios (ou mais) de arranjar encrenca quanto os meninos que enxergavam. Certa vez, fui à casa de um amigo cego. Ele me levou à garagem e me mostrou a motocicleta de seu irmão mais velho. Decidimos tirá-la para dar uma volta. Por que não? Descemos a rua procurando ficar perto do meio-fio e em cada cruzamento parávamos, desligávamos o motor, ficávamos ouvindo e depois atravessávamos. Fomos até a pista da escola secundária, onde podíamos ficar bem mais à vontade. Primeiro, empilhamos um pouco de terra nas voltas da pista para sentirmos o solavanco e saber que ainda estávamos na pista. A seguir, demos partida andando cada vez mais depressa. O que não sabíamos era que algumas pessoas apareceram para correr na pista e estavam tentando nos fazer sair dela. Não podíamos ouvi-las acima do rugido da motocicleta e quase as atropelamos. Elas chamaram a polícia, que apareceu e tentou também nos fazer parar. Finalmente, ligaram as sirenes e os alto-falantes e nos detiveram. Estavam furiosos e não queriam acreditar quando dissemos que não os tínhamos visto. Provamos que éramos cegos, mostrando a eles nossos relógios em braile, e eles então nos escoltaram até em casa.

MIKE, CALIFÓRNIA, B. 1954[4]

Como essas histórias ilustram, um dos aspectos mais amedrontadores na educação de meninos é sua tendência de arriscar a vida sem qualquer motivo. Isso começa bem cedo. Se uma criancinha consegue subir em alguma coisa, vai pular de cima dela. Vai ziguezagueando fora de controle na direção de mesas, banheiras, piscinas, degraus, árvores e ruas. Come de tudo, menos comida, e gosta de brincar no vaso sanitário. Faz "armas" com pepinos ou escovas de dente e gosta de bisbilhotar em gavetas, frascos de comprimidos e na bolsa da mamãe. Fique torcendo para que não ponha suas mãozinhas grudentas num tubinho de batom. O menino atormenta cachorros irritados e agarra os gatinhos pelas orelhas. A mãe tem de ficar vigiando a cada minuto para impedir que ele se mate. Ele gosta de atirar pedras, brincar com fogo e quebrar vidros. Tem também enorme prazer em irritar os irmãos e irmãs, a mãe, as professoras e outras crianças. Quando fica maior, é atraído por tudo que é perigoso — pranchas de *skate,* subir em rochas, praticar rapel, andar de motocicleta e de *mountain bike.* Com cerca de 16 anos, ele e os amigos começam a dirigir na cidade como pilotos camicases cheios de saquê. É de admirar que algum deles sobreviva. Nem todos os meninos são assim, é claro, mas a maioria não escapa.

A psicóloga canadense Barbara Morrongiello estudou as maneiras diferentes como os meninos e as meninas pensam sobre o comportamento de risco. As mulheres, disse ela, tendem a pensar muito na possibilidade de se machucarem, e têm menos probabilidade de precipitar-se se houver qualquer ameaça em potencial. Os meninos, porém, vão aproveitar a oportunidade se acharem que o perigo compensa o risco. Impressionar os amigos (e eventualmente as meninas) é geralmente considerado como digno do risco. Morrongiello contou a história de uma mãe cujo filho subiu no teto da garagem para pegar uma bola. Quando perguntou se ele sabia que poderia cair, o garoto respondeu: "Também podia não cair".[5]

Um estudo feito por Licette Peterson confirmou que as meninas têm mais medo que os meninos. Por exemplo, elas brecam antes quando andam de bicicleta. Elas reagem mais negativamente à dor e tentam não cometer duas vezes o mesmo erro. Os meninos, por outro lado, são mais lentos em aprender com as calamidades. Eles tendem a pensar que seus ferimentos foram causados por "má sorte"[6]. Talvez a sorte mude da próxima vez. Além disso, as cicatrizes são legais.

Nosso filho Ryan passou por situações perigosas uma após outra quando era menino. Aos 6 anos, ele conheceu pessoalmente muitos dos médicos e enfermeiros dos prontos-socorros locais. E por que não? Fora repetidamente paciente deles. Certo dia, quando tinha cerca de 4 anos, ele correu pelo quintal com os olhos fechados e caiu numa "planta" de metal decorativa. Uma das varetas de aço enterrou-se na sua sobrancelha direita e expôs o osso por baixo dela. Ryan veio cambaleando pela porta de trás, banhado em sangue, uma lembrança que ainda causa pesadelos em Shirley. Lá se foram eles para o centro de traumatismo — outra vez. Poderia ter sido muito pior, é claro. Se a trajetória de Ryan tivesse sido meio centímetro diferente, a vareta teria entrado em seu olho e ido direto para o cérebro. Temos agradecido muito a Deus pelos "quase".

Eu fui também uma dessas crianças que vivia à beira do desastre. Quando tinha cerca de 10 anos, fiquei muito impressionado com a maneira de Tarzan balançar-se nas árvores, de ramo em ramo. Ninguém me disse: "Não tente isso em casa". Certo dia, subi bem no alto de uma pereira e amarrei uma corda num galho pequeno. Depois, me posicionei para uma viagem para a árvore próxima. Infelizmente, fiz um pequeno, mas importante, erro de cálculo. A corda era mais comprida do que a distância do galho até o chão. Fiquei pensando durante todo o caminho que alguma coisa não parecia certa. Eu continuava agarrado à corda quando aterrissei de costas três metros abaixo e pareceu-me que todo ar havia sumido do Estado de Oklahoma. Eu não consegui respirar pelo que me pareceu mais de uma hora (devem ter sido cerca de dez segundos) e tive certeza de que estava morrendo. Quebrei dois dentes e um som de gongo bem alto ficou ecoando em minha cabeça. Mais tarde, naquele mesmo dia eu já estava, porém, de pé e correndo outra vez. Nada demais.

No ano seguinte, ganhei um estojo de química no Natal. Ele não continha explosivos nem material tóxico, mas em minhas mãos tudo podia ser perigoso. Misturei algumas tintas azuis brilhantes num tubo de ensaio e fechei bem. A seguir, comecei a esquentar a substância num fogareiro Bunsen. Logo tudo explodiu. Meus pais tinham acabado de pintar de branco o teto de meu quarto, e ele ficou logo decorado com o mais lindo tom de azul, que permaneceu espalhado ali durante anos. A vida no lar dos Dobson era assim.

Deve ser algo genético. Disseram-me que meu pai fora também um terror em sua época. Quando pequeno, um amigo o desafiou a arrastar-se por um cano comprido que atravessava praticamente um quarteirão. Ele só podia ver um pontinho de luz do outro lado, mas começou a arrastar-se no escuro. Inevitavelmente, suponho, acabou ficando preso em algum ponto no meio do cano. A claustrofobia tomou conta dele enquanto se esforçava em vão para mover-se. Ali estava ele, completamente sozinho e perdido dentro do cano negro como carvão. Mesmo que os adultos soubessem do seu problema, não teriam podido alcançá-lo. O pessoal do resgate teria necessidade de remover o cano inteiro a fim de localizá-lo e retirá-lo. O menino, que veio a tornar-se meu pai, finalmente chegou ao outro lado do esgoto e sobreviveu, graças a Deus, para viver outro dia.

Mais dois exemplos: Meu pai e seus quatro irmãos eram crianças de alto risco. Os dois mais velhos eram gêmeos. Quando tinham só 3 anos, minha avó estava escolhendo feijão para a refeição da tarde. Quando meu avô saiu para trabalhar, ele havia dito perto dos filhos: "Não deixe as crianças colocarem esses feijões no nariz". Mau conselho! No momento em que a mãe virou as costas, eles encheram a narina de feijões. Minha avó não conseguiu tirá-los e, portanto, deixou-os lá. Alguns dias mais tarde os feijões começaram a brotar. Plantinhas verdes pequeninas estavam crescendo em suas narinas. O médico da família trabalhou diligentemente para remover as plantas, uma de cada vez.

Anos mais tarde, os cinco meninos estavam observando um campanário majestoso de uma igreja. Um deles desafiou os outros a subir pelo lado de fora e ver se conseguia tocar no ponto mais alto. Os quatro foram subindo pela estrutura como macacos. Meu pai me contou que só a graça de Deus é que impediu que caíssem lá de cima. Aquele foi apenas um dia normal na vida de cinco rapazinhos turbulentos.

O que faz os meninos agirem desse jeito? Que força interior os impele a oscilar à beira do desastre? Qual o componente do temperamento masculino que leva os meninos a tentarem as leis da gravidade e ignorarem a voz suave do bom-senso — aquela que diz: "Não faça isso, filho"? Os meninos são assim por causa de sua estrutura neurológica e da influência dos hormônios que estimulam certos comportamentos agressivos. Vamos examinar essas características masculinas complexas e poderosas no próximo capítulo. Você não pode entender os homens de qualquer idade, inclusive você mesmo ou aquele com quem se casou, sem conhecer algo sobre as forças que operam dentro deles.

Queremos ajudar os pais a criar "bons" meninos na era pós-moderna. A cultura está em guerra com a família, especialmente seus membros mais jovens e mais vulneráveis. Mensagens nocivas e sedutoras são gritadas para eles nos filmes e na televisão, pela indústria de música *rock,* pelos defensores da chamada ideologia do sexo seguro, pelos ativistas homossexuais e pela obscenidade de fácil acesso na internet. A pergunta que confronta os pais é: "Como podemos afastar nossos filhos das muitas influências negativas que os cercam de todos os lados?". Esta é uma questão com implicações eternas.

Nosso propósito com respeito a isso será então ajudar as mães e os pais enquanto procuram "jogar na defesa", isto é, proteger seus filhos das seduções imorais e perigosas. Mas isso não basta. Eles precisam jogar também no "ataque" —

18 Educando meninos

aproveitar os anos impressionáveis da infância, inculcando em seus filhos os antecedentes do caráter. Sua tarefa durante duas breves décadas será transformar seus filhos de jovenzinhos imaturos e volúveis em homens honestos, atenciosos, que irão respeitar as mulheres, ser leais e fiéis no casamento, cumpridores dos deveres, líderes fortes e decididos, bons trabalhadores e seguros em sua masculinidade. Como é claro, a meta suprema para os que têm fé é dar a cada filho compreensão das Escrituras e amor por Jesus Cristo que durem a vida inteira. Isto, creio, é *a* responsabilidade mais importante para aqueles dentre nós a quem foram confiados o cuidado e a educação de filhos.

Os pais do século passado tinham melhor noção a respeito desses objetivos em longo prazo e como alcançá-los. Algumas de suas ideias ainda funcionam hoje e vou compartilhá-las em seguida. Vou também oferecer uma revisão da última pesquisa sobre o desenvolvimento de crianças e relacionamentos pai-filho. Minha oração é que as descobertas e recomendações obtidas dessas informações, combinadas com minha experiência profissional, que abrange mais de 30 anos, possam prover encorajamento e conselhos práticos para os que passarem por este caminho.

Então, apertem os cintos. Temos bastante terreno interessante a cobrir. Mas, primeiro, eis um pequeno poema para começar. Ele foi tirado da letra de uma canção que muito aprecio, enviada por meu amigo Robert Wolgemuth. Quando Robert era menino, sua mãe, Grace Wolgemuth, cantou "Esse Meu Menininho" para ele e seus irmãos. Eu ouvi essa poesia pela primeira vez quando Robert e sua esposa, Bobbie, a cantaram para minha mãe em 1983. Uma pesquisa sobre os direitos autorais não obteve informação quanto à autoria da letra e da música. Os filhos de Grace Wolgemuth, até onde sabem, acreditam que ela compôs a canção para eles, e estou fazendo uso dela com permissão.

ESSE MEU MENININHO

Dois olhos que brilham tanto,
Dois lábios que dão beijo de boa-noite,
Dois bracinhos que me apertam,
Esse meu menininho.

Ninguém pode adivinhar o que a sua chegada significou,
Porque o amo tanto, você é um presente enviado do céu.

Você é o mundo inteiro para mim.
Você sobe em meus joelhos.
Para mim você sempre será
Esse meu menininho.[7]

2
Vive la différence

UM DOS ASPECTOS MAIS agradáveis da minha responsabilidade na organização Focus on the Family é examinar as cartas e os e-mails que inundam nossos escritórios. Eu não vejo todas elas, pois são mais de 250.000 por mês. Recebo, porém, resumos regulares consistindo de parágrafos e comentários que nosso pessoal seleciona para que eu leia. Incluídos neles estão mensagens maravilhosas de pais e filhos que alegram (e às vezes entristecem) os meus dias. Uma das mais preciosas veio de uma garotinha de 9 anos chamada Elizabeth Christine Hays, que me enviou seu retrato e uma lista que compôs sobre meninos e meninas. Ela e a mãe me deram depois permissão para compartilhar sua deliciosa cartinha, como segue.

> *Querido James Dobson,*
> *Espero que goste da minha lista de meninas melhores do que os meninos. Você é um bom sujeito. Sou cristã. Amo Jesus.*
> *Amor,*
> *Elizabeth Christine Hays*
> *P.S. Por favor, não jogue fora a minha lista.*

AS MENINAS SÃO MELHORES QUE OS MENINOS

1. As meninas mastigam com a boca fechada.
2. As meninas têm letra melhor.
3. As meninas cantam melhor.
4. As meninas são mais talentosas.
5. As meninas arrumam melhor o cabelo.
6. As meninas cobrem a boca quando espirram.

Vive la différence 21

7. As meninas não enfiam o dedo no nariz.

8. As meninas vão ao banheiro com delicadeza.

9. As meninas aprendem mais depressa.

10. As meninas são mais bondosas com os animais.

11. As meninas não cheiram tão mal.

12. As meninas são mais espertas.

13. As meninas conseguem mais coisas que desejam.

14. As meninas não são tão nojentas.

15. As meninas são mais quietas.

16. As meninas não se sujam tanto.

17. As meninas são mais limpas.

18. As meninas são mais atraentes.

19. As meninas não comem tanto.

20. As meninas andam com mais cuidado.

21. As meninas não são tão rigorosas.

22. As meninas são mais delicadas para sentar.

23. As meninas são mais criativas.

24. As meninas têm melhor aparência do que os meninos.

25. As meninas penteiam melhor o cabelo.

26. As meninas se depilam mais vezes.

27. As meninas usam desodorante com mais frequência.

28. As meninas não têm tanto cheiro no corpo.

29. As meninas não gostam de ficar despenteadas.

30. As meninas gostam mais de ficar bronzeadas.

31. As meninas têm melhores maneiras.

A criatividade de Elizabeth Christine me divertiu tanto que incluí a lista dela na minha carta mensal e enviei-a para aproximadamente 2,3 milhões de pessoas. A resposta dos meninos e das meninas foi fascinante — e engraçada. Contudo, nem todos gostaram, inclusive uma mãe bastante irritada que pensou que eu havia insultado seu filho. Ela escreveu: "O sr. consideraria publicar uma carta similar sob o título 'Os Meninos São Melhores que as Meninas'?". A seguir comentou: "Duvido; não seria politicamente correto". Essa foi a primeira vez que fui acusado de ser PC (politicamente correto)! Com um desafio desses, eu simplesmente tive de equilibrar a balança. Na minha carta mensal seguinte, convidei os meninos a me enviarem suas opiniões escritas sobre as meninas. Aqui estão itens selecionados das muitas listas que recebi nas semanas seguintes.

POR QUE OS MENINOS SÃO MELHORES QUE AS MENINAS

1. Os meninos podem assistir a um filme de horror e não fechar os olhos nem uma vez.
2. Os meninos não têm de sentar toda vez que vão ao banheiro.
3. Os meninos não ficam facilmente embaraçados.
4. Os meninos podem ir ao banheiro na floresta.
5. Os meninos podem subir melhor nas árvores.
6. Os meninos podem agarrar-se ao estômago nas corridas velozes.
7. Os meninos não se incomodam com "dieta disto" e "dieta daquilo".
8. Os meninos sabem dirigir melhor tratores do que as meninas.
9. Os meninos escrevem melhor que as meninas.
10. Os meninos podem construir fortes melhores do que as meninas.
11. Os meninos resistem mais à dor do que as meninas.
12. Os meninos são muito mais legais.
13. Os meninos têm menos chiliques.
14. Os meninos não desperdiçam a vida no *shopping*.
15. Os meninos não têm medo de répteis.
16. Os meninos se raspam mais do que as meninas.
17. Os meninos não rebolam quando andam.
18. Os meninos não se coçam.
19. Os meninos não fazem trança na cabeça de outro menino.
20. Os meninos não são arrogantes e convencidos.
21. Os meninos não choram e sentem remorso quando matam uma mosca.
22. Os meninos não usam tanto desodorante.
23. Os meninos foram criados primeiro.
24. Os meninos aprendem a fazer barulhos engraçados com os sovacos mais depressa.

Vive la différence   23

25. Os meninos sabem fazer nós melhores — especialmente nos rabos de cavalo.

26. Os meninos explodem com mais facilidade.

27. Sem meninos não haveria bebês. (Essa é uma nova ideia!)

28. Os meninos comem com vontade.

29. Os meninos não CHORAMINGAM.

30. Os meninos cantarolam melhor.

31. Os meninos se orgulham do seu cheiro.

32. Os meninos não choram por causa de uma unha quebrada.

33. Os meninos têm mais senso de direção.

34. Os meninos sabem soletrar certo o nome do dr. Dobson.

35. Os meninos não falam clichês.

36. Os meninos não monopolizam o telefone.

37. Os meninos não são consumistas.

38. Os meninos põem a isca no anzol quando pescam.

39. Os meninos não penduram calcinhas em todo o banheiro.

40. Os meninos não acordam com o cabelo desarrumado.

41. Os meninos não são nojentos. (O quê?)

42. Os meninos não levam milhões de anos para se vestir.

43. Os meninos não se importam com a Barbie.

44. Os meninos não precisam ter 21 pares de sapatos (três para cada dia da semana!!!).

45. Os meninos não usam um tubo de maquilagem o tempo todo.

46. Os meninos não se importam se o seu nariz não é perfeito.

47. Os meninos respeitam tudo e todos, inclusive MENINAS!

Além de receber muitas dessas listas "melhor", foram-me enviadas notas que as crianças escreveram de próprio punho. O debate sobre meninos e meninas havia evidentemente despertado discussões animadas nas famílias em toda a América do Norte. Estes são alguns exemplos da nossa correspondência:

> Gosto muito da página sobre "meninas são melhores do que meninos". Eu a encontrei porque estava passando pela mesa e a palavra "menina" me chamou a

Educando meninos

atenção. Acredito em cada palavra desse pedaço de papel. Tenho tentado convencer minha amiga Lenny de que as meninas são melhores do que os meninos e agora tenho uma prova. SEM OFENSA! Obrigado por não ter-se livrado dele e por tê-lo publicado. Tenho oito, quase 9 anos.

FAITH, 8 ANOS

A maioria dos meninos não se importa com a lista de Elizabeth. Eles se interessam mais por esportes, diversões e não se incomodam com a sua aparência (a não ser que vão a algum lugar agradável). Fui obrigado a escrever esta carta. A maioria dos meninos não gosta de escrever.

MICHAEL, 12 ANOS

Elizabeth não tem uma pista.

ANTHONY, 8 ANOS

Recebemos sua carta hoje, com a lista chamada "Meninas são Melhores que Meninos". Não achei que tudo fosse verdade. Só achei que parte dela era verdadeira porque meu irmão penteia seu cabelo melhor do que o meu.

STEPHANIE, 9 ANOS

Gostei muito de ler a carta de Elizabeth Christine Hays para você. Gostei especialmente das suas 31 razões por que as meninas são melhores do que os meninos. Meus pais me fizeram ler essas razões para meus irmãos. Os dois mais velhos riram o tempo todo. Estava claro que não concordavam. Mas, quando terminei, meu irmão de 4 anos disse: "Então as meninas *são* melhores do que os meninos".

SARAH, 15 ANOS

Tenho 8 anos, li a carta que Elizabeth escreveu sobre as meninas serem melhores do que os meninos. Acho que tudo nessa carta é mentira. Tenho dois irmãos que são tão especiais quanto eu. Há um versículo na Bíblia que diz: "Porque o SENHOR não vê como vê o homem. O homem vê o exterior, porém o SENHOR, o coração" (1Sm 16.7). Todos devemos olhar para as outras pessoas como o SENHOR olha para nós.

ELISHA, 8 ANOS

Estava lendo a sua carta e vi a lista de trinta e uma razões por que as meninas são melhores do que os meninos. Sabe o que fiz com ela? Pisei em cima! Seu amigo, Peyton (não incluiu idade). P.S. Você tem permissão para publicar isto.

Você não aprecia a espontaneidade e criatividade das crianças? Os meninos e meninas têm uma visão muito arejada sobre quase tudo e, como vimos, eles olham a vida de lados opostos do universo. Até uma criança pode ver que os meninos e meninas são diferentes. O que é óbvio para a maioria das crianças e adultos tornou-se, infelizmente, objeto de uma esquentada controvérsia na década de 1970, quando uma ideia nova e tola lançou raízes. Um grupo pequeno, mas ruidoso, de feministas começou a insistir que os sexos eram idênticos exceto pelo seu aparelho reprodutivo e que qualquer singularidade de temperamento ou comportamento resultava de preconceitos da cultura patriarcal.[1] Tratava-se de um conceito radical sem qualquer apoio científico, exceto que era falho e motivado politicamente. A campanha penetrou toda a cultura. De repente, professores e profissionais que deveriam saber melhor começaram a concordar. Nenhuma dúvida a respeito. Homens e mulheres eram redundantes. Os pais tinham estado errados sobre seus filhos durante pelo menos cinco mil anos. A mídia adorou a noção, e a palavra *unissex* entrou na linguagem dos esclarecidos. Quem quer que desafiasse o novo dogma, como eu fiz em um livro escrito em 1975, intitulado *What Wives Wish Their Husbands Knew About omen* [O que as esposas gostariam que os maridos soubessem sobre as mulheres], era acusado de sexista ou coisa pior.

O movimento feminino tomou então um caminho novo e perigoso. Seus líderes se puseram a tentar modificar a maneira de criar os filhos (sendo este o motivo de nossa preocupação hoje, depois de todos esses anos). O entrevistador de televisão, Phil Donahue, e dezenas de sabichões disseram aos pais, dia após dia, que suas filhas eram vítimas de um preconceito sexista terrível e que os filhos deviam ser criados como as meninas. A mensagem deles era urgente. As coisas *tinham* de mudar imediatamente!, diziam. A namorada feminista de Donahue, e mais tarde esposa, Marlo Thomas, foi coautora de um *best-seller quase* ao mesmo tempo, chamado *Free to Be You and Me* [Livre para ser você e eu], que os editores descreveram como "o primeiro guia verdadeiro para a criação não sexista de filhos". Ela aconselhava os meninos a brincarem com bonecas e jogos de chá, dizendo que podiam ser qualquer coisa que quisessem, inclusive (falo sério!) "avós e mamães". O livro incluía várias poesias e histórias sobre inversão de papéis, tais como uma mãe pregando telhas de madeira no telhado, colocando prateleiras novas na sala e trabalhando com cimento. Enquanto isso, o pai estava na cozinha fazendo o café da manhã. As crianças foram ensinadas que os pais podiam ser grandes mães e as mães, por sua vez, bem duronas.[2] O livro vendeu vários milhares de exemplares e o movimento apenas começara.

Germaine Greer, autora do livro *The Female Eunuch* [A mulher eunuco], chegou a um extremo ainda maior. Ela declarou que a família tradicional havia "castrado as mulheres". A seu ver, as mães deviam ocupar-se menos com as filhas, porque tratá-las gentil e bondosamente reforçaria os estereótipos sexuais e as tornaria mais "dependentes" e femininas. Greer insistiu também que as crianças seriam mais bem servidas quando criadas por instituições em lugar dos pais.[3] É difícil acreditar hoje que o livro dela, oferecendo esses e outros conceitos radicais, também ocupasse o alto de todas as listas de *best-sellers*. Isto ilustra a situação do feminismo radical culturalmente predominante na época.

A mais influente das primeiras feministas talvez tenha sido Gloria Steinem, fundadora da Organização Nacional de Mulheres e editora da revista *Ms*. Esta é uma amostra da sua perspectiva sobre o casamento e a criação de filhos:

> Tivemos várias pessoas neste país com coragem suficiente para criar suas filhas mais como filhos. O que é ótimo, por significar que são mais iguais... Existe, porém um número menor de indivíduos que tiveram a coragem de criar seus filhos mais como as filhas. E é isso que precisa ser feito.[4]
>
> Devemos deixar de criar os meninos para que pensem que precisam provar a sua masculinidade mostrando-se controladores, não demonstrando emoção, ou não agindo como menininhas. Você pode perguntar [aos meninos]: — E se você fosse uma menina? — Eles ficam muito perturbados só de pensar que poderiam ser essa coisa inferior. Já gravaram na mente a ideia de que para ser meninos devem ser superiores às meninas, e esse é o problema.[5]

Vive la différence 27

[O casamento] não é uma parceria igual. Quero dizer, você perde o seu nome, seu crédito, sua residência legal e é tratada socialmente como se a identidade dele fosse a sua. Não posso imaginar-me casada. Se todos têm de se casar, isso é então claramente uma prisão, e não uma escolha.[6] (Steinem casou-se no ano 2000.)

Supõe-se que todas as mulheres querem filhos. Mas eu jamais consegui ter quaisquer sentimentos de pesar por não tê-los.[7]

Reflita um pouco sobre as citações de Steinem, Greer e outras primeiras feministas. A maioria delas nunca se casou, não gostava de crianças e se ressentia profundamente dos homens; todavia, aconselharam milhões de mulheres sobre como criar filhos e, especialmente, como produzir meninos sadios. Não há evidência de que Steinem ou Greer tivessem qualquer experiência significativa com crianças de qualquer dos sexos. Não é interessante que a mídia (segundo meu conhecimento) nunca se referisse a essa incongruência? E não é triste que fosse permitido a essas mulheres torcer e deformar as atitudes de toda uma geração de crianças?

A maior preocupação das feministas era o que consideravam o "sexismo" dos brinquedos das crianças. Como com tantas outras questões naqueles dias, Germaine Greer era a mais vocal. Ela disse: "De onde vem então a diferença [entre os sexos]? Se for inculcada em nós por pessoas como os fabricantes de brinquedos, que direcionam os meninos para os caminhões, as meninas para as bonecas, e por professores, pais, empregadores — todas as influências perversas de uma sociedade sexista — este, talvez, seja um problema social que precisa ser corrigido".[8]

Grande pressão foi exercida sobre as empresas para "corrigir" o problema. Lembro-me de ter sido procurado na época por um advogado que pediu minha ajuda para defender a cadeira de drogarias Sav-On. A corporação fora processada por uma advogada feminista, Gloria Allred, representando os pais de sete meninas que, insistiam, foram prejudicadas emocionalmente por falta de acesso a certos brinquedos em suas lojas. Allred afirmou, com cara de pau, que grande mal fora infligido a essas crianças pela presença de dois cartazes. "Brinquedos para meninos" e "brinquedos para meninas", colocados dois metros

28 Educando meninos

acima do corredor.[9] Um psiquiatra então testemunhou (e foi muito bem recompensado por isso, tenho certeza) que as crianças haviam sido profunda e irreparavelmente prejudicadas pela "discriminação" da Sav-On. Ninguém perguntou por que os pais delas não as levaram simplesmente a outra loja. Mesmo assim, a Sav-On cedeu e concordou em retirar de suas lojas os cartazes "relacionados com o gênero".[10]

Os varejistas de brinquedos foram depois disso avisados de que a segregação de brinquedos de acordo com o sexo não deveria ser tolerada. Eles entenderam a mensagem. Durante mais de duas décadas, a loja de brinquedos *Toys "R" US* usou uma abordagem de *marketing* neutra quanto ao gênero, como exigido pelas feministas. Mas não tiveram sucesso. Finalmente, a empresa realizou mais de dez mil pesquisas entre os clientes para saber mais sobre as preferências das crianças. Ficou evidenciado que os meninos e as meninas tinham interesses em coisas diferentes. Que surpresa! Armados com essa informação, os executivos da *Toys "R" US* decidiram que era afinal politicamente seguro apresentar os brinquedos em seções separadas, "mundo dos meninos" e "mundo das meninas". Esta volta a uma abordagem tradicional provocou uma tempestade de protestos por parte da Iniciativa Feminina da Saúde Reprodutiva e da União Feminina de Caratê.[11] A empresa se manteve firme e outros varejistas de brinquedos a acompanharam. Não parecia sensato fazer qualquer outra coisa.

Christina Hoff Sommers tratou desse aspecto dos brinquedos em seu renomado livro, *The War Against Boys* (A guerra contra os meninos).

Ela relatou que a *Hasbro Toys* tentou agradar as feministas produzindo uma nova casa de bonecas destinada a interessar tanto meninos quanto meninas. Desse modo, poderiam vender o dobro de unidades. Houve, porém, um leve erro de cálculo quando à reação das crianças. As meninas tendiam a "brincar de casinha" usando a estrutura plástica da maneira tradicional. Suas bonecas se casavam, arranjavam a mobília de brinquedo, tinham filhos e faziam as coisas que tinham visto as mães fazerem. Os meninos também brincavam com as casas de boneca, mas não como previsto. Eles arremessavam o carrinho de bebê para o alto e no geral bagunçavam a brincadeira das meninas.[12] De volta à prancheta de desenho.

Vive la différence   29

O movimento unissex prevaleceu, então, até fins da década de 1980, quando caiu finalmente vítima da tecnologia médica. O desenvolvimento de técnicas não invasivas, tais como imagens por ressonância magnética e escaneamentos PET, permitiu aos médicos e fisiologistas examinar o funcionamento do cérebro humano em muito maior detalhe. O resultado destruiu totalmente as asseverações das feministas. O cérebro dos homens e mulheres eram muito diferentes quando examinados no laboratório. Sob estímulos apropriados, eles "acendiam" em áreas diferentes, revelando processos neurológicos únicos.[13] Ficou claro que o cérebro de cada sexo é "ligado" de um modo, o que, juntamente com os fatores hormonais, justifica as características comportamentais e atitudinais associadas tradicionalmente com a masculinidade e a feminilidade. Foram essas marcas de referência que as feministas tentaram suprimir ou desacreditar, mas falharam. Mesmo assim, temos de admirar a sua ambição. Elas tentaram redesenhar metade da família humana em uma geração.

É de lamentar que as ideias geradas nos anos 1970 e perpetuadas de forma diferente hoje se achem profundamente arraigadas na cultura, embora nunca tivessem feito sentido. As práticas da criação de filhos mudaram para sempre. Muitos pais, por exemplo, relutam ou não estão preparados para ensinar aos meninos de que forma são diferentes das meninas ou o que a sua masculinidade realmente significa. Há também uma nova fonte de confusão emanando da poderosa agenda gay e lésbica. Seus propagandistas estão ensinando uma visão revolucionária da sexualidade, chamada "gênero feminismo", que insiste que a orientação sexual é irrelevante. A genética pode ser simplesmente ignorada. O que importa é o "gênero" escolhido para nós pelos pais quando somos bebês, ou o papel sexual que nós mesmos escolhemos mais tarde na vida. Mary Brown Parlee articulou esta perspectiva na *Psychology Today*. "O sexo 'designado' para uma criança ao nascer é tanto uma *decisão social* quanto o reconhecimento de um fato biológico."[14]

Outra escritora feminista expressou-se deste modo: "Embora muitas pessoas pensem que os homens e as mulheres são a expressão natural de uma planta genética, o gênero é produto do pensamento humano e da cultura, uma construção social que cria a 'verdadeira natureza' de todos os indivíduos".[15] Portanto, se protegermos as crianças do condicionamento social e religioso, as pessoas ficarão livres para entrar e sair dos papéis sexuais existentes, segundo as suas preferências. Levando esse conceito até sua conclusão ilógica, as feministas e ativistas homossexuais querem eliminar os papéis tradicionais das mães e dos pais e, com o tempo, livrar-se de termos tais como *mulher, marido, filho, filha, irmã, irmão, masculinidade, feminilidade, menino, menina, masculino e feminino.* Essas referências à identidade sexual estão sendo substituídas por termos de gênero neutro, tais como *cônjuge e criança.*

Claramente, existem aqui sérias implicações para as mães e os pais. Recomendo a você que proteja seus filhos e filhas daqueles que estão adotando esses pontos de vista pós-modernos. Proteja seus filhos e filhas do gênero feminismo e dos que buscam confundir a sua sexualidade. Proteja a masculinidade de seus filhos, que vão estar sob pressão política cada vez mais intensa nos anos futuros. Busque apagar neles a percepção de que a maioria dos adultos do sexo masculino são predadores sexuais, violentos e sem consideração pelas mulheres.

É também importante para nós, como adultos, compreender nossa identidade sexual. Se não soubermos quem somos, nossos filhos ficarão duplamente confusos sobre quem eles são. Qualquer incerteza, qualquer ambiguidade nesse aspecto devem ser vistas como prejudiciais não só para nossos filhos e filhas, mas também para a estabilidade social em longo prazo.

Recomendo, por último, que você apoie suas instruções sobre sexualidade nas Escrituras, que nos dizem: "Criou Deus, pois, o homem à sua imagem, à imagem de Deus o criou; homem e mulher os criou" (Gn 1.27). Jesus, que foi o primeiro líder judeu a dar dignidade e posição às mulheres, disse: "Não tendes lido que o Criador, desde o princípio, os fez homem e mulher e que disse: Por esta causa deixará o homem pai e mãe e se unirá a sua mulher, tornando-se os dois uma só carne?" (Mt 19.4-5). Este é o plano divino. Ele não deixa dúvidas de que o Criador não fez um sexo único, mas dois, cada um maravilhosamente formado para "ajustar-se" e satisfazer as necessidades do outro. Qualquer esforço para ensinar as crianças de maneira diferente vai, com certeza, produzir tumulto na sua alma.

Vimos o que a identidade sexual não é. Vamos examinar agora brevemente o que torna os homens únicos e como essa compreensão nos ajuda a criar meninos sadios.

Perguntas e respostas

Temos um menino de 9 anos que não é absolutamente como você descreveu. Ele é quieto, atencioso, cuidadoso e muito, muito tímido. Isso significa que não é "completamente menino"? Deveríamos tentar mudá-lo, fazer com que seja mais afirmativo e agressivo?

O que é maravilhoso sobre a maneira como os seres humanos são formados é sua esplêndida variação e complexidade. Somos todos diferentes e únicos. Minha descrição de meninos agressivos, que gostam de correr riscos, representa um esforço para caracterizar os jovenzinhos, mostrando o que é típico e como são diferentes de suas irmãs. Todavia, eles também diferem uns dos outros de mil maneiras. Lembro-me de ter levado certo dia meu filho de 10 anos e seu amigo para um passeio de esqui. Enquanto subíamos de gôndola até o alto da montanha, preparei-me para tirar uma foto dos dois meninos com o lindo panorama visível por trás deles. Ryan, meu filho, estava sorrindo e fazendo palhaçadas para a câmera, enquanto Ricky ficou apenas sentado e quieto. Ryan pediu então a Ricky que sorrisse e brincasse como ele. Ricky respondeu solenemente: "Não sou esse tipo de pessoa". E tinha razão. Os dois meninos tinham personalidades opostas. Ainda tenho esse instantâneo dos dois meninos — um parecendo maluco e o outro entediado quase até a morte. Cada um deles, "todo menino".

Seu filho não está certamente sozinho em sua timidez característica. Segundo o New York Longitudinal Study, aproximadamente 14% das crianças são quietas e passivas no berçário.[16] Esse traço do seu temperamento tende a persistir durante a infância e além dela. Elas podem ser espontâneas ou engraçadas quando estão à vontade em casa. Quando estão entre estranhos, porém, fecham a boca e não sabem o que dizer. Algumas crianças são assim por terem sido magoadas ou rejeitadas no passado. A explicação mais provável é que nasceram desse jeito. Alguns pais ficam embaraçados com a introversão dos filhos e tentam mudá-los. É inútil. Nenhum incentivo ou empurrão fará com que venham a ser extrovertidos, gostem de aparecer e mostrem autoconfiança.

Meu conselho para você é seguir a corrente. Aceite seu filho como ele é. Depois, procure aquelas qualidades especiais que dão a ele individualidade e potencial. Cuide dele. Cultive-o e dê-lhe tempo para desenvolver sua personalidade única, diferente de todos os outros seres humanos na terra.

3 Qual é então a diferença?

VAMOS VOLTAR AGORA PARA as perguntas feitas no primeiro capítulo: "O que faz os meninos agirem como agem?", "Que força interior os impele a oscilar à beira do desastre?" e "O que existe no temperamento masculino que leva os meninos a tentarem as leis da gravidade e ignorarem a voz do bom-senso aquela que diz: 'Não faça isso, filho!'". Poderíamos também perguntar por que os meninos tendem a ser competitivos, agressivos, afirmativos e a gostarem de carros, caminhões, armas e bolas. As respostas a cada uma dessas perguntas podem ser encontradas em três aspectos e processos físicos que operam internamente, como descrito a seguir. Fique comigo agora, porque a informação técnica fornecida pode não fazer vibrar o seu coração, mas é muito importante para a sua compreensão dos meninos.

O primeiro fator a ser considerado é o hormônio testosterona, em grande parte responsável pela virilidade (embora quantidades menores dele ocorram nos corpos das meninas e mulheres). Ele aparece seis ou sete semanas depois da concepção, quando todos os embriões são tecnicamente "femininos".[1] É quando uma dramática injeção de testosterona ocorre naqueles que herdaram um cromossomo "Y" (ou masculino). Ele começa a masculinizar seus pequeninos corpos e os transforma em meninos. Num sentido real, este "banho hormonal", como é algumas vezes chamado, na verdade danifica o cérebro em forma de noz e altera de vários modos a sua estrutura. Até a sua cor muda. O corpo caloso, que é o cordão de fibras nervosas que liga os dois hemisférios, fica menos eficiente. Isso limita o número de transmissões elétricas que podem ir de um lado do cérebro para o outro, e isto terá implicações vitais.

Mais tarde, o homem terá de refletir mais tempo sobre aquilo em que crê — especialmente sobre algo com um componente emocional. Ele pode nunca vir a

Qual é então a diferença?   33

compreender isso plenamente. A mulher, por outro lado, será tipicamente capaz de acessar sua experiência anterior de ambos os hemisférios e discernir quase instantaneamente como se sente a respeito dela.

Outra consequência desta inundação de testosterona no período pré-natal é a localização do desenvolvimento da linguagem. No homem destro, ela fica quase sempre isolada no hemisfério esquerdo do cérebro. Na mulher, é mais bem distribuída de ambos os lados. Por esta razão, ela será provavelmente mais articulada do que ele desde a tenra infância. Aprendi isso da maneira mais difícil. Tive um derrame em 1998, resultado de um pequeno coágulo de sangue que ficou preso ao lóbulo temporal esquerdo acima de minha orelha. Ele interferiu totalmente na minha capacidade para falar, escrever ou até pedir um copo com água. O neurologista disse que eu perdera o que é chamado de "córtex da eloquência", ou a área do cérebro responsável pelo pensamento complexo e criativo. Graças à oração, alguns médicos maravilhosos e um remédio milagroso chamado TPA, recobrei-me quase inteiramente em 24 horas. Se o derrame tivesse ocorrido antes de o TPA ter sido descoberto, alguns anos antes, eu provavelmente teria sido sentenciado a um mundo de silêncio — pelo menos até ter-me submetido à terapia intensa da fala. Meu ponto é que minha capacidade de falar está obviamente localizada nessa pequena seção do cérebro esquerdo. Uma mulher com o mesmo distúrbio, entretanto, poderia ter retido alguma proficiência verbal. Em vista das funções cerebrais mais difusas, as mulheres retêm melhor do que os homens a compreensão da fala depois de um derrame, e pode ser demonstrado que num futuro próximo elas vão preservar a capacidade motora da fala após o derrame pela mesma razão.[2] A vida não é nada justa.

O impacto da testosterona terá muitas outras influências profundas sobre a mente e o corpo do rapazinho em desenvolvimento. De fato, ela vai afetar cada um de seus pensamentos e atos pelo resto da vida. Outra inundação de testosterona vai ocorrer no início da puberdade, e o transformará de menino em homem. (Depois da puberdade, a testosterona nos homens é quinze vezes maior do que nas mulheres, e o estrogênio nas mulheres é de oito a dez vezes maior do que nos homens.)[3] Esta segunda explosão hormonal é a principal responsável pelo súbito aparecimento de pelos faciais e púbicos, voz esganiçada, espinhas no

rosto, músculos maiores, despertar sexual e, eventualmente, outras características da masculinidade adulta.

Essas substâncias poderosas, referentes não só à testosterona como também
ao hormônio feminino estrogênio, são responsáveis por pelo menos parte do
comportamento estranho que enlouquece os pais. Elas explicam por que um
menino ou menina feliz e prestativo(a) de 12 anos pode transformar-se subitamente em um adolescente emburrado e deprimido aos 13. A química humana
parece perder o rumo durante algum tempo. Existe uma tendência por parte
dos pais de se desesperar durante este período porque tudo o que tentaram ensinar parece não ter dado certo. Autodisciplina, limpeza, respeito pela autoridade,
ética do trabalho e até a cortesia comum podem parecer causas perdidas por
vários anos. Mas dias melhores estão por vir. Os mecanismos que incendeiam
os garotos vão eventualmente esfriar. É por esse motivo que recomendo que não
se apresse em buscar a pessoa em que seu filho vai tornar-se. É por essa razão
também que acredito que os pais devem procurar "apenas ajudá-los a atravessar
essa fase", em vez de tentar corrigir tudo o que os incomoda como pais.

O fluxo de hormônios durante o período pré-natal e novamente no início
da adolescência pode não ser um conceito novo para você. O que é geralmente
menos compreendido é que o motor masculino e, num grau menor, a fisiologia
feminina, continuam a ser abastecidos pela testosterona durante a vida inteira.
Veja como isto foi descrito num artigo fascinante escrito por Andrew Sullivan e
publicado no *The New York Times*.

O HORMÔNIO DELE

A testosterona [T] está claramente associada nos homens e nas mulheres com
o domínio psicológico, a fisicalidade confiante e autoestima elevada. Nos ambientes mais combativos, competitivos, especialmente os físicos, a pessoa com
mais testosterona vence. Coloque dois homens quaisquer juntos num aposento
e o que tem mais testosterona tenderá a dominar a interação. As mulheres que
trabalham têm níveis mais altos de testosterona do que as que ficam em casa, e
as filhas de mulheres que trabalham têm níveis mais altos de testosterona do que
as donas de casa. Um estudo realizado em 1996 descobriu que nos casais lésbicos
em que um dos parceiros assume o papel de "homem" ou "sapatão", e o outro

Qual é então a diferença? 35

assume o papel de mulher ou "fêmea", a mulher "sapatão" tem níveis mais altos de testosterona do que a "fêmea". Nos testes médicos da Marinha, os estudantes da academia naval apresentam níveis mais elevados de testosterona do que os calouros. Os atores tendem a ter mais testosterona do que os ministros, segundo um estudo de 1990. Entre setecentos presos do sexo masculino num estudo de 1995, os com níveis T mais elevados tendiam a ser os que entravam em mais problemas com as autoridades prisionais e que se envolviam em atos de violência não provocada. Isto se aplica tanto às mulheres como aos homens, segundo um estudo de 1997, de 87 internas numa prisão de segurança máxima.

Embora os níveis altos de testosterona estejam no geral em correlação com o domínio nos relacionamentos interpessoais, isto não garante mais poder social. Os níveis de testosterona são, por exemplo, mais elevados entre os empregados de colarinho azul (operários) do que entre os de colarinho branco (funcionários administrativos), segundo um estudo de mais de 4.000 exemplares conduzido em 1992. Um estudo de 1998 descobriu que os advogados de acusação — com seu costume de combater, entrar em conflito e ares superiores — têm níveis mais altos de T do que os demais jurisconsultos. É até possível dizer quem ganhou uma partida de tênis, não por assistir ao jogo, mas por monitorar amostras de saliva com testosterona durante a partida inteira. O vencedor de qualquer jogo vê sua produção T subir; o perdedor a vê cair. O vencedor experimenta um surto de testosterona pós-jogo, enquanto o perdedor assiste a um colapso. Isto é verdade até para os que assistem a jogos esportivos. Um estudo de 1998 descobriu que os fãs que apoiavam o lado vencedor num jogo de basquete da faculdade e num jogo de futebol americano viram subir seus níveis de testosterona; os fãs que torciam pelos times perdedores nos dois jogos viram seus níveis caírem. Ao que tudo indica, existe algo como uma testosterona vicária.

Então, esta é a conclusão: a testosterona é um facilitador do risco físico, criminal, pessoal. Sem a influência da testosterona pode parecer que o custo desse risco excede em muito os benefícios. Mas, com a testosterona comandando o cérebro, a precaução é atirada ao vento. A influência da testosterona pode não levar sempre ao confronto físico aberto. Em homens com muitas opções, ela pode influenciar a decisão de investir dinheiro num empreendimento duvidoso, manter um caso sexual pouco recomendável ou contar uma clamorosa mentira. Na ocasião, todas essas decisões podem fazer algum tipo de senso "testosteronado".[4]

Essas conclusões foram extraídas de vários estudos científicos, embora alguns deles devam ser considerados preliminares. Há muito ainda a ser aprendido em relação à química do cérebro. Não existem dúvidas, porém, de que há um elo entre os hormônios e o comportamento humano. A testosterona, em particular, lidera o interesse masculino na corrida de carros, futebol profissional, *hockey,* basquete, luta livre, caçadas, pescaria, iatismo, alpinismo, armas de fogo, pugilismo, caratê etc. Muitas mulheres também apreciam essas atividades, mas um número muito menor delas se preocupa com elas ou é obcecada por elas. A testosterona, claramente, desempenha um papel no fato de que a vasta maioria dos crimes violentos são cometidos por homens, e que as prisões são ocupadas por um número vastamente desproporcional de indivíduos do sexo masculino.

Até mesmo na antiguidade já era sabido que certos comportamentos "indesejáveis" dos homens estavam de alguma forma ligados aos testículos. Os escravos e prisioneiros de guerra do sexo masculino eram transformados em eunucos (pela castração). Isto era feito para que perdessem o interesse sexual nas mulheres da realeza e para que tivessem menos probabilidade de agir com violência na corte do rei. Funcionava. Fazemos a mesma coisa hoje com cavalos, touros, carneiros e outros animais machos domesticados. Seu comportamento agressivo diminui quando o fluxo de testosterona é interrompido. Quando os níveis são altos, como durante a época de acasalamento, os machos costumam envolver-se em lutas ferozes e algumas vezes mortais.

Nos humanos, a testosterona é responsável, pelo menos em parte, pelo que poderia ser chamado de "predomínio social". Gregg Johnson escreveu: "Entre as 250 culturas estudadas [pelos antropólogos], os machos dominam em quase todas. Os homens são quase sempre os que estabelecem as regras; são os caçadores, construtores, inventores de armas, trabalhadores em metal, madeira ou pedra. As mulheres são principalmente as que cuidam dos afazeres domésticos e as mais envolvidas na criação dos filhos. Suas atividades se concentram na manutenção e cuidado da casa e da família. Elas se dedicam mais vezes à fabricação de louça de barro, cestos, roupas e cobertores. Recolhem madeira, fazem conservas e preparam alimentos, transportam lenha e água. Colhem e moem cereais. Os dados apontam para predeterminantes biológicos de comportamento relacionados com o gênero".[5]

Esta "predeterminação" biológica continua ativa nas nações sofisticadas e modernas? A evidência indica que sim. Depois de trinta anos de influência feminista e programas de ação afirmativa, só existem hoje sete funcionárias executivas em cargos de chefia entre as empresas da Fortune 500, nos Estados Unidos. É verdade, 493 são homens.[6] Dentre os cem senadores norte-americanos, só onze são mulheres.[7] Os Estados Unidos tiveram 43 presidentes, todos eles homens. A Organização Nacional de Mulheres salientou essas discrepâncias para "provar" o patriarcado e a discriminação que prevalecem na cultura. A explicação mais provável, todavia, é bioquímica e anatômica. Os homens, em cujo corpo o fluxo de testosterona é de dez a vinte vezes maior que nas mulheres, têm mais probabilidade de buscar riqueza, poder, fama e posição, em vista de serem impelidos nessa direção por forças internas. As mulheres, por outro lado, preferem ter filhos, o que as tira da corrida competitiva por algum tempo. Há exceções, é claro, mas as tendências óbvias são difíceis de negar.

As influências hormonais não só motivam o impulso pelo poder nos humanos, elas também causam impacto sobre nosso relacionamento mútuo. Quando vários homens se reúnem num local de tiro ao pombo, eles tendem a se concentrar em atingir o alvo seguinte. Brincam e conversam entre si, mas ganhar é o objetivo. As mulheres, em contraste, tendem a rir e aplaudir com entusiasmo os "acertos" umas das outras. Elas estão mais interessadas em relacionamentos do que em vencer. Essa diferença é vista em diversos ambientes. Considere a maior rivalidade no tênis profissional feminino na década de 1980, que em oitenta ocasiões colocou Chris Evert diante de Martina Navratilova. Veja como Martina descreveu sua amizade naquela época: "Sempre tivemos muito respeito em relação às vitórias da outra, e tristeza. Depois de uma partida, eu ia até ela e a consolava, outras vezes era ela quem me consolava. Ou me deixava um bilhete, ou eu lhe enviava um bilhete. Você sabe, só 'Sinto muito' ou outra coisa qualquer. 'Tenho certeza de que vai ganhar da próxima vez'. Nós os deixávamos nas nossas bolsas no vestiário. De vez em quando oferecíamos champanhe uma à outra. Era tudo muito civilizado".[8]

Compare essa civilidade com a relação entre Jimmy Connors e John McEnroe durante os anos em que estiveram ao sol. John escreveu isto sobre as suas tiradas na lateral das quadras em seu livro *Playing with Pure Passion*:

> Eu ficava eventualmente tão enfurecido que acreditava realmente estar fazendo a coisa certa. Mais tarde, tornou-se quase um vício, como não conseguir deixar de fumar. Acho que as pessoas estavam do meu lado. Sou um sujeito honesto e não um impostor. Quando estamos na quadra e faz 40 graus lá fora e um indivíduo está lançando bolas a 160 km por hora, no calor do momento você diz coisas diferentes das que diria quando se acalma mais tarde. Em meu primeiro torneio de Wimbledon, quando cheguei às semifinais e joguei com Jimmy [Connors], ficava aborrecido só de estar no mesmo vestiário e pensar que me venceria. Se olhares pudessem matar, eu estaria estendido no chão. Compreendi que há um jogo antes de chegar à quadra. Falar com a imprensa era algumas vezes mais difícil do que jogar. Naquela época, o Jimmy me intimidava. Mais tarde, porém, quando venci minha primeira grande partida, percebi que ou os jogadores eram muito piores do que eu pensava, ou eu é que era muito melhor.[9]

Você pode imaginar John deixando um bilhete na mala de Jimmy, dizendo: "Sinto muito que você perdeu", "Tenho a certeza de que vai pegar-me da próxima vez"? De jeito algum. A competição para eles não era apenas uma partida de tênis, era uma luta de titãs num campo de batalha. Nem todos os atletas do sexo masculino são tão explosivos quanto Connors e McEnroe, e algumas mulheres podem ser também bastante malcriadas na quadra. Mas o impulso competitivo dos atletas do sexo masculino tem mais probabilidade de manifestar-se na forma de confrontos. Eu costumava jogar basquete com um ex-jogador do time All American, que é uma das pessoas mais agradáveis que conheço. Ele lhe daria literalmente a camisa que usava. Mas, ao entrar na quadra, tornava-se mesquinho. Humilhava você caso fosse possível — e geralmente era. Eu costumava provocá-lo por causa do "fino verniz de civilização" que desaparecia quando estava no calor da disputa. Com certeza havia grandes doses de testosterona e adrenalina correndo em suas veias masculinas.

E sobre os meninos? Se o "hormônio masculino" pode ter este tipo de influência em homens adultos, como ele afeta o comportamento dos jovenzinhos? Do mesmo modo. A maioria dos especialistas acredita que a tendência dos meninos para correr riscos, ser mais afirmativos, brigar, competir, discutir, vangloriar-se e brilhar em certas habilidades, tais como solução de problemas, matemática e ciências, está diretamente ligada à maneira como o cérebro é formado e à presença da testosterona. Isto pode explicar por que os meninos têm "formigas nas calças" quando estão na sala de aula e por que as professoras os chamam de "bicho carpinteiro". O problema é que os meninos são ensinados num ritmo tal que se torna difícil para eles ajustar-se. A testosterona também explica o desejo precoce dos meninos de serem o mais forte, o mais valente, o melhor atirador do grupo. Foi assim que Deus os fez.

SEROTONINA

Vamos examinar brevemente outro hormônio que afeta o comportamento humano. Seu nome é serotonina e carrega informação de uma célula nervosa para outra, sendo, por esse motivo, também chamado de "neurotransmissor". O propósito da serotonina é apaziguar ou aliviar as emoções e ajudar o indivíduo a controlar seu comportamento impulsivo. Ela facilita também o bom-senso. Estudos em macacos na floresta revelaram que os com baixos níveis de serotonina tinham mais probabilidade de dar saltos perigosos de galho em galho. (Parecem muito com os homens, não é?) Os ratos com níveis inadequados de serotonina tendiam a ser mais agressivos e violentos. Os estudos da coluna espinhal de assassinos indicaram que muitos deles têm níveis baixos deste hormônio, assim como os incendiários e os de temperamento irascível. A depressão e as tendências suicidas estão relacionadas com a insuficiência de serotonina.[10]

Se a testosterona é o combustível que faz funcionar o cérebro, a serotonina reduz a velocidade e ajuda a pessoa a dirigir. E você já adivinhou. As mulheres possuem tipicamente mais dela do que os homens.

A AMÍGDALA

O terceiro aspecto da neurobiologia que nos ajuda a compreender as diferenças entre homens e mulheres diz respeito a uma parte do cérebro conhecida como amígdala. É uma estrutura do tamanho de uma amêndoa que funciona como um pequeno, mas poderoso "computador emocional". Quando uma ameaça física ou emocional é percebida pelos sentidos, a amígdala imediatamente ordena às glândulas adrenalinas e outros órgãos defensivos que entrem em ação. Isto é feito regulando a liberação de vários hormônios que maximizam as chances nas crises de perigo iminente. Há também evidência de que a amígdala nunca se esquece de um momento de medo, sendo esta a razão pela qual as pessoas que sofrem trauma no geral acham tão difícil superar suas experiências traumáticas.[11]

O que torna a amígdala interessante para nós é seu papel de regularizar a agressão. Ela fica situada bem no meio do hipotálamo, na base do cérebro, que é a sede das emoções. Quando a amígdala percebe uma ameaça ou desafio, ela envia impulsos elétricos por meio dos neurônios para o hipotálamo que a deixou de mau humor. Adicione testosterona a essa situação e é criado um potencial para uma reação impetuosa. Quero enfatizar este ponto: a amígdala só pode responder ao que está em seu banco de memória. Ela não pensa ou raciocina, mas emite uma resposta química e elétrica "irracional", que pode salvar a sua vida numa emergência — podendo também precipitar a violência e piorar muito as coisas.[12]

Aqui vamos nós outra vez. A amígdala é maior nos homens do que nas mulheres, o que ajuda a explicar por que os meninos têm mais probabilidade que as meninas de serem explosivos e se envolverem no que o psicoterapeuta Michael Gurian chamou de "comportamento de risco moral".[13]

Para recapitular, consideramos três componentes essenciais da neurofisiologia masculina: a testosterona, a serotonina e a amígdala. Juntos, eles determinam o que significa ser masculino e por que os meninos são uma "espécie à parte". Tendo considerado o que poderia ser visto como o lado negativo dessas características, devo apressar-me a dizer que os meninos e homens têm também o seu quinhão de vantagens neurológicas. Em vista da especialização do seu cérebro, os homens são tipicamente melhores que as mulheres em matemática, ciência, relações espaciais, lógica e raciocínio. É por isto que a maioria dos arquitetos, matemáticos e físicos são homens. É também interessante que os homens sejam mais suscetíveis às histórias do que as mulheres. Quando se reúnem, eles compartilham experiências que possuem significado emocional para eles, enquanto as mulheres quase nunca fazem isto. As mulheres falam mais sobre os seus sentimentos em vez de jogar o jogo chamado "Você Consegue Superar Isto?". Em resumo, os sexos são muito, muito diferentes de maneira que, talvez, nunca venham a ser compreendidos.

E então? A masculinidade é boa ou má? Certa ou errada? Os meninos são biologicamente defeituosos? À primeira vista, pareceria que as meninas têm tudo certo. Elas cometem em média menos erros, aceitam menos riscos, são melhores estudantes, são mais atenciosas com os outros e são menos impulsivas do que os meninos. A testosterona foi um dos grandes erros de Deus? Seria melhor se os meninos fossem mais como as meninas e os homens mais como as mulheres? Os homens deveriam ser feminilizados, emasculados e "maricas"? É justamente isto que algumas feministas e outros liberais sociais parecem pensar e querem que acreditemos. Como vimos, alguns deles estão tentando reprogramar os meninos a fim de torná-los menos competitivos, menos agressivos e mais sensíveis. Essa é uma boa ideia? Absolutamente não. Primeiro, porque isso contradiz a natureza masculina e jamais terá sucesso, e, segundo, porque os sexos foram cuidadosamente destinados pelo Criador para contrabalançar as fraquezas um do outro e satisfazer as necessidades recíprocas. Suas diferenças não são resultado de um erro evolutivo, como é geralmente suposto hoje. Cada sexo tem um propósito único no grande esquema das coisas.

Como foi incrivelmente criativo da parte de Deus colocar uma forma diferente de domínio em cada sexo, a fim de que haja equilíbrio entre ambos! Quando eles se juntam no casamento para formar o que a Escritura chama de "uma só carne", eles complementam e suplementam um ao outro. Não seria monótono se homens e mulheres fossem idênticos, como afirmaram as feministas? Não é verdade, e graças a Deus que não é.

Considere novamente as tendências básicas da virilidade e da feminilidade. Por ser o privilégio e bênção das mulheres conceber filhos, elas se inclinam para a previsibilidade, estabilidade, segurança, cautela e firmeza. A maioria delas dá valor às amizades e à família acima das realizações e oportunidades. É por tudo isso que no geral não gostam de mudanças e resistem a mudar de uma cidade para outra. O temperamento feminino se presta a nutrir e cuidar, à sensibilidade, ternura e compaixão. Essas são exatamente as necessidades de seus filhos durante seus anos de crescimento. Sem a doçura da feminilidade, o mundo seria um lugar mais frio, legalista e militarizado.

Os homens, por outro lado, foram destinados a um papel diferente. Eles dão valor à mudança, oportunidade, risco, especulação e aventura. Foram destinados a prover fisicamente para suas famílias e protegê-las dos danos e perigos. O apóstolo Paulo disse: "Se alguém não tem cuidado dos seus e especialmente dos da própria casa, tem negado a fé e é pior do que o descrente" (1Tm 5.8). Esta é uma designação divina. É ordenado também aos homens na Escritura que exerçam a liderança em seus lares, expressando isto na forma de serviços prestados à família. Os homens são no geral (mas nem sempre) menos emotivos numa crise e mais confiantes quando desafiados. Um mundo sem homens seria mais estático e desinteressante. Quando meu pai morreu, minha mãe disse com os olhos marejados: "Ele trouxe tanto movimento à minha vida". Essa característica quase sempre atrai as mulheres.

Quando esses temperamentos ligados pelo sexo operam como pretendido na família, eles equilibram e fortalecem os defeitos mútuos. Por exemplo, o homem fica, às vezes, excitado com uma aventura empresarial ou uma ideia que se apresenta. Ele pode usar todos os recursos da família impulsivamente num simples jogo de dados. Sua mulher, por outro lado, vê os riscos. Ela é mais cética e cautelosa. Sua relutância se baseia em certa habilidade para perceber o perigo ou os resultados negativos. Ela é especialmente boa para ler o caráter das pessoas. Uma mulher dirá: "Há algo em Clark (ou Jack, ou Mary) que eu não gosto. Não confio nele". Ela talvez não possa explicar a razão desse sentimento, mas sua intuição está quase sempre certa. O homem que não leva pelo menos um pouco, em consideração, a perspectiva da esposa está se privando de informação valiosa.

Por outro lado, se a mulher tiver de endossar uma ideia antes que ela fuja, o marido pode perder oportunidades reais que poderiam ser aproveitadas. Há ocasiões em que seu espírito de aventura deveria superar o ceticismo dela. Em resumo, nem a mulher, nem o homem têm o monopólio da verdade. Seus temperamentos individuais foram destinados a moderar um ao outro, não só nas questões de negócios, como também em quase todos os aspectos da vida. Conversei recentemente com certo casal que compreendia muito bem essas inclinações contrastantes. Eles disseram que ele era o "acelerador" e ela o "freio". Ambos são vitais para a operação segura de um carro. Se tiverem apenas o acelerador, é certo que vão se acidentar. Se tiverem apenas a habilidade de parar, nunca se movimentarão.

Minha mãe e meu pai eram como "yin e yang". Eles discordavam, respeitosamente, em quase tudo — desde como carregar o carro para a viagem, até o hotel a ser escolhido. Felizmente, eles usavam suas perspectivas diferentes com proveito. Meu pai dizia: "Qualquer proposta que tenha a aprovação de nós dois deve ser muito boa".

Isso nos leva de volta para a compreensão dos meninos. Lembre-se de que eles são homens em treinamento. Sua natureza agressiva tem um propósito. Ela os prepara para os papéis de "provisão e proteção" que vão desempenhar. Essa positividade também acrescenta cultura quando adequadamente canalizada. Recomendo a vocês pais a não se ressentirem ou tentarem eliminar a natureza agressiva e excitável que pode ser tão irritante. Esse temperamento faz parte do plano divino. Devem celebrá-lo. Agradecer a Deus por ele. Mas devem compreender também que ele precisa ser moldado, formado e "civilizado". É esse o nosso intento nos capítulos seguintes.

PERGUNTAS E RESPOSTAS

Nosso pediatra nos disse que acredita que nosso filho pode estar sofrendo de TDAH (transtorno do déficit de atenção devido à hiperatividade). O senhor pode dizer-nos o que se sabe sobre este problema?

DDA, ou distúrbio do déficit de atenção, parece ser uma síndrome neurológica herdada que afeta aproximadamente cinco por cento das crianças nos Estados Unidos.[14] Ela se refere a indivíduos que se distraem facilmente, têm baixa tolerância para o tédio ou frustração e tendem a ser impulsivos e caprichosos. Alguns deles são também hiperativos e, portanto, são diagnosticados como tendo TDAH (transtorno do déficit de atenção devido à hiperatividade).

Essas crianças têm um padrão de comportamento que as leva ao fracasso na escola e conflito com os pais. Elas têm dificuldade em terminar tarefas, lembrar-se de detalhes, concentrar-se num livro ou trabalho, ou até permanecer sentadas por mais de alguns minutos. Algumas parecem ser internamente dirigidas enquanto correm desvairadamente de uma coisa para outra. São, no geral, inteligentes e criativas, sendo, todavia, consideradas preguiçosas, destrutivas e terrivelmente desorganizadas. As crianças com TDAH ou DDA quase sempre sofrem de baixa autoestima por terem sido tachadas de irresponsáveis ou anarquistas que se recusam a seguir as regras. Elas no geral têm poucos amigos, porque conseguem enlouquecer quase todo mundo — até os de sua própria idade.

Como posso saber se meu filho tem TDAH?
Não é recomendável tentar fazer um diagnóstico do próprio filho ou filha. Há muitos outros problemas, psicológicos e físicos, que podem causar sintomas similares. Desordens da tireoide, por exemplo, podem tornar a criança hiperativa ou preguiçosa; a depressão e a ansiedade podem causar a desatenção associada à DDA. Portanto, você deve ter a assistência de um médico, um especialista em desenvolvimento infantil, ou um psicólogo que possa confirmar o diagnóstico.

Se observar em seu filho os sintomas que descrevi, recomendo que ele seja examinado por um profissional. Repito, você *não* deve fazer o diagnóstico de seu filho! Quanto mais cedo puder levá-lo a um profissional especializado nesta área será melhor.

O que causa o distúrbio de déficit de atenção?
Acredita-se que seja herdado. Russell Barkley, do Centro Médico da Universidade de Massachusetts, calcula que 40% das crianças com DDA (e, por implicação, TDAH) têm um dos pais com sintomas similares, e 35%, um irmão ou irmã afetados. Se um gêmeo idêntico é afetado, as probabilidades são entre 80% e 92% de que o outro também o será. A DDA é de duas a três vezes mais provável de ser diagnosticada nos meninos do que nas meninas.[15]

A causa da DDA é desconhecida, sendo, porém, provavelmente associada a leves diferenças na estrutura do cérebro, nas vias nervosas, química, suprimento sanguíneo ou sistema elétrico. Enquanto escrevo, algumas hipóteses interessantes estão surgindo, embora conclusões definitivas não tinham sido ainda alcançadas.

Ouvi falar que a DDA é controversa e que pode até não existir. O sr. evidentemente discorda.
Discordo, embora o distúrbio tenha se tornado moda e tende a ser excessivamente diagnosticado. Mas, quando a criança tem realmente este problema, asseguro-lhe de que seus pais e professores não têm de ser convencidos disso.

A DDA desaparece quando as crianças crescem?
Costumávamos acreditar que o problema era eliminado com o início da puberdade. Foi isso que aprendi no ensino médio. Sabe-se agora que a DDA é uma condição para a vida inteira, geralmente influenciando o comportamento desde o berço até a sepultura. Alguns adultos com DDA aprendem a ser menos desorganizados e impulsivos com a idade. Eles canalizam a sua energia para as atividades esportivas ou profissões em que funcionam bem. Outros têm dificuldade em estabelecer-se numa carreira ou manter o emprego. A persistência permanece um problema, pois eles esvoaçam de uma tarefa para outra. São particularmente inadequados para o trabalho de escritório, posições contábeis ou outros serviços que exijam atenção aos detalhes, longas horas sentados e a capacidade de jogar muitas bolas ao mesmo tempo.

Outra consequência da DDA na adolescência e idade adulta é a ânsia de envolver-se em atividades arriscadas do tipo que descrevi neste capítulo. Mesmo quando crianças, as pessoas com DDA são inclinadas aos acidentes. Quando ficam mais velhas, subir em pedras, *bungee jumping*, corridas de carro, andar de motocicleta, fazer *rafting e* atividades afins estão entre as suas ocupações favoritas. Os adultos com DDA são algumas vezes chamados de "viciados em adrenalina" por estarem obcecados pelos "altos" produzidos pelo fluxo de adrenalina associado com o comportamento perigoso. Outros são mais suscetíveis ao uso de drogas, alcoolismo e outros comportamentos viciados. Cerca de 40% das pessoas com DDA serão presas aos 18 anos de idade.[16]

46 Educando meninos

Alguns dos possuidores de DDA apresentam também um risco maior para o conflito conjugal. Pode ser muito irritante para um marido ou esposa compulsivo, altamente organizado, ter como cônjuge um "desordeiro" — alguém cuja vida é caótica e que se esquece de pagar as contas, consertar o carro ou manter documentos para o imposto de renda. Um casal assim, geralmente, precisa de aconselhamento profissional para ajudá-los a aprender a trabalhar juntos e tirar proveito dos pontos positivos um do outro.

Que tipo de tratamento existe?
O tratamento envolve uma série de fatores, começando com a educação. O adulto com DDA fica no geral muito aliviado ao saber que tem uma condição identificável e que pode ser tratada. O dr. Robert Reid, da Universidade de Nebraska, a chama de "rótulo do perdão". Ele declarou: "Os problemas da criança não é a falta dos pais, dos professores, nem dela própria".[17] Estas são boas notícias para a pessoa que ouviu durante toda a sua vida que é tola, idiota, preguiçosa, detestável, "estraga-prazer".

O primeiro passo para reconstruir o autoconceito de um adulto é então compreender as forças que operam internamente. Meu conselho para esse indivíduo e sua família é ler, ler, ler!

O senhor se preocupa com a ideia de o remédio Ritalina e outros serem receitados em excesso? Devo hesitar em dá-los a meu filho de 10 anos muito hiperativo?
Eu realmente me preocupo em dar essas drogas por capricho e pelas razões erradas. Há relatórios de algumas classes onde até 10% das crianças as estão tomando.[18] Esse é um enorme sinal vermelho. Remédios com receita têm sido usados como uma panaceia para todos os tipos de comportamento. Isso é lamentável. Suspeito que alguns pais e professores medicam as crianças rebeldes porque deixaram de discipliná-las como deviam ou porque preferem vê-las sedadas. Todo medicamento tem efeitos colaterais indesejáveis e só deve ser administrado depois de cuidadosa avaliação e estudo. O Ritalin, por exemplo, pode reduzir o apetite e causar insônia em alguns pacientes. Não obstante, é considerado notavelmente seguro.

Se o seu filho foi avaliado e diagnosticado como tendo DDA por um profissional experiente no tratamento deste problema, aceite então sem hesitar sua receita para um medicamento apropriado. Algumas mudanças comportamentais dramáticas podem ocorrer quando a substância certa é identificada para uma determinada criança. Um menino que fica sentado olhando para longe ou outro que trepa em paredes estão desesperadamente necessitados de ajuda. Dar a esse indivíduo o controle mental interno e concentrado é uma bênção. A medicação muitas vezes funciona exatamente desse modo quando o diagnóstico adequado é feito.

Acredito pessoalmente que alguns dos meninos sob suspeita de DDA e TDAH não têm o distúrbio. Pelo contrário, seus sintomas são causados por terem sido tirados da segurança de suas casas e colocados em situações de aprendizado estruturadas antes de estarem prontos. Se permitirmos que esses meninos imaturos fiquem em casa mais um ano ou dois, penso que a incidência de meninos irrequietos e desatentos diminuirá.[19]

4 Espíritos feridos

ALGUNS DE MEUS LEITORES podem estar perguntando a esta altura: *Por que só os meninos? Por que não considerar também as necessidades das meninas?* A resposta é que os meninos, mais do que as meninas, estão em perigo hoje. Temos ouvido durante três décadas sobre as meninas serem discriminadas, sexualmente molestadas, desrespeitadas e deixadas de lado na escola. Existe alguma verdade nessas afirmações, e providências estão sendo tomadas para lidar com elas. Mas um coro de cientistas sociais está advertindo agora sobre certa crise entre os homens, diferente de tudo o que vimos antes. Enquanto muitos jovenzinhos estão enfrentando-a adequadamente, uma considerável minoria vem lutando com pressões sociais e forças complexas que as crianças de ontem não tinham de suportar. Para alguns, apenas tentar sobreviver emocionalmente pode ser mais bem descrito como esmagador. Vamos examinar as descobertas que nos levaram a concluir que muitos rapazes estão soçobrando hoje — e a vasta maioria deles está sendo negativamente influenciada pela cultura.

Os meninos, quando comparados com as meninas, têm seis vezes mais probabilidade de ter dificuldades de aprendizado, três vezes mais de se viciarem em drogas e quatro vezes mais de serem diagnosticados como emocionalmente perturbados. Eles correm maior risco de esquizofrenia, autismo, vícios sexuais, alcoolismo, molhar a cama e todas as formas de comportamento antissocial e criminal. Têm doze vezes mais probabilidade de assassinar alguém, e o índice de acidentes automobilísticos deles é 50% maior. Cerca de 77% dos casos nos tribunais relativos à delinquência envolvem homens.[1]

Mais ainda. Os meninos abaixo de 15 anos têm duas vezes mais probabilidade de dar entrada em hospitais psiquiátricos[2] e cinco vezes maior probabilidade do que as meninas de se suicidarem.[3] Cerca de 80% dos suicídios nos Estados Unidos envolvem rapazes de menos de 25 anos de idade.[4] O suicídio entre adolescentes negros aumentou 165% só nos últimos doze anos.[5] Os meninos fazem parte de 90% dos programas de tratamento de viciados em drogas e 95% dos jovens que comparecem aos tribunais de delinquência juvenil.[6]

O dr. Michael Gurian, psicoterapeuta e autor do *best-seller The Wonder of Boys,* disse que a confusão e o descontentamento masculinos são especialmente evidentes na educação pública.

> Desde os graus elementares até o ensino médio, os meninos recebem notas mais baixas que as meninas. Os meninos da oitava série repetem 50% mais vezes que elas. No ensino médio, os meninos ocupam dois terços dos lugares nas classes especiais de educação. Menos meninos frequentam e terminam a faculdade. Cinquenta e nove por cento dos candidatos ao mestrado são agora mulheres, e a porcentagem de homens diplomados em cursos profissionalizantes está diminuindo a cada ano. Quando os alunos da oitava série são perguntados sobre o seu futuro, as meninas têm hoje duas vezes mais probabilidade do que os meninos de responder que querem uma carreira administrativa, profissões liberais ou negócios. Os meninos têm mais dificuldade para se ajustarem à escola, têm cerca de dez vezes mais probabilidade de sofrer de "hiperatividade" do que as meninas e representam 71% de todas as suspensões escolares.[7]

Talvez, a evidência mais perturbadora da crise se encontre no recrudescimento da violência entre os jovens, especialmente os tiros aterradores nas escolas. Haverá, provavelmente, outros incidentes sangrentos a serem mencionados quando este livro for publicado. A maioria dos jovens assassinos até agora tem sido rapazinhos brancos que não puderam explicar por que desejavam matar seus colegas e professores. Quando foi pedido aos sobreviventes que explicassem os seus motivos, eles responderam simplesmente: "Não sei". Vários se referiram a provocações dos colegas, similares às que nós, adultos, experimentamos e aprendemos a enfrentar quando crianças.

50 Educando meninos

Um dos assassinos era um garoto de 15 anos chamado Kip Kinkel. Ele assassinou os pais e depois atirou em 27 de seus colegas da Escola Secundária de Springfield. Dois deles morreram.

Esta é uma transcrição parcial da entrevista com Kinkel, feita pelos investigadores algumas horas depois de ter matado o pai e depois a mãe.

Policial não identificado: Você foi por trás dele e atirou na cabeça, não é?

Kinkel: Basicamente, sim.

Policial: Quantas vezes atirou nele?

Kinkel: Uma vez.

Policial: E onde o tiro pegou?

Kinkel: Bem na orelha... Oh! meu Deus... eu amava meu pai; por esse motivo, tive de matá-lo.

Policial: Você amava seu pai e por esse motivo cometeu o crime?

Kinkel: Sim oh! Meu Deus. Meus pais eram bons... Eu não sabia o que fazer porque... Oh! Meu Deus, minha mãe estava chegando a casa... Oh! Meu Deus.

Policial: Você sabia que era errado?

Kinkel: Não tive escolha. Era a única coisa que eu podia fazer.[8]

Quem pode dizer com certeza o que levou Kip a matar o pai, apesar do amor que professava por ele? Sabemos, porém, que existe um denominador comum entre esse jovem e muitos outros que massacraram seus colegas. É uma raiva interior que quase desafia a explicação. Um pesquisador acredita que esses garotos não sabem até o último minuto se vão cometer homicídio, suicídio, ou ambos.[9] Embora existam milhões de outros adolescentes que jamais vão recorrer a violência tão extrema, eles também estão lidando com seu próprio tipo de alienação.

É claro que alguma coisa deu completamente errado em nossos dias. Como podemos explicar este caldeirão de emoções que ferve dentro de muitos meninos e quem pode prever o que acontecerá quando se tornarem homens? O que justifica também o número crescente de adolescentes do sexo masculino que simplesmente não estão conseguindo um lugar ao sol no mundo de hoje? Essas são perguntas desconcertantes, e suas respostas são variadas e complexas. Vou falar nos capítulos seguintes sobre os fatores subjacentes e sugerir o que os pais e professores podem fazer para ajudar. Mas, primeiro, vamos examinar mais de perto a vida emocional dos adolescentes de hoje e a predominância de um fenômeno perturbador chamado "espíritos feridos".

Agora, mais do que nunca, os meninos estão passando por uma crise de confiança que atinge profundamente a alma. Muitos deles estão crescendo acreditando que seus pais não os amam e que são odiados ou desrespeitados pelos seus iguais. Isto resulta numa forma de ódio de si mesmo que no geral serve como prelúdio para a violência, uso de drogas, promiscuidade e suicídio. Ajuda também a explicar por que meninos e meninas fazem coisas que de outra forma não teriam sentido, tais como se cortar, fazer *piercing* em partes sensíveis do corpo, fazer tatuagem da cabeça aos pés, tomar drogas perigosas e/ou identificar-se com a morte, perversões e rituais satânicos. Alguns deles, foi dito, "choram ao atirar".

Para alguns jovens, a síndrome do espírito ferido começa muito cedo, como consequência da violência e negligência. Meninos e meninas pequenos, cujas necessidades básicas permanecem insatisfeitas, talvez nunca se recuperem. Eles chegam a experimentar graves danos psicológicos e neurológicos, como veremos a seguir. Por que isto está acontecendo? Setenta e sete por cento dos pais que maltratam ou negligenciam os filhos se violentam mediante o uso excessivo de álcool ou por serem viciados em outras substâncias que alteram a mente.[10] É muito difícil que alguém ame ou cuide de uma criança enquanto está bêbado ou drogado.

Nem todo abuso está, porém, ligado ao uso de substâncias químicas. Muitos pais estão simplesmente ocupados demais, desatentos, ou são muito imaturos e egoístas para satisfazer as necessidades urgentes dos bebês e das criancinhas. O divórcio, quando ocorre, desvia a atenção dos adultos dos filhos e a enfoca em suas próprias circunstâncias penosas. Este distanciamento dos pais em nosso mundo de ritmo apressado e vertiginoso irá surgir repetidamente em nossa

52 Educando meninos

discussão sobre os meninos. Ele é *o* problema subjacente que constitui o flagelo das crianças de hoje.

A negligência crônica de meninos e meninas durante os dois primeiros anos de vida é devastadora psicológica e neurologicamente para eles. O cérebro é um órgão dinâmico e interativo que exige estímulo do mundo exterior. Quando as crianças são ignoradas, maltratadas ou atiradas de uma babá para outra, perdas terríveis ocorrem na capacidade mental. Quanto mais severo o abuso, tanto maior o dano.

Isto foi confirmado por centenas de milhares de dólares federais investidos na pesquisa médica e comportamental, enfocando não só as crianças pequenas, mas também os adolescentes que foram terrivelmente abusados quando crianças. Alguns deles foram deixados nos berços dias a fio, usando fraldas sujas que queimavam sua pele sensível, ou foram espancados e queimados por pais mentalmente enfermos ou viciados em cocaína. Negligência extrema ou rejeição desta natureza, conforme os pesquisadores, faz com que o corpo da criança produza quantidades significativas dos hormônios cortisol e adrenalina. Essas substâncias químicas, movendo-se por meio do fluxo sanguíneo, alcançam as áreas-alvo do cérebro responsáveis pela compaixão e consciência. Os danos feitos em pontos neurológicos críticos nunca são reparados e acabam por limitar a habilidade do indivíduo de "ter sentimentos" em relação a outros mais tarde na vida. Essa a razão de muitos dos jovens mais violentos terem o "cérebro literalmente danificado".[11]

Esses estudos ajudam a explicar por que um número cada vez maior de adolescentes parece não ter consciência quanto a matar ou mutilar vítimas inocentes. Um garoto de 14 anos atirou num homem sentado em seu carro num cruzamento. Quando lhe perguntaram por que fizera isso, respondeu que o homem "olhara de modo estranho para ele". Outro rapazinho assassinou um cliente numa loja só para divertir-se vendo-o morrer.[12] Esses jovens assassinos são quase todos os homens e não expressam remorso nem lamentam a sua brutalidade. Robin Karr-Morse, coautor do livro *Ghosts in the Nursery: Tracing the Roots of Violence,* disse que uma nação de crianças ignoradas e emocionalmente rejeitadas "criou uma linha de montagem [de crianças] que leva diretamente para as nossas prisões".[13]

Existem outros fatores que ferem o espírito, é claro. Um deles é a extrema ênfase na imagem física que agora invade a alma de crianças bem pequenas. A vida pode ser difícil para um menino que seja estranho ou diferente de maneira óbvia — que tenha o nariz curvo, a pele cheia de marcas de espinhas, cabelo muito crespo ou muito liso, ou pés muito grandes; que seja vesgo, tenha orelhas de abano ou quadris muito grandes. Os que têm cabelo vermelho podem ser provocados desde a pré-escola. De fato, o jovenzinho pode ser fisicamente perfeito exceto por um único traço embaraçoso; todavia, sob uma barragem de provocações, ele vai preocupar-se com essa única deficiência como se ela fosse a coisa mais importante da vida. Durante certo período de tempo, ela é justamente isso.

O autor Frank Peretti cunhou o termo "espíritos feridos" e usou-o como título de seu excelente livro baseado nas experiências de sua infância. Ele nasceu com um tumor no queixo que o desfigurava e era objeto de provocações cruéis durante seus primeiros anos. Ele se considerava um "monstro", porque era assim que as outras crianças o chamavam.[14] Frank é acompanhado por milhares de outros que passaram por anos de rejeição e ridículo por causa de uma anormalidade física ou característica pouco apresentável.

Esta vulnerabilidade aos iguais tem feito sempre parte da experiência humana, mas as crianças e adolescentes de hoje são ainda mais sensíveis a ela. A razão é que a cultura popular se tornou um dominador tirânico que exige cada vez mais conformidade ao seu ideal transitório de perfeição. Por exemplo, se você teve ocasião de assistir a um filme antigo de Elvis Presley, deve ter notado que as garotas que apareciam de biquíni eram um tanto gordinhas. Mas, ali estavam elas, rebolando com suas formas corpulentas para delícia de Elvis e dos outros membros exageradamente sexuais de sua banda. Essas atrizes, que pareciam tão atraentes em 1960, não poderiam trabalhar no seriado *Baywatch* hoje. A maioria delas teria de passar um ano ou dois na academia e colocar silicone nos seios para ser aceita. Na época do pintor Rembrandt, as mulheres consideradas excepcionalmente bonitas eram certamente gordas. Hoje, a extrema magreza e

54 Educando meninos

"corpos firmes" se tornaram o ideal — algumas vezes à beira da masculinidade. Em resumo, o padrão de perfeição mudou e ficou fora do alcance da maioria dos jovens.

A mídia e a indústria de entretenimento são em grande parte responsáveis pela investida que estamos testemunhando hoje. Elas enaltecem as imagens de perfeição corporal, como nas "supermodelos". O efeito nas crianças e adolescentes é profundo, não só neste país, como também ao redor do mundo. Vimos isso ilustrado dramaticamente quando a transmissão do satélite de TV ocidental penetrou nas ilhas do Pacífico Sul pela primeira vez. Ele projetou imagens de atrizes atraentes, muito magras, que atuavam nas séries *Melrose, Beverly Hills 90210* e outras destinadas aos adolescentes. Quatro anos mais tarde, uma pesquisa entre 65 garotas das ilhas Fiji revelou como as suas atitudes haviam sido moldadas (ou deformadas) pelo que tinham visto. Quase imediatamente, as meninas começaram a se vestir e pentear o cabelo como as mulheres ocidentais. A dra. Anne Beecher, diretora de pesquisas do Harvard Eating Disorder Center, também observou grandes mudanças nos hábitos alimentares entre as adolescentes dessas ilhas. As que assistiam TV três vezes por semana ou mais tinham 50% mais probabilidade de se considerarem "muito grandes" ou "muito gordas" do que as que não assistiam.[15] Mais de 62% haviam tentado fazer regime nos trinta dias anteriores.[16]

Um jovem não precisa ser obeso para sentir esta pressão. Um estudo conduzido na Universidade da Califórnia há alguns anos revelou que 80% das meninas da quarta série estavam tentando fazer regime por acharem que eram gordas.[17] Outro estudo, este também defasado agora, revelou que metade das crianças na escola elementar, com idades de 8 a 11 anos, afirmaram insatisfação com seu peso.[18]

Acredito que esses números seriam ainda mais chocantes hoje. A dra. Mary Sanders e suas colegas da Stanford University School of Medicine especularam que as causas básicas da anorexia nervosa, bulimia e outros distúrbios da alimentação talvez se encontrassem nessas primeiras experiências. A médica e suas colegas acreditam que a juventude de hoje "está imersa numa cultura onde as mensagens sobre dieta predominam".[19] Adivinhe o porquê! Porque as mensagens sobre "gordura" são tão incrivelmente ameaçadoras que até os magros se aterrorizam com a possibilidade de ganhar peso. Não é de admirar que esses distúrbios estejam difundidos entre os jovens.

Esta obsessão com o peso parece ter afetado a falecida princesa Diana, do Reino Unido, que, alguns diriam, era a mulher mais charmosa e linda do mundo. Ela foi certamente uma das mais fotografadas, como evidenciado pelos paparazzi, que a perseguiram até o momento final de sua vida. Ninguém gerou o nível de apoio às causas de caridade tanto quanto Diana, princesa de Gales. Em vista de seu *glamour* e beleza e sua enorme influência em todo o mundo, não é quase incompreensível que Diana tivesse uma baixa imagem de seu corpo — que não gostasse do que via no espelho e que, durante algum tempo, lutasse com um distúrbio de alimentação? Como uma mulher tão rica e popular poderia chegar a odiar a si mesma e cair em depressão?

A maneira como Diana se via talvez não fosse tão estranha como poderia parecer. Nosso sistema de valores é tal que poucas mulheres sentem-se satisfeitas com o seu corpo. Até as competidoras dos concursos para Miss América e Miss Universo admitirão, se forem sinceras, que se preocupam com suas imperfeições físicas. Se aquelas que são abençoadas com grande beleza e charme lutam muitas vezes com sentimentos de imperfeição, imagine como os seus adolescentes imaturos, desajeitados, sentem-se com relação aos corpos imperfeitos com que nasceram. O culto à beleza é uma maldição internacional que faz com que centenas de milhares de pessoas, a maioria delas jovens, sofram de complexo de inferioridade. Até a falecida princesa foi vítima.[20]

Os exemplos que forneci se concentram principalmente nas meninas e mulheres. Por que eles são também relevantes para os meninos e homens? Porque esta preocupação com a perfeição física e a imagem corporal se tornou um problema tão sério para os homens quanto para as mulheres. A pesquisa revela que não existe mais diferença entre os sexos neste sentido.[21] Os meninos querem desesperadamente ser grandes, poderosos e belos. Aos 4 anos eles já flexionam seus pequenos bíceps, fechando os punhos e mostrando a elevação onde um músculo irá crescer um dia (espera-se que sim). — Ponha a mão aqui, papai —

dirão eles. — É mesmo, filho — os pais irão supostamente responder —, você é realmente forte.

Os garotinhos usam capas do Super-homem e do Batman, roupas de caubói e as pequenas e engraçadas tangas que Tarzan usava para mostrar que são "poderosos" — quer dizer, legais. Este "desejo de poder" masculino é que leva os meninos a brigar, trepar, lutar, empertigar-se e exibir-se. É assim que são. É por tudo isso que quando o desenvolvimento do menino é lento ou ele é mais baixo que os amigos, ele passa no geral a sofrer de baixa autoestima. Coloque-se na posição de um menininho que é provocado e empurrado pelos colegas de classe — que é até menor do que as meninas, que não tem força para competir nos esportes —, que é chamado de "Tampinha", "Coisinha" ou "Mosquito". Depois de alguns anos, seu espírito começa a sangrar.

Lembro-me de ficar sentado no carro num restaurante *fast-food*, comendo um hambúrguer e batatas fritas. (Isto foi antes do ataque cardíaco que tirou a minha alegria de comer!) Olhei para o espelho retrovisor a tempo de ver um gatinho minúsculo e sujo andando numa mureta atrás do meu carro. Ele parecia frágil e doente. Eu sempre me compadeci dos desfavorecidos e não pude resistir àquele. Saí do carro, peguei um pedaço do meu sanduíche e atirei-o ao gatinho. Mas, antes que pudesse alcançá-lo, um gato adulto enorme pulou dentre os arbustos e engoliu-o. Senti pena do coitadinho, que se virou e se escondeu nas sombras. Embora eu tivesse chamado e oferecido outro pedaço, ele teve medo de sair de novo. Lembrei-me imediatamente de meus anos como professor do ensino médio. Via todos os dias adolescentes assim necessitados, destituídos e perdidos como aquele gatinho. Eles não estavam procurando alimento; precisavam de amor, atenção e respeito. Alguns ficavam até desesperados por isso. Quando tinham coragem de se abrir e "pegar um prêmio", tal como pedir alguém em namoro ou ir a um evento esportivo, um ou mais dos garotos populares os intimidavam e faziam com que voltassem correndo para as sombras, amedrontados e sozinhos. Isso acontece sempre em todas as escolas.

Uma mãe telefonou-me há algumas semanas para contar que estava extremamente preocupada com seu filho de 12 anos, Brad. Ela o vira chorando duas noites antes e o pressionara para dizer-lhe a razão. O menino admitiu relutante, por entre lágrimas, que não queria viver e estava procurando um meio de matar-se. Ele lera que pasta de dentes podia ser perigoso quando engolida e estava, então, pensando em ingerir um tubo inteiro. Esta família era uma das mais fortes e impressionantes que tive o privilégio de conhecer; todavia, seu precioso filho estava considerando suicidar-se bem debaixo do nariz dos pais. Brad sempre fora um ótimo menino, com muitos amigos, todavia encontrara um problema que não conseguia enfrentar. Depois de usar muita habilidade, os pais souberam que um colega de escola estava caçoando das orelhas de Brad por serem um tanto salientes. O provocador o fizera sentir-se como o maior idiota da escola. Quando Brad passava pelo corredor, o garoto punha as mãos nas orelhas e as empurrava para a frente.

Alguns de meus leitores podem ter achado a crise pessoal do Brad uma tolice.

Já ouvi pessoas dizerem em situações semelhantes: "Vamos. Isso é coisa de menino. Ele vai superar. Todos tivemos episódios assim". Elas têm razão. A maioria de nós foi provocada ou ridicularizada pelos colegas. Mas nunca devemos subestimar a aflição que pode ocorrer no que não parece "coisa muito importante" para um adulto. No caso de Brad, chegou até a tirar sua vontade de viver. Os pais nunca devem ignorar uma experiência desta natureza, nem ameaças de suicídio devem ser tomadas levianamente. Mesmo que esteja criando seus filhos num ambiente seguro, amoroso, deve manter os olhos e os ouvidos abertos durante a adolescência deles. As emoções do adolescente são explosivas e podem levar a situações perigosas que surgem não se sabe de onde. Os meninos, com mais frequência que as meninas, passam a ter comportamento antissocial quando empurrados contra a parede.

O que você deve, então, fazer quando vê um garoto perseguido pelos colegas? No caso de Brad, aconselhei a mãe dele a falar com a mãe do provocador. Em vez de atacar o filho dela verbalmente, o que convidaria à retaliação instantânea e mais problemas, sugeri que a mãe de Brad explicasse que *ela* tinha um problema e gostaria da ajuda da outra mãe para resolver a situação. Foi o que ela fez. As duas mulheres conversaram e discutiram suas preocupações mútuas. Embora a mãe do outro menino ficasse um tanto na defensiva, a provocação parou e as coisas se acalmaram. A família de Brad procurou também aconselhamento profissional para ajudar o filho a lidar com os problemas mais profundos de autoimagem e inseguranças pessoais que haviam surgido.

Sugeri igualmente a essa mãe que ela adquirisse um exemplar do meu livro e série de fitas-cassete intitulados *Preparing for Adolescence*. Eles não são para os pais, mas para os pré-adolescentes. O primeiro capítulo e fita tratam do ataque à autoestima, que é quase certo ocorrer no começo da adolescência. Dizem também ao menino ou menina como se preparar para essas experiências. Se nós, como adultos, soubermos que esses anos difíceis estão chegando e não fizermos um esforço para preparar nossos filhos para eles, não estamos cumprindo nossa missão. Os detalhes estão todos no livro e nas fitas. Espero que os considere úteis.

A propósito, o conselho que dei à mãe de Brad foi um tanto arriscado. Eu sabia que ela teria sucesso por ser uma senhora sábia e nada ameaçadora. Mas sua conversa com a outra mulher foi difícil e poderia ter falhado. As mães ursas podem ficar extremamente irritadas quando alguém critica seus filhotes. Além disso, algumas mães não têm controle sobre seus filhos desobedientes e não poderiam resolver o conflito mesmo que quisessem. Nesses casos, outras abordagens podem ser tentadas. Algumas delas não são úteis. Quando eu era psicólogo escolar, conheci uma mãe que ficou tão zangada com a perseguição ao filho que envidou todos os esforços a fim de que o seu filho encostasse o criminoso na parede. Ela trabalhou como um sargento da marinha treinando um recruta. Encontrei o provocador alguns dias mais tarde e ele estava ainda pálido. — O que a sra. Jordan disse a você? — perguntei. Ele respondeu: — Ela... ela... disse que se não deixasse o filho dela em paz iria me matar. Essa não foi obviamente a melhor solução. Mas, vou contar-lhe isto, a sra. Jordan fez-se entender muito bem e a perseguição acabou.

Deve haver um meio melhor de preservar o espírito de seu filho. Isso pode exigir medidas extraordinárias e inconvenientes. Quanto a mim, não permitiria que meu filho permanecesse num ambiente abusivo se percebesse que se tratava de mais do que briguinhas comuns entre crianças. Se os colegas começarem a se agrupar contra seu filho e magoarem seu coração dia após dia, eu o tiraria desse ambiente. Procuraria uma escola em que fosse bem acolhido, ou uma escola cristã, ou até mudaria de cidade se necessário. (Por falar nisso, as provocações num campus cristão podem ser tão predominantes quanto nas escolas públicas.) Sempre que seu filho for ameaçado, uma mudança de cenário poderá ser boa. Qualquer que seja a medida tomada, você deve proteger o espírito de seu filho. Eu já vi pessoalmente o que uma matilha de lobos pode fazer contra um cordeiro indefeso.

Ao falar de lobos, vou contar outra história de animais que julgo relevante. Nossa cadela Mindy não era de raça pura nem uma campeã. Seu pai tinha sido um cão sem *pedigree,* portanto, não sabíamos muito sobre os seus ancestrais. Ela não passava de um filhote assustado quando apareceu na porta da frente de nossa casa certa noite, depois de ter sido maltratada pelos donos e atirada para fora de um carro. Nós não estávamos realmente precisando de outro cachorro, mas o que fazer?

Pusemos Mindy para dentro e ela em breve cresceu para tornar-se um dos melhores cachorros que já havíamos tido. Mas nunca perdeu a fragilidade emocional que adquirira por causa dos maus-tratos. Mindy não conseguia aceitar críticas ou repreensões quando fazia acidentalmente algo errado. Ela pulava em nosso colo e escondia os olhos. Certo verão, viajamos durante duas semanas e a deixamos no quintal. O menino do vizinho lhe dava comida e água, mas Mindy ficava sozinha o resto do tempo. Nós na verdade subestimamos o que este isolamento representaria para ela. Quando voltamos, nós a encontramos deitada junto à casa num cobertor. Ao seu redor estavam cerca de sete animaizinhos velhos de pelúcia que tinham pertencido à minha filha e que ela encontrara guardados na garagem. Mindy os levara um a um para a sua cama e se cercara desses pequenos amigos.

Se um cão velho precisa de amor e amizade desta forma, quanto mais todas as crianças desta terra? É nossa tarefa como adultos verificar que cada uma delas encontre a segurança de que precisa. Nunca devemos esquecer as dificuldades de tentar crescer no mundo competitivo em que a criança vive. Tome um momento para ouvi-la, cuidar dela e dirigi-la. Esse pode ser o melhor investimento da sua vida.

A razão para achar que os adultos devem proteger as crianças umas das outras é porque tenho boa memória. Depois de uma infância feliz e segura, entrei no ensino médio e levei vários contras de alguns estudantes mais velhos. Certo dia, lembro-me de ter chorado o caminho inteiro para casa por causa do que dois garotos e uma menina me disseram. Aquilo me atirou numa crise de insegurança que meu pai teve de me ajudar a lidar com ela. Tendo visto tantas crianças lutarem com as mesmas pressões que enfrentei, digo quase sempre aos que estão nesses anos de escola que, se puderem sobreviver ao décimo terceiro e décimo quarto anos de idade, depois disso poderão lidar com tudo o que a vida puser em seu caminho. Olhe que não estou só brincando!

Quando me refiro a meu pai me "ajudar" quando estava desesperado, minha experiência ilustra a importância de ter uma família forte e leal para ajudar uma criança a sobreviver às pressões da adolescência. Uma das razões de os adolescentes reagirem com violência e brutalidade é que não há ninguém em casa para evitar que "caiam no precipício". Tudo volta, mais cedo ou mais tarde, à qualidade da vida familiar. Esse é o grande problema.

Eu acabei aprendendo a defender-me dos ataques. Durante o terceiro ano do ensino médio, minha família mudou e fui matriculado em outra escola. Quase imediatamente tive de lidar com vários provocadores que me consideravam uma presa fácil. Um deles me seguiu pelo corredor nos intervalos das aulas, me provocando e atormentando. Aquilo foi demais. Eu me virei de repente e atirei meus livros no rosto dele. Quando conseguiu ver-me, eu já estava em cima dele. Felizmente, eu já tinha crescido e sabia me defender. Esse foi o fim do nosso conflito. A história logo se espalhou pela escola e os outros valentões me deixaram em paz. Mas se eu fosse mais magro e mais baixo, teria continuado a ser alvo daqueles provocadores. É esse o mundo em que os meninos adolescentes vivem. Como a Pequena Órfã Annie cantou na peça da Broadway, "É uma vida dura e injusta".

Quero admitir, de passagem, que eu também achei divertido caçoar de alguém um dia. Eu era um aluno imaturo da nona série que tinha passado um ano difícil, como descrito. Parecia razoável que fizesse o mesmo com outra pessoa. Escolhi um que parecia um bom candidato e comecei a persegui-lo. Denny tinha o meu tamanho, mas eu o achava um covarde. Certo dia, antes da aula, eu o atormentei quanto pude. Infelizmente, ele se mostrou muito mais forte do que eu pensava. Denny me deu repentinamente seis socos na cabeça, antes que eu soubesse o que estava acontecendo. Ele me deu um dos maiores choques de minha vida e desisti de minha carreira de valentão na hora. Meu coração não servia para isso.

Por que os meninos provocam e intimidam uns aos outros desse modo? Angela Phillips explicou desta maneira: "O efeito da intimidação é fazer com que as outras crianças desçam ao mesmo nível de impotência por meio do medo. A criança que vive com medo é incapaz de aprender. O provocador reduziu, então, sua vítima ao seu próprio nível disfuncional".[22] Foi exatamente isso que tentei fazer com Denny. Eu só escolhi a vítima errada, nada mais.

Esta é outra razão por que os provocadores provocam. O *The Journal of Developmental Psychology* publicou um estudo de 452 meninos da quarta, quinta e sexta séries. Ele revelou que os meninos que atormentavam colegas mais fracos e eram agressivos e rebeldes na escola eram, no geral, os mais populares com seus colegas de classe. Poder e audácia nos meninos são as características que as crianças tendem a admirar.

O dr. Phillip Rodkin, da Duke University, explicou o motivo. Disse ele: "Esses meninos podem internalizar a ideia de que agressão, popularidade e controle andam naturalmente juntos, e talvez não hesitem em usar a agressão física como estratégia social por ter dado certo no passado".[23] Em outras palavras, os valentões são recompensados socialmente por atormentar crianças que estão abaixo deles na ordem das bicadas, o que provavelmente explica por que muitos fazem isso. Outros estudos mostraram que o comportamento atrevido e rebelde entre as meninas não resultou em muita popularidade. Só os meninos são admirados por quebrar as regras. Um ou mais deles talvez lhe pertençam!

Qualquer que seja a razão, há muitos valentões jovens à nossa volta para fazer sua tarefa vil. Um estudo da psicóloga Dorothy Espelage revelou que 80% dos estudantes tomam pane nas provocações e 15% dos alunos da sétima e oitava séries dizem que atormentam alguém regularmente.[24] Num estudo mais antigo, foi mostrado que os meninos tinham quatro vezes mais probabilidade do que as meninas de serem responsáveis por ataques físicos e muito mais prováveis de serem vítimas de ataques.[25] Num estudo patrocinado pela Kaiser Foundation, 74% das crianças entre 8 e 11 anos e 86% dos adolescentes afirmaram ter sido objeto de provocações ou caçoadas de seus iguais.[26] Uma criança em cada quatro é amedrontada na sala de aula.[27] Esse é um dos problemas dos jovenzinhos nos colégios hoje. Ele desempenha também papel significativo na violência que continua a afligir a nação. Nas últimas quatro décadas, tem havido aumento de 500% nos índices de homicídio e suicídio.[28] Estou convencido de que muitos que se matam e matam outros sofrem de espírito ferido. Andy Williams, o jovem atirador que matou dois colegas na Santee High School, foi atormentado impiedosamente por ter um "corpo anoréxico".[29] Alguns jovens conseguem esquecer-se desse tipo de ridículo, mas outros transformam isso em ódio que dura a vida inteira.

Os que se tornam violentos ou se comportam de outras maneiras antissociais no geral saem do fundo da pirâmide social. Adrian Nicole LeBlanc, autor de um artigo intitulado "The Outsiders" (Os Intrusos), ofereceu conceitos valiosos sobre a provocação, como segue:

> As hierarquias tradicionais operam [na escola]: os garotos populares tendem a ser mais ricos e os meninos entre eles tendem a ser atletas. Certas garotas escolhidas pela sua posição compõem o grupo de namoradas desejáveis, muitas delas sendo também atletas. Abaixo da turma popular, em uma ordem mutável de insignificância relativa, estão os viciados (drogados, *hippies* ou *neo-hippies),* assim como uma série de outros mais conhecidos como aberrações. Há também desordeiros, perdedores e paraquedistas — garotos que passam de grupo em grupo. Os verdadeiros perdedores são invisíveis.
>
> Ser um garoto intruso é não ser "homem", ser feminino, ser fraco. Os valentões funcionam como um tipo de polícia de iguais, reforçando o código social. O refrão "vingança dos nerds" — que assegura aos garotos não populares que se apenas conseguirem terminar o ensino médio, a lista de vencedores vai mudar — não questiona a hierarquia que coloca os intrusos em perigo. Os meninos sobrevivem então pela sua energia, algumas vezes pelos seus punhos, mas principalmente, se tiverem sorte, com a ajuda da "família" que criaram entre os amigos.[30]

Le Blanc continuou com trechos reveladores de uma entrevista com Andrew, que estava no fim da fila:

— No começo as pessoas me perseguiam porque eu era realmente esperto — diz Andrew, apresentando a sequência como evidente por si mesma.

— Eu lia o tempo todo. Lia durante a aula de matemática. — Naquela época, no ensino médio, ele tinha a companhia do escritor Tom Clancy e um amigo íntimo com quem podia falar de tudo. Ele diz que as coisas estão melhores agora; durante as aulas, ele fica com os intrusos. Todavia, os dias rotineiros que descreve não parecem ter melhorado. Andrew é empurrado brutalmente, atirado contra o quadro-negro e jogado na lata de lixo de cabeça para baixo. Numa dança da escola, na presença de monitores e policiais, R. levantou Andrew e arrancou um bolso de suas calças. Num dia sou uma "bicha", no outro um "retardado" — diz ele. Uma menina que costumava ser sua amiga agora grita quando ele se aproxima: — Saia daqui, ninguém quer você!

Andrew entrou no time de corrida que atravessa o país de ponta a ponta, mas a miséria o seguiu nos treinamentos. Ele não vai mais participar no próximo ano, embora goste do esporte. Há pouco tempo, ele e outros meninos foram suspensos por serem suspeitos de usar drogas. Segundo Andrew, ele usou para ganhar notas A; agora recebe quase sempre notas C e D. Ele não associa o vício com as mudanças em sua vida.

Andrew também não conta nada aos pais. Ele acha que pensam que ele é popular. — Se tentar explicar a meus pais, eles dirão: *"Oh! mas você tem muitos amigos"*. Isso não é verdade. Mas eles não conseguem entender. Seus amigos intrusos, porém, entendem.

Um deles é Randy Tuck, um estudante de 1,84m do segundo ano, cabeludo e com as faces vermelhas de acne. Ele resgatou Andrew de um "banho" (dois meninos o agarraram pelos tornozelos e se encaminharam com ele para o vaso sanitário).

Andrew disse que o ostracismo o "deixa fervendo por dentro. Algumas vezes a gente fica realmente zangado com algo que não tem tanta importância, como se fosse a última gota". Ele poderia compreender os matadores, Dylan Klehold e Eric Harris, se a miséria deles não tivesse dado mostras de terminar, mas Andrew permanece otimista. Afinal de contas existem alguns que não têm mesmo amigos.[31]

64 Educando meninos

Não é difícil entender como meninos com espíritos feridos — os intrusos — podem se descontrolar sob pressão intensa e causar danos inconcebíveis a outros. Não estou desculpando ou justificando o comportamento deles, é claro. A maioria dos estudantes faz esta viagem difícil sem recorrer à violência. Alguns, porém, guardam tamanho rancor que atiram não só naqueles que os atormentaram, como em todo mundo que esteja ao seu alcance. A seguir, eles voltam a arma para si mesmos como ato derradeiro de ódio. Em quase todos os casos de violência a esmo nos campus escolares, os jovens perpetradores foram ridicularizados e perseguidos pelos colegas. Como mencionado por Andrew, foi isto que aconteceu na Escola Secundária Columbine, em Littleton, Colorado, naquela tarde trágica, em abril de 1999. Doze alunos e um professor foram assassinados antes que os dois atiradores de 17 anos cometessem suicídio.[32] Embora sejam os responsáveis pelo massacre, não se pode estudar as circunstâncias subjacentes sem considerar a evidência da rejeição pelos colegas mais populares. Enquanto matavam os outros estudantes, Klebold gritou, conforme citado: "Isto é para todos os que nos provocaram". Harris disse: "Esses garotos me humilharam, me constrangeram. Todos vão morrer (tiro, tiro, tiro), todos vão morrer. Sou Deus e decido o que é verdade".[33] A ira reprimida evidentemente transbordou, resultando em muitas mortes. Isto está se tornando um padrão familiar.

Outro fator determinante é a predominância da violência na mídia, que ensinou às crianças a maneira errada de lidar com os atormentadores. Os adolescentes, inclusive os que têm o espírito ferido, vivem todos os dias com imagens de morte, envenenamento, mutilação, decapitação, esfaqueamento, acidentes e explosões. Isso está em toda parte, no teatro, televisão a cabo, nos vídeos musicais e na internet. Um dos filmes mais populares há alguns anos foi *Pânico*, produzido pela Miramax — uma subsidiária pertencente, é triste dizer, à Disney Corporation. O filme começava com o assassinato brutal de uma jovenzinha. Seu corpo foi estripado e pendurado num varal para ser descoberto pela mãe.[34] Milhares de adolescentes viram esse filme durante os seus anos mais impressionáveis. *Pânico 2* e *Pânico 3* foram depois produzidos. Obrigado, Disney, por fazer isto para nossos filhos. Seu fundador iria revirar na sepultura se soubesse o que estão fazendo com a sua boa reputação. Continuem. Peguem o dinheiro e corram. Mas, quando forem, lembrem-se de que o sangue de vítimas inocentes vai manchar para sempre as suas mãos. Ressinto-me profundamente desta desmoralização e exploração dos jovens que o presidente da Disney, Michael Eisner, e outros magnatas do cinema e televisão perpetraram à custa dos mais frágeis entre nós.

Em vista da difusão da violência na mídia, por que nos surpreendemos quando crianças que assistiram a tais programas e os ouviram durante toda a infância algumas vezes agem de maneira violenta? As crianças aprendem que matar é a maneira como devem agir quando insultadas e frustradas. "Venham", gritam elas quando provocadas, "tomem isto!", seguindo-se então o *ratatá* de um rifle automático.

Muitas pessoas atribuem a violência na escola à disponibilidade de revólveres, motivo que as leva a lutar veementemente contra as armas de fogo. Não há dúvida de que a adolescência e as armas produzem um coquetel explosivo, mas isso não explica o que ocorre hoje. O rabino Daniel Lapin, presidente da Toward Tradition, disse que houve uma época em que os meninos em quase todas as escolas americanas levavam armas para a sala de aula. Eles as deixavam no vestiário até a tarde, quando as pegavam para caçar. As armas de fogo não eram um problema.[35] Agora há violência em quase todas as escolas, não porque as armas mudaram, mas porque os meninos mudaram. E qual a razão dessa mudança? A cultura popular ensinou-lhes que a violência é viril. Sylvester Stallone não foi violento em *Rambo?* Bruce Willis não foi violento em *Duro de Matar?* Arnold Schwarzenegger não foi violento em *Comando?* Nossos filhos não estão aprendendo desses modelos a se vingarem ou a matar os que atrapalham o seu caminho?

Proteger a família desta cultura de violência é muito difícil para os pais. É como tentar impedir que a chuva caia. Não obstante, *devemos* proteger nossos filhos da violência tanto quanto possível, especialmente quando eles são jovens. Quatro organizações nacionais de prestígio associaram a violência na televisão, na música, nos videogames e filmes ao crescimento da violência entre as crianças. São elas: a Associação Médica Americana, a Academia Americana de Pediatria, a Associação Americana de Psicologia e a Academia Americana

Educando meninos

de Psiquiatria da Criança e do Adolescente. Em sua declaração conjunta elas dizem, em parte: "Os efeitos [da violência] são mensuráveis e duradouros. Além disso, assistir por muito tempo à violência na mídia pode levar à dessensibilização emocional no que diz respeito à violência na vida real".[36]

Uma declaração ainda mais forte foi emitida em separado pela Academia Americana de Pediatria. Steve Rubenstein, do jornal *The San Francisco Chronicle*, fez menção dela ao escrever: "Desliguem a TV, mães e pais, a saúde do seu filhinho corre perigo. Crianças com menos de 2 anos não devem assistir à TV porque ela pode interferir no 'crescimento sadio do cérebro', segundo uma nova regra emitida esta semana pela Academia Americana de Pediatria. 'Os pediatras devem recomendar aos pais evitarem que seus filhos com menos de 2 anos assistam à televisão. Uma pesquisa sobre o desenvolvimento do cérebro nos primeiros anos mostra que os bebês e as crianças que começaram a andar têm necessidade crucial de interações diretas com [pessoas] para o crescimento sadio do cérebro', afirma a diretriz".

O relatório continua: "Em números anteriores da revista médica da associação, *Pediatrics,* os médicos advertiram que o fato de as crianças assistirem à TV pode levar ao comportamento violento, obesidade, apatia, baixa do metabolismo, diminuição da imaginação, prisão de ventre, e até à morte — no caso de a televisão cair em cima da criança. Mas esta é a primeira vez que a associação pediu uma proibição direta. O estudo também afirmou que a criança comum fica sujeita a 14.000 referências sexuais na TV por ano e exposta a 52 bilhões de anúncios de bebidas em outras mídias anualmente".[37]

O senso comum nos disse há décadas que ver regularmente imagens gráficas de sangue vivo e coagulado era prejudicial às crianças, mas só recentemente surgiu evidência científica digna de crédito suficiente para provar isso. As autoridades ligadas ao desenvolvimento da criança estão agora de acordo. A indústria de entretenimento colocou nossos filhos em perigo. A resposta de Hollywood, infelizmente, tem sido pouco mais que um bocejo. Vamos falar mais de sexo e violência na mídia num capítulo subsequente.

Quero agora oferecer alguns conselhos às mães e pais de espíritos feridos sobre o que podem fazer para evitá-los. Como disse antes, tenho insistido com pais e professores durante os últimos trinta anos para interferirem a favor das crianças que sofrem. Uma das tarefas mais importantes como pai é preservar a saúde mental e física de seus filhos. Vocês não permitiriam que alguém os machucasse fisicamente se pudessem evitar. Por que, então, ficam imóveis e permitem que o espírito de seu filho ou filha seja deformado e pervertido? O dano ao autoconceito · que ocorre durante a adolescência pode perseguir o indivíduo pelo resto da vida.

Como professor, tornei claro para meus alunos que não admitiria provocações. Se alguém insistisse em ridicularizar outro estudante, teria de se haver comigo. Gostaria que todos os adultos fizessem o mesmo. Quando um professor forte e amoroso socorre a criança menos respeitada da classe, algo dramático ocorre no clima emocional da sala. Cada criança parece dar um suspiro audível de alívio. O mesmo pensamento passa pela cabecinha de todos: *Se essa criança está livre das zombarias, eu também devo estar.* Ao defender o aluno menos popular da classe, o professor está mostrando que respeita a todos e que vai lutar por quem quer que esteja sendo tratado injustamente.

As crianças gostam de justiça e ficam confusas num mundo de injustiça e violência. Portanto, quando ensinamos às crianças bondade e respeito por outros, insistindo em civilidade em nossas salas de aula e em nossos lares, estamos colocando fundamento para a bondade humana no mundo dos adultos que virão. É lamentável que a filosofia oposta seja evidente em muitas escolas hoje. Ela precisa mudar. Não me diga que nós, como adultos, não podemos impedir a provocação. É claro que podemos. Sabemos quem são as crianças indefesas. Podemos socorrê-las. Só precisamos da determinação para interferir quando uma criança mostra sinais de aflição. É nossa profunda obrigação fazer isso.

Esta é a parte difícil. Enquanto você trabalha por trás do cenário para proteger seu filho do abuso, não deve fazer com que ele ache que é uma vítima além da circunstância imediata. É fácil dar a um menino a ideia de que o mundo está pronto para atacá-lo. Esse sentimento abrangente de ser a vítima é terrivelmente destrutivo. Ele paralisa a pessoa e faz com que levante as mãos em desespero. Uma vez que ceda à noção insidiosa de que não pode vencer — que vai fracassar de qualquer jeito —, fica desmoralizada. O desejo de superar a adversidade enfraquece. Não fale com seus filhos sobre o mundo maior que está contra eles, mas ensine como lidar com a situação isolada que surgiu. Espero que isto tenha ficado claro. Você nunca deve deixar que seu filho pense que você acredita que ele está destinado ao fracasso e à rejeição. Pois vai acreditar!

Devemos identificar também as crianças e os adolescentes que parecem experimentar ódio contra si mesmos e nutrir profundo ressentimento e ira. Os sintomas a serem procurados incluem reações excessivas às pequenas frustrações, medo de novas situações sociais, uso de drogas ou álcool, dificuldade para dormir ou comer, extremo isolamento e reserva, roer as unhas, incapacidade de fazer amigos, desinteresse nas atividades escolares e perseguição de outros. Observe também sinais de ameaça de suicídio. Fique especialmente vigilante quando uma criança que mencionou matar-se, de repente, parece despreocupada e feliz. Isso significa, às vezes, que ela tomou a decisão de morrer e não está mais lutando com o que a preocupava. Em cada um desses casos, aconselho que procure ajuda profissional para essas crianças. Não se console com a ideia de que "ela vai sair dessa". Esse jovenzinho pode necessitar desesperadamente de ajuda. Não perca a oportunidade de fornecê-la.

Os comentários acima se referem mais aos adolescentes. Vou me concentrar agora nas crianças. Costumava-se pensar que a maioria das crianças era basicamente feliz e despreocupada. Isso está mudando. Segundo o psicólogo e autor dr. Harchibald Hart, estamos vendo agora mais sinais de depressão grave nas crianças, às vezes com apenas 5 anos.[38] Se uma criança de 5 a 10 anos está deprimida, pode mostrar sinais de letargia: talvez não queira sair da cama de manhã, fique andando infeliz pela casa, não mostre interesse em coisas que normalmente a deixariam vibrando. Distúrbios do sono e estômago são também sinais de alerta. Outro sintoma pode ser ira declarada, hostilidade e raiva. Ela pode explodir subitamente com as pessoas ou coisas ao seu redor. Se você suspeitar que seu filho está deprimido, deve ajudá-lo a colocar seus sentimentos de tristeza ou frustração em palavras. Fique à disposição dele para ouvir sem julgar ou depreciar os sentimentos expressos. Só o fato de ser ouvido pode fazer muito para melhorar a depressão da criança. Mais importante, você precisa procurar a fonte por detrás da aflição. O que está acontecendo na escola de seu filho pode ser a resposta.

Vou referir-me finalmente à colunista Kathleen Parker para o conselho final sobre como criar meninos sadios em nosso mundo caótico. Ela disse que isso pode ser conseguido "sendo razoável, inteligente e completamente alerta. Reduzindo a exposição dos meninos à violência, estando em casa quando voltam da escola, ajudando-os na lição de casa, perguntando como foi o seu dia, deixando que chorem se necessário, dando apoio quando estão tristes, ajudando-os a ver as opções, ensinando-os a lidar com armas de maneira segura se as tiver em casa, recompensando o bom comportamento, aplicando consequências significativas ao comportamento inaceitável, fazendo exigências razoáveis, expressando expectativas morais, falando com os professores, [e] abraçando esses rapazinhos sempre que puder. Não peça a eles que sejam homens quando não passam de meninos, mas mostre como podem ser homens de verdade demonstrando aquilo que nós, como sociedade, parecemos ter perdido: o autocontrole. Este é o maior dom e não é sequer tecnologia avançada, mas simplesmente uma boa criação de filhos".[39]

PERGUNTAS E RESPOSTAS

Pode dar-me conselhos mais específicos sobre como saber se meu filho corre o risco de suicidar-se?

O Family Research Council forneceu a seguinte lista de verificação que pode ser útil para você. Faça a si mesmo estas perguntas:

- A personalidade de seu filho mudou dramaticamente?
- Ele está tendo problemas com a namorada? Ou com o relacionamento com outros amigos ou parentes? Ele se afastou das pessoas com as quais costumava ter intimidade?
- A qualidade das suas tarefas de escola está piorando? Ele deixou de corresponder aos seus próprios padrões ou aos de outra pessoa quanto às notas da escola, por exemplo?
- Ele parece sempre entediado e está tendo dificuldade para concentrar-se?
- Ele está agindo como rebelde de modo inexplicável e grave?

70   Educando meninos

- Ele está tendo problemas em enfrentar uma importante alteração de vida, tal como uma mudança ou a separação dos pais?
- Ele fugiu de casa?
- Seu adolescente está usando drogas ou álcool?
- Ele está se queixando de dores de cabeça, de estômago, e outros sintomas que podem ou não ser reais?
- Seus hábitos de comer ou dormir mudaram?
- Sua aparência mudou para pior?
- Ele está dando algumas de suas coisas mais preciosas?
- Está escrevendo bilhetes e poesias sobre a morte?
- Ele fala sobre suicídio, mesmo em tom de brincadeira? Já disse coisas como: "Essa é a última gota", "Não aguento mais" ou "Ninguém se importa comigo"? (Ameaças de acabar com a vida precedem quatro em cada cinco suicídios.)
- Ele já tentou cometer suicídio antes?[40]

Se você está percebendo um padrão dessas características em seu filho, recomendo que procure imediatamente um profissional para ele. Muitos suicídios acontecem como um choque arrasador para os pais surpresos. Será prudente que você permaneça vigilante quanto aos sinais e sintomas que de outra forma poderiam deixar de ser notados. Ter uma família sólida e envolvida é o melhor preventivo, não só para o suicida em potencial, como também para a maioria dos outros comportamentos antissociais. Infelizmente, este tipo de família é o que milhares de jovens não possuem.

Meu filho começou a andar com alguns garotos da pesada que o iniciaram na maconha. Ele não nega o que está fazendo porque diz que é inofensivo. O senhor pode dar-me a sua opinião?
Seu filho recebeu informações muito erradas que estão sendo passadas por aqueles que promovem a legalização da maconha. É uma mentira. O dr. Harold Voth, psiquiatra sênior da Menninger Foundation em Topeka, Kansas, deu a explicação certa.

Ele disse, primeiro, que cinco cigarros de maconha têm a mesma capacidade de causar câncer que 112 cigarros convencionais. Segundo, a parte do cérebro que permite à pessoa enfocar, concentrar, criar, aprender e conceituar num nível avançado está ainda crescendo durante os anos da adolescência. O uso contínuo da maconha durante certo período de tempo vai retardar o crescimento normal dessas células do cérebro. Terceiro, um estudo conduzido pela Universidade de Colúmbia revelou que as mulheres que fumam maconha ficam com o DNA, o código genético, bastante prejudicado. Foi também descoberto que os óvulos reprodutores são especialmente vulneráveis a danos provocados pela maconha. Quarto, um segundo estudo dessa universidade descobriu que as pessoas que fumavam um único cigarro de maconha em dias alternados durante um ano tinham uma contagem de glóbulos brancos 39% menor do que o normal, prejudicando assim o sistema imunológico e tornando o usuário muito mais suscetível a infecções e enfermidades.[41] Fumar maconha é um passatempo perigoso.

Duvido que seu filho fique satisfeito com esta resposta, embora deva transmiti-la a ele. A sua motivação está provavelmente mais relacionada com a pressão dos amigos do que na crença de que a droga é inofensiva. O perigo está em que ele venha a "graduar-se" e passar a algo mais forte e que vicie mais. Se eu fosse você, faria tudo para afastar meu filho da turma com quem está andando agora, mesmo que tivéssemos de mudar de casa. Ele está aparentemente num momento crítico da sua vida.

5 O pai essencial

VIMOS QUE OS MENINOS estão em grandes dificuldades hoje e que muitos deles estão sofrendo pressão emocional que contribui para a violência, abuso de drogas, atividade sexual precoce e outras formas de comportamento rebelde. Até alguns adolescentes que seguem as regras e parecem estar bem, na verdade se acham lutando silenciosamente com problemas de identidade e significado. A favor deles e para os meninos menores que ainda não se defrontaram com essas dificuldades, precisamos examinar as forças específicas que criaram tais ambientes pouco sadios para as crianças e, mais importante, o que fazer a respeito.

A principal das ameaças para esta geração de meninos é a dissolução da família. Todas as outras dificuldades que vamos considerar foram causadas por esta tragédia fundamental ou estão relacionadas com ela. Toda ênfase que lhe dermos nunca será demais. Temos salientado há anos que os casamentos estáveis, que duram a vida inteira, fornecem a base para a ordem social. Tudo que é de valor descansa sobre esse suporte. Historicamente, quando a família começa a se desintegrar numa dada cultura, tudo, desde a eficiência do governo até o bem-estar geral do povo, sofre um impacto negativo. É justamente isto que está acontecendo conosco atualmente. A família está sendo golpeada e destruída pelas forças ao seu redor. Alcoolismo, pornografia, jogo, infidelidade e outras infecções virulentas se insinuaram em sua circulação sanguínea. O divórcio consensual continua sendo a lei em vigor na maioria dos estados, resultando em milhares de rompimentos familiares desnecessários. Está claro que o lar se encontra com problemas. Como todos sabemos, os filhos é que estão sofrendo mais. Nas culturas onde o divórcio passa a ser comum ou grande número de homens e mulheres escolhem viver juntos ou manter relações sexuais sem preocupação em casar-se, um número incalculável de crianças são apanhadas no caos.

Se me permitirem oferecer minha opinião, por mais exagerada que pareça, creio que o futuro da civilização ocidental depende de como vamos lidar com esta crise atual. Por quê? Porque os pais estão criando a próxima geração de filhos que ou vão liderar com honra e integridade, ou abandonar tudo de bom que herdaram. Eles são a ponte para o futuro. As nações povoadas em sua maioria por homens imaturos, imorais, de vontade fraca, covardes e autoindulgentes não podem e não vão durar muito. Esses tipos de homens incluem os que geram e abandonam seus filhos; são infiéis à esposa; mentem, roubam e cobiçam; odeiam seus conterrâneos e não servem a outro deus senão ao dinheiro. Esta é a direção para a qual a cultura está levando os meninos atuais. Devemos fazer o investimento necessário para contrariar essas influências e edificar em nossos filhos qualidades duradouras de caráter, autodisciplina, respeito pela autoridade, compromisso com a verdade, crença na ética do trabalho e um amor inabalável por Jesus Cristo. A busca desses objetivos me levou a escrever este livro.

O impacto devastador da desintegração familiar sobre os filhos é indiscutível. Uma comissão norte-americana especial, consistindo de autoridades sobre o desenvolvimento infantil, reuniu-se na década de 1990 para examinar a saúde geral dos adolescentes. Este relatório, chamado de *Código Azul,* concluiu: "Nunca antes uma geração de adolescentes foi menos sadia, menos cuidada, ou menos preparada para a vida".[1] A maioria das características censuradas pela comissão piorou ainda mais em nossos dias. Isto está ocorrendo, veja bem, em uma das nações mais ricas e privilegiadas da história do mundo. É resultado direto da desintegração conjugal e forças associadas que operam contra a família.

Sei que já apresentei a você muitas estatísticas até agora, mas as que passo a oferecer devem ser colocadas em letreiros de néon: Sessenta por cento dos recém-nascidos negros e 19% dos brancos nos Estados Unidos nascem fora do casamento. A maioria jamais conhecerá seus pais ou saberá como é ser amado por eles. Só 34% das crianças nascidas na América viverão com os pais biológicos até os 18 anos. Esta é uma receita para o infortúnio, especialmente quando consideramos o fato de que 62% das mães com filhos menores de 3 anos trabalham

74 Educando meninos

fora. O número era a metade em 1975! Mães de filhos com menos de 18 anos estão hoje empregadas, cerca de 72% delas![2] O fato de as mães trabalharem fora, combinado com o não envolvimento dos pais, significa quase sempre que *não há ninguém em casa!* Não é de surpreender que os meninos de hoje estejam em dificuldades.

Os cientistas comportamentais só recentemente começaram a entender como os pais são importantes para o desenvolvimento sadio dos meninos e das meninas. Segundo o psiquiatra Kyle Pruett, autor do livro *Fatherneed,* os pais são tão importantes para os filhos quanto as mães, mas de maneira muito diversa. Estas são outras descobertas surpreendentes que surgiram da pesquisa cuidadosa sobre o papel dos pais:

- Existe um elo inegável entre os pais e as crianças desde o nascimento.
- As crianças com seis semanas já sabem diferenciar a voz da mãe e a do pai.
- Com oito semanas, os bebês já podem distinguir entre os cuidados que lhes são dispensados pela mãe e pelo pai.
- As crianças nascem com o impulso de encontrar o pai e ligar-se a ele. Quando começam falar a palavra para "pai", quase sempre precede a palavra para "mãe". As razões disto são desconhecidas.
- Quando começam a andar, a necessidade do pai fica especialmente óbvia: elas vão procurar o pai, perguntam por ele quando ausente, ficam fascinadas com a sua voz no telefone e investigam cada parte do seu corpo quando lhes é permitido.
- "Os adolescentes expressam a necessidade do pai de maneiras ainda mais complexas, competindo com o pai e confrontando os seus valores, crenças e, naturalmente, limites. Para tantos filhos e filhas, só na morte do pai é que eles descobrem a intensidade e longevidade da sua necessidade paterna, especialmente quando ela não foi reivindicada."[3]

Embora os filhos de todas as idades — de ambos os sexos — tenham uma necessidade inata de contato com os pais, quero enfatizar novamente que os meninos sofrem mais com a ausência ou não envolvimento do pai. De acordo com o Centro Nacional para Crianças Desfavorecidas, os meninos sem pais têm duas vezes mais probabilidade de abandonar a escola e de serem presos. E quase quatro vezes mais probabilidade de precisar de tratamento para problemas emocionais e comportamentais do que os meninos que têm pais.[4]

Durante minha revisão da última pesquisa para este livro, encontrei repetidamente a mesma questão perturbadora. Os meninos estão em dificuldades atualmente, principalmente porque seus pais e mães, especialmente o pai, estão confusos, trabalhando demais, exaustos, desinteressados, viciados em substâncias químicas, divorciados ou simplesmente incapazes de enfrentar os problemas da vida. Como indicado anteriormente, todos os demais problemas que atormentam os jovens do sexo masculino estão ligados a esses fatos da vida no século XXI. A principal entre as nossas preocupações é a ausência de um modelo masculino e a orientação que os pais deveriam prover. As mães, que tendem também a viver à beira do precipício, são obrigadas a fazer um trabalho para o qual têm pouco treinamento ou experiência. Por nunca terem sido meninos, as mulheres quase sempre possuem apenas uma vaga noção de como criar um deles. Os meninos são os grandes perdedores quando as famílias se dividem.

O Centro Nacional de Vícios e Abuso de Substâncias, da Universidade de Colúmbia, descobriu que filhos de famílias com os dois pais e que tiveram relacionamento regular ou fraco com os pais tinham 68% mais probabilidade de fumar, beber e usar drogas do que adolescentes que tiveram uma relação boa ou excelente com pais. Em comparação, numa família chefiada só pela mãe, em que havia uma excelente relação entre filhos e mães, o risco do abuso de drogas era 62% menor em relação aos que viviam numa família com ambos os pais, mas onde existia relacionamento regular ou fraco com o pai.[5]

A influência de um bom pai é primordial.

O dr. William Pollock, psicólogo da Harvard e autor da obra *Real Boys,* conclui que o divórcio é difícil para os filhos de ambos os sexos, mas é devastador para os do sexo masculino. Ele diz que o problema básico é a falta de disciplina e supervisão na ausência do pai e o fato de não estar disponível para ensinar o que significa ser homem. Pollock acredita também que os pais são indispensáveis para ajudar os meninos a controlarem as suas emoções. Como vimos, sem a orientação e direção do pai, a frustração do menino no geral leva a variedades de violência e outros comportamentos antissociais.[6]

Grande número de pesquisadores concorda que perder o pai (ou nunca ter tido um) é catastrófico para os meninos. Há trinta anos acreditava-se que a pobreza e a discriminação eram as principais responsáveis pela criminalidade juvenil e outros problemas comportamentais. Sabemos agora que a ruptura da família é a verdadeira culpada. Apesar de todas as bandeiras vermelhas que nos advertem dos perigos, as atitudes levianas em relação à gravidez pré-conjugal, divórcio, infidelidade e coabitação são habituais.

Don Eilum, autor de *Raising a Son,* diz que o tema comum em relação aos meninos perturbados são os pais distantes, que não se envolvem, e, por sua vez, as mães que tomam mais responsabilidade para cobrir a brecha.[7]

O sociólogo Peter Karl acredita que em razão de os meninos passarem 80% do tempo com mulheres, eles não sabem agir como homens quando crescem. Quando isso acontece, o relacionamento entre os sexos é diretamente afetado. Os homens tornam-se indefesos e cada vez mais se parecem com crianças crescidas.[8]

Essas estatísticas e tendências não podem ser plenamente apreciadas até que vejamos como são traduzidas na vida dos indivíduos. Estive conversando recentemente com uma pessoa assim — um homem de 58 anos que descreveu a infeliz lembrança que tinha do pai. Seu pai fora um pastor consumido pelo trabalho e outros interesses. Este pai nunca ia aos eventos esportivos ou quaisquer outras atividades de que o filho participava. Ele não foi disciplinado nem afirmado pelo pai. Quando o menino chegou ao fim do ensino médio, ele fazia parte de um grande time de futebol da escola. Quando seu time se classificou para o campeonato estadual, o menino queria desesperadamente que o pai o visse jogar. Ele implorou: "Por favor, você vai ao estádio na sexta-feira à noite? É muito importante para mim". O pai prometeu ir.

Na noite do grande jogo, o menino estava se aquecendo no campo quando viu o pai entrar no estádio acompanhado de dois outros homens usando ternos. Eles ficaram conversando por um momento ou dois e depois saíram. O homem que me contou esta história tinha lágrimas nos olhos, que correram pelo rosto, enquanto revivia aquele momento difícil ocorrido havia tanto tempo. Quarenta anos se passaram depois daquela noite, todavia, a rejeição e o desapontamento que sentira quando adolescente continuavam vivos em seu coração. Um ano após nossa conversa, o pai desse homem morreu, aos 83 anos. Meu amigo ficou sozinho diante do caixão do pai no velório e disse tristemente: "Pai, podíamos ter compartilhado tanto amor juntos — mas nunca o conheci realmente".

Voltando à noite do jogo de futebol, fico imaginando o que aquele pai considerou mais importante do que a sua presença para o filho. A sua lista de "coisas a serem feitas" era na verdade mais urgente do que satisfazer as necessidades do menino que levava o seu nome? Quaisquer que fossem as razões, aquele homem permitiu que os anos passassem sem cumprir suas responsabilidades em casa. Embora tenha partido, seu legado é como o de inúmeros pais que estão ocupados demais, egoístas demais e desatentos demais para cuidar dos menininhos que procuravam estar com eles. Seu registro agora está nos livros. Se apenas pudessem voltar e fazer tudo diferente. Se apenas... ! Se apenas... !

Um pai tem um poder imenso sobre a vida dos filhos, para o bem ou para o mal. As famílias compreenderam esse fato durante séculos. Alguém disse: "Nenhum homem parece tão alto como quando se abaixa para ajudar um menino". Outro sábio observador afirmou: "Coloque um menino junto ao homem certo e ele quase nunca dará errado". Ambos estão corretos. Quando perguntados sobre quem são os seus heróis, a maioria dos meninos que têm a felicidade de ter pai dirá: "Meu pai". Por outro lado, quando o pai não se envolve — quando não ama nem cuida de seus filhos —, isso cria um sofrimento, um anseio, que perdurará durante décadas. Sem minimizar quanto as meninas precisam dos pais, o que também reconhecemos, os meninos são emocionalmente formados para depender dos pais de maneiras que não foram compreendidas até recentemente.

Sabemos, agora, que existem dois períodos críticos durante a infância em que os meninos são particularmente vulneráveis. O mais óbvio ocorre no início da puberdade, quando membros dos dois sexos experimentam uma explosão emocional e hormonal. Meninos e meninas nessa época precisam desesperadamente da supervisão, orientação e amor do pai. O divórcio nessa fase, mais do que em outras, é tipicamente devastador para os meninos. Mas, segundo a dra.

Carol Gilligan, professora da Universidade de Harvard, há outro período crítico mais cedo na vida — que não é compartilhado pelas meninas. Os meninos bem pequenos se aquecem na feminilidade e natureza feminina da mãe durante a tenra infância. Os pais são importantes então, mas as mães têm a primazia. Por volta dos 3 a 5 anos, porém, a criança se afasta da mãe e das irmãs num esforço para formular uma identidade masculina.[9] Trata-se de um processo conhecido como "desconexão e diferenciação", quando, como Don Elium escreve, "o impulso interior do plano de desenvolvimento do homem o lança fora do ninho da mãe por sobre uma ponte precária para o mundo do pai".[10] É típico que os meninos dessa idade, e ainda menores, busquem a atenção e o envolvimento do pai e tentem imitar seu comportamento e modos.

Lembro-me de meu filho identificando-se claramente com a minha masculinidade naquele período entre o jardim de infância e a primeira série. Por exemplo, quando a família se preparava para sair de carro, Ryan dizia: "Olhe, pai, nós dois vamos no banco da frente e as meninas no de trás". Ele queria que rodos soubessem que era um "homem" como eu. Eu percebia claramente que era o seu padrão de comportamento e masculinidade. Essa é a maneira em que se supõe que o sistema funcione.

Mas aqui está o nó: quando os pais estão ausentes nessa época, ou se são inacessíveis, distantes ou violentos, os meninos só têm uma vaga noção do que significa ser homem. Enquanto as meninas têm um modelo quase sempre disponível para imitar o comportamento e as atitudes femininas (a não ser que criadas por pais sozinhos), os meninos que vivem só com a mãe são deixados para formular sua identidade masculina do nada. É por isto que o divórcio muito cedo na vida do casal é devastador para os meninos. A escritora Angela Phillips acredita, e eu concordo, que a alta incidência de homossexualidade que ocorre nos países ocidentais está relacionada, pelo menos em parte, à ausência de influência masculina positiva quando os meninos estão atravessando a primeira crise do desenvolvimento infantil.[11] Um dos principais objetivos dos pais é ajudar os meninos a identificarem sua orientação sexual e compreender o que significa ser homem. Devemos voltar a esse ponto quando examinarmos num capítulo posterior os antecedentes da homossexualidade.

Tive a bênção de ter um pai maravilhoso que se mostrou acessível para mim, desde os primeiros anos da infância. Fiquei sabendo que, quando tinha 2 anos, minha família morava num apartamento de um quarto e minha cama ficava ao lado da de meus pais. Meu pai contou mais tarde que era comum naqueles dias ele acordar no meio da noite ouvindo uma vozinha sussurrar: — Papai? Papai? Meu pai respondia baixinho: — O que foi, Jimmy? — E eu dizia: — Pegue a minha mão! — Meu pai estendia a sua no escuro e procurava minha mão, envolvendo-a finalmente na sua. Ele disse que no momento em que prendia minha mão com firmeza, meu braço amolecia e minha respiração se tornava profunda e regular. Eu voltava imediatamente a adormecer. Como vê, eu só queria saber se ele estava lá!

Tenho um catálogo de lembranças agradáveis de meu pai desde os anos da pré-escola. Certo dia, quando tinha quase 3 anos, estava em casa com minha mãe e ouvi uma batida na porta da frente.

— Vá ver quem é — disse ela com um sorriso no rosto.

Abri a porta e lá estava meu pai. Ele tomou minha mão e disse: — Venha comigo. Quero mostrar-lhe uma coisa. — Levou-me então para o lado da casa, onde escondera uma linda bicicleta azul. Foi um dos momentos maravilhosos de minha vida. Outra vez, no mesmo ano, lembro-me de estar caminhando ao lado de meu pai grandão (ele tinha 1,95 m de altura) e me sentindo muito orgulhoso de estar na companhia dele. Lembro-me até de como a sua mão parecia imensa segurando a minha.

Recordo-me também dos momentos deliciosos em que brincava com meu pai ao modo masculino. Muitas mães não compreendem por que esse tipo de brincadeira é importante, mas é. Assim como os filhotes de lobo e de leopardo brincam e lutam uns com os outros, os meninos de todas as idades também gostam desse tipo de luta. Quando eu tinha 5 anos, meu pai e eu costumávamos horrorizar minha mãe rolando no chão e dando chutes com força. Isso mesmo. Lutas de chutes! Ele pesava 81 quilos e eu cerca de 22, mas nos atirávamos um contra o outro como lutadores de sumô. Ele me atiçava a chutar suas canelas e depois, inevitavelmente, impedia meu arranco com a planta do pé. Isso me fazia atacá-lo com mais força. Então meu pai tocava em minha canela com o dedo.

Acredite ou não, eu achava maravilhoso. Acabávamos rindo histericamente, apesar das pancadas e contusões em minhas pernas. Minha mãe exigia que parássemos, não tendo ideia da razão de eu gostar tanto dessa brincadeira. Era apenas uma coisa de homem.

O departamento de proteção de crianças iria hoje processar um homem que lutasse dessa maneira com os filhos. Alguns talvez dissessem que esta "violência" dentro de casa poderia levar ao comportamento criminoso. Assim também, muitos concluíram que o castigo corporal, mesmo quando administrado num ambiente de amor, ensina as crianças a machucarem outras. Estão errados. Não são as brincadeiras de lutar nem a disciplina medida que predispõem os meninos ao mau comportamento. É mais frequentemente a ausência de um pai que possa ensiná-los a ser homens e corrigi-los com autoridade quando estão errados.

Quero ilustrar este princípio com uma descoberta recente do mundo da natureza. Além dos cães, que sempre amei, os animais que mais me fascinam são os elefantes. Essas magníficas criaturas são muito emotivas e surpreendentemente inteligentes. Suponho que é por essa razão que ficamos perturbados ao vê-los sofrendo a invasão da civilização.

Isso está acontecendo no Parque Nacional de Pilanesberg, no noroeste da África do Sul. Os guardas florestais informaram que os jovens elefantes machos nessa região se tornaram cada vez mais violentos em anos recentes — especialmente com os rinocerontes brancos à sua volta. Sem qualquer provocação, o elefante atira o rinoceronte de costas e depois se ajoelha e o fere com as presas até matá-lo. Este não é um comportamento típico da espécie e tem sido muito difícil de explicar.

Mas agora os guarda-caça pensam ter descoberto a razão. Aparentemente, a agressividade é resultado dos programas do governo para reduzirem as populações desses animais, matando os mais velhos. Quase todos os elefantes perigosos ficaram órfãos quando pequenos e privados do contato com adultos. Em circunstâncias normais, os machos mais velhos dominam os mais novos e os mantêm na linha, servindo igualmente de modelo para eles. Na ausência dessa influência, os "delinquentes juvenis" crescem para aterrorizar os vizinhos.[12]

Sei que é arriscado aplicar o comportamento animal muito liberalmente aos seres humanos, mas o paralelo aqui é muito impressionante para ignorar. Permita que eu diga mais uma vez: a ausência de supervisão e disciplina logo no início é no geral catastrófica — tanto para os adolescentes *como* para os elefantes.

As prisões estão cheias, principalmente, de homens que foram abandonados ou rejeitados pelos pais. O orador motivacional e escritor Zig Ziglar cita seu amigo Bill Glass, um evangelista dedicado que aconselhou quase todos os fins de semana, durante 25 anos, homens encarcerados, dizendo que dentre os milhares de prisioneiros que conhecera, nenhum deles amava sinceramente o pai. Noventa e cinco por cento dos que estavam no corredor da morte odiavam seus progenitores.[13] Em 1998, havia 1.202.107 pessoas nas prisões federais ou estaduais. Desse número, 94% eram homens. Dos 3.452 prisioneiros esperando execução, só 48 eram mulheres. Isso soma 98,6% de homens.[14] Como disse Barbara Jackson, "é muito mais fácil criar filhos fortes do que consertar homens destruídos".[15]

Há alguns anos, os executivos de uma empresa de cartões de cumprimentos decidiram fazer algo especial para o Dia das Mães. Eles arrumaram uma mesa numa prisão federal, convidando cada interno que desejasse enviar um cartão grátis para a mãe. As filas eram tão compridas que eles tiveram de voltar à fábrica para pegar mais cartões. Devido ao sucesso do evento, eles decidiram fazer a mesma coisa no Dia dos Pais, mas dessa vez ninguém apareceu. Nenhum prisioneiro sentiu a necessidade de enviar um cartão para o pai. Muitos nem sabiam onde seus pais estavam.[16] Essa ilustração nos faz refletir sobre a importância do pai para os filhos.

Contraste esta história com a conversa que tive um dia com um homem chamado Bill Houghton, que era presidente de uma grande empreiteira. Com o passar dos anos, ele havia empregado e dirigido milhares de funcionários. Perguntei a ele: — Quando você pretende admitir um empregado — especialmente do sexo masculino —, o que procura? — A resposta dada me surpreendeu: — Examino primeiro a relação entre o homem e seu pai. Se ele se sentia amado por seu pai e respeitava a sua autoridade, será provavelmente bom empregado.

— Em seguida, acrescentou: — Não vou empregar um jovem em rebelião contra o pai. Ele vai ter dificuldades comigo também. — Eu observei que o relacionamento entre um menino e seu pai estabelece o tom para muito do que está por vir. O pai tem *essa* importância em casa.

Enquanto escrevia este capítulo, meus pensamentos se voltaram repetidamente para as mães que estão criando meninos sozinhas. Tenho certeza de que as descobertas mencionadas sobre os pais e sobre o divórcio devem ter sido profundamente perturbadoras para algumas. Peço que me perdoem por isso. Suas circunstâncias já são bastante difíceis sem que eu as piore ainda mais. A pergunta principal para vocês é: "Como posso compensar a ausência de um pai que deveria estar presente para ensinar aos meus meninos a essência da masculinidade?". Essa não é uma pergunta fácil, mas há respostas para ela.

Apesar de tudo o que falei, há esperança para as mulheres que estão criando filhos sozinhas. Admitimos que a tarefa é terrivelmente difícil, mas milhões de mães fizeram isso admiravelmente, vencendo graves limitações e obstáculos. Falaremos mais sobre esses tópicos nos capítulos futuros, mas, por ora, quero simplesmente dizer que a vida familiar quase nunca é ideal. Esta é a razão de cada um de nós ter de enfrentar desafios e problemas únicos. Alguns pais são confrontados todos os dias com a doença, alguns com a pobreza, outros com um cônjuge alcoólatra e outros, ainda, com um filho ou pai inválido. Nessas situações e muitas outras, as famílias devem avaliar as suas circunstâncias e decidir como aproveitá-las ao máximo. Recomendo a você, pai ou mãe sozinhos, que aplique esta abordagem à sua família. Deus ama seus filhos ainda mais do que você, e ele vai ajudá-lo(a) a criá-los. Há também meios de substituir um pai ausente, e ofereço algumas dessas ideias e sugestões no capítulo 16. Espero que as considere úteis.

Antes de continuar, quero incluir uma carta que me foi escrita há alguns anos por uma mãe que perdera o marido. Eu a incluo para o benefício dos pais que estão lendo conosco. Ela ilustra o papel vital que os homens desempenham na vida dos filhos e por que é importante contribuir ao máximo na vida de seus filhos enquanto têm oportunidade. Esta é a carta que chegou da srta. Karen Cotting:

Prezado dr. Dobson:

Em seu programa, o senhor sempre encoraja os seus ouvintes a escreverem. Nossa família nunca fez isso até hoje. Nós temos uma história para contar.

Meu marido, Cliff, foi piloto de uma importante companhia aérea durante os últimos onze anos. Numa viagem de quatro dias em outubro último, e com algum tempo livre antes do início do terceiro dia, ele decidiu sair para correr. Infelizmente, essa foi a sua última corrida. Enquanto corria, teve um infarto fatal. Cliff só tinha 38 anos e excelente saúde. Sempre comeu bem e procurava exercitar-se o mais que podia. Não houve sinais de advertência. Quando recebi o telefonema do vice-presidente de operações da empresa aérea, foi um enorme choque para mim. Nossa família não estava preparada para isso. Meu marido estava no apogeu de sua vida. Nossas três filhas tinham menos de 6 anos. Como Deus pôde fazer isso para nós? Como ele pôde levar embora o meu melhor amigo e o cabeça de nosso lar? No mês que se seguiu à sua morte e em cada dia que se passa, Deus está revelando algumas das respostas enquanto confio na sua fidelidade.

Cliff era uma pessoa amorosa e atenciosa. Ele tinha imenso amor pela família. Nossas três filhas, Nicole, Anna e Sarah, e eu éramos a menina dos seus olhos. Detestávamos quando ia viajar porque ficaríamos sem a sua presença de dois a quatro dias. Mas ficávamos à espera da sua volta, e ele era sempre recebido com gritos de alegria pelas meninas (e até um uivo ou dois de nossa pastora alemã, Tess). De todas as lembranças que ficaram, a que se destaca mais é a de suas brincadeiras com as filhas. Ele sempre terminava exausto e fazia uma pergunta brincalhona: — Qual a coisa mais importante do mundo? — E as meninas gritavam juntas: — Conhecer a Deus. — Cliff ficava satisfeito com o fato de as filhas saberem que um relacionamento pessoal com Cristo era o fundamento para a eternidade delas.

Deus revelou-me algumas coisas que eu nunca soube sobre meu marido. Em seu funeral, demos tempo para que, quem quisesse, compartilhasse suas lembranças de Cliff. Fiquei surpresa com o número de funcionários da empresa que encheram a igreja e quase todos compartilharam como ele tinha sido um bom amigo, como sempre podiam contar com ele para ajudar. Soube também que durante as horas de trabalho ele falava com frequência de mim, das filhas e do seu amor por Deus. Eu não sabia que Cliff tinha essa coragem de compartilhar sua fé com outros. Sempre pensei que ele falava dos regulamentos da companhia ou de golfe no trabalho.

Quase sete meses se passaram desde que ele foi para casa estar com o Senhor, *e finalmente consegui examinar sua mala de voo. Nela estava a data, 9 de outubro de*

84 Educando meninos

1999, o dia em que saiu para correr pela última vez. Chorei, pensando em como ele levava a sério a sua responsabilidade como piloto, como estava sempre preparado, desde pedir que suas camisas fossem passadas na véspera de um voo matutino, até conferir seu horário de cada dia. Ele estava preparado e pronto para o trabalho no dia 9 de outubro. Mas, mais importante, ouvi Deus sussurrar para mim por entre as minhas lágrimas: — Ele estava preparado para mim.

Esse pensamento confortou minha família. O espírito e a carne lutam em meu íntimo todos os dias. Sinto terrível falta dele enquanto trabalho em meio a lágrimas de tristeza por sua ausência. Ele foi meu esteio de muitas maneiras. Todavia, meu espírito está consolado com a verdade de que Cliff se acha na presença de nosso Pai e anda com Cristo atualmente. Cliff estava preparado para o dia mais glorioso que viria a experimentar.

Estou aprendendo que, por meio daquilo que pode parecer uma experiência devastadora, devemos aprender a nos apoiar em Deus para receber forças, mesmo quando achamos que não sentimos a sua presença. A Bíblia consolou nossa família com o Salmo 27.5: "Pois, no dia da adversidade, ele me ocultará no seu pavilhão; no recôndito do seu tabernáculo, me acolherá; elevar-me-á sobre uma rocha". Mesmo com a ausência de Cliff, Deus me mostrou que ele jamais abandonaria nossa família, como em Jeremias 29.11-14: "Eu é que sei que pensamentos tenho a vosso respeito, diz o SENHOR; pensamentos de paz e não de mal, para vos dar o fim que desejais. Então, me invocareis, passareis a orar a mim, e eu vos ouvirei. Buscar-me--eis e me achareis quando me buscardes de todo o vosso coração. Serei achado de vós, diz o SENHOR.

Enquanto Deus revela coisas maravilhosas sobre o seu caráter e o quanto ele ama nossa família, queremos encorajar seus leitores que talvez não conheçam Cristo pessoalmente. Ele jamais "o deixará, nem desamparará". Todos temos a vida eterna. A questão é onde escolhemos passá-la e se estamos preparados para nos encontrar com nosso Criador. Não hesite.

Nossa família sempre recebeu muito encorajamento por meio do seu programa e da sua revista mensal. Deus o abençoe, à sua equipe e suas famílias.

Sinceramente,
Karen S. Cotting[17]

Compartilhei esta carta principalmente em benefício dos pais jovens entre os meus leitores. Se estiver entre eles, quero lembrá-lo de que só Deus sabe quanto tempo você vai ficar nesta terra. A vida pode ser inesperadamente curta. Não desperdice as oportunidades de hoje de relacionar-se com seus filhos ou ensiná-los sobre a sua fé. Não deixe que sua carreira absorva todos os seus recursos e torne você um estranho virtual em sua casa. Que as lembranças que deixar para trás, quer viva mais uma hora ou muitas décadas, sejam tão boas e amorosas como as criadas por Cliff Cotting. O registro dele já está nos livros, o seu falta ainda ser escrito.

PERGUNTAS E RESPOSTAS

Sei que o divórcio é difícil para os filhos quando acontece, mas quais são as implicações em longo prazo de uma separação na família? Os filhos não "superam" rapidamente?

Gostaria de poder afirmar que os filhos voltam ao normal depois da separação dos pais, mas a pesquisa nos diz outra coisa. É indiscutível hoje que o desenvolvimento emocional das crianças está diretamente relacionado com a presença de uma interação calorosa, prolongada e contínua com ambos os pais. Qualquer coisa que interfira na relação vital com qualquer dos pais pode ter consequências duradouras para o filho. Por exemplo, um estudo muito bem feito revelou que 90% dos filhos de lares divorciados sofreram choque agudo quando ocorreu a separação, inclusive profundo sofrimento e temores irracionais. Cinquenta por cento deles afirmaram terem-se sentido rejeitados e abandonados. E, de fato, metade dos pais nunca tinha ido ver os filhos três anos depois do divórcio. Um terço dos meninos e das meninas sentiu-se abandonado pelo pai remanescente e 66% tinham saudades do pai ausente com intensidade que os pesquisadores descreveram como "esmagadora". O mais importante é que 37% dos filhos continuavam ainda mais infelizes e insatisfeitos cinco anos depois do divórcio do que tinham sido dezoito meses após a separação.[18] Em outras palavras, o tempo não curou suas feridas.

Essas estatísticas resultaram de pesquisas feitas pela dra. Judith Wallerstein, a maior autoridade no tema filhos do divórcio. Ela começou a estudar meninos e meninas há 25 anos e os acompanhou até os dias atuais. Seu livro recente revelou que 40% deles não se casaram, comparado com 16% de famílias intactas.[19]

Os filhos do divórcio, descobriu ela, tinham menos chances na faculdade, mais tendência a usar drogas e álcool antes dos 14 anos e mostravam menos competência social. As meninas com pais divorciados tinham experiências sexuais mais cedo. Ficou então claro que o impacto causado pela separação da família dura a vida inteira.

Há mais um fator que pode interessar. Estudos recentes mostraram que o divórcio está ligado ao comportamento promíscuo durante a adolescência. Os pesquisadores do Centro de Estudos Sociais do Estado de Oregon observaram o comportamento de duzentos meninos do ensino médio que viviam em zonas de alta criminalidade. Eles descobriram que os meninos que tinham intercurso sexual precoce tendiam a ser aqueles que haviam passado por duas ou mais mudanças de pais — divórcio, novo casamento, novos parceiros e assim por diante. Só 18% dos rapazinhos promíscuos eram de famílias intactas. Em contraste, 57% das virgens procediam de famílias onde não ocorrera o divórcio.[20] Um estudo similar descobriu que existia uma forte correlação entre as mulheres jovens que tiveram filhos fora do casamento e aquelas que haviam passado por uma mudança na estrutura familiar enquanto estavam crescendo.[21] Foi concluído que os estresses do divórcio e novo casamento sobre os filhos causaram impacto direto sobre os nascimentos fora do casamento.

Mais uma vez estamos vendo que o divórcio, criação de filhos por só um dos pais e separação da família são coisas terrivelmente difíceis para os filhos. Isto não tem a intenção de criticar os que se encontram nessas circunstâncias difíceis, mas não é possível também negar que as famílias intactas, com os dois pais, são mais saudáveis para os filhos e contribuem diretamente para uma sociedade estável.

6   Pais e filhos

QUANDO FIZ 17 ANOS, o Estado do Texas permitiu que eu tirasse a carteira de motorista. Foi uma decisão errada. Meu pai tinha acabado de comprar um Ford zero e deixou que eu desse uma volta com ele na hora do almoço certo dia. Esse foi outro grande erro. Centenas de outros estudantes estavam perto da escola quando passei, o que me deu uma ótima oportunidade para exibir-me. Eu queria também provar uma teoria que me intrigava. Em nossa cidadezinha, havia grandes valetas dos dois lados de certas interseções por onde corriam as águas das enchentes que ocasionalmente varriam nossas ruas. Pensei que se batesse nelas em alta velocidade, meu carro voaria por cima das valetas.

Havia evidentemente muito que eu não compreendia sobre a física de 1.250 kg de aço voando pela estrada. Aproximei-me do cruzamento apressadamente e bati na primeira valeta. A reação foi violenta. *Kaboom!* Lá se foi o chão do carro! Depois na segunda. *Kabang!* Minha cabeça bateu no teto e o carro estremeceu como um ioiô gigante. Minha vida inteira passou em frente de meus olhos. Mas os meus amigos texanos ficaram de boca aberta, dizendo: — Nossa! E agora?

Algumas semanas mais tarde, meu pai veio falar comigo. — Olhe, Bo (era assim que me chamava), levei o carro ao mecânico e ele disse que os quatro amortecedores estão estragados. É a coisa mais estranha. Eles no geral vão se desgastando aos poucos, mas o carro é novo e já estão em tiras. Você tem alguma ideia de como isso pode ter acontecido?

A única coisa que me salvou foi um lapso repentino de memória. Naquele momento eu realmente não me lembrava de ter batido nas valetas e disse então que não sabia! Ele aceitou minha negativa e eu escapei com vida. Algumas semanas mais tarde eu estava dirigindo perto de casa quando a coluna da direção quebrou, enviando o Ford para o meio-fio. Felizmente, ninguém morreu. Só anos mais tarde compreendi que eu havia estragado os amortecedores e provavelmente rachado a coluna da direção durante o "grande experimento físico". Quem sabe que outros danos eu causara ao carro novo de meu pai naquele dia.

A essa altura eu já admitira para mim mesmo que era o culpado. Meu pai se esquecera do episódio e nunca mais o mencionou. Nem eu. Meu pai morreu sem saber a coisa idiota que eu fizera. Portanto, pai, se estiver me vigiando lá de cima, saiba que sinto muito e nunca mais farei isso. Vou poupar minha mesada durante seis anos para pagar os estragos.

Os meninos têm um meio de frustrar e irritar a alma de nós pais. Eles deixam nossas melhores ferramentas na chuva ou as misturam na bancada de trabalho. Perdem nossos binóculos ou deixam cair nossas câmeras. Muitos são atrevidos, irresponsáveis e difíceis de lidar. Ou agem de modo absolutamente irracional, tal como o pequeno Jeffrey se escondendo debaixo da cama enquanto a família corria a vizinhança gritando o seu nome. É claro que não devemos nos queixar. Fomos meninos no passado que também enlouquecemos nossos pais; devemos então dar um pouco de folga aos garotos. Apesar de todos os desafios associados à educação de um menino turbulento, um dos maiores privilégios da vida é quando um deles se agarra ao seu pescoço e diz: — Te amo, pai.

O general Douglas MacArthur, um de meus heróis, concordaria com esse sentimento. Ele foi um dos maiores líderes militares de todos os tempos. Levou os exércitos aliados à vitória sobre o exército imperial japonês na Segunda Guerra Mundial e depois comandou as forças das Nações Unidas na Coreia. Seu desembarque-surpresa em Inchon foi uma das manobras mais brilhantes da arte militar. Essas realizações no campo de batalha explicam por que MacArthur é reverenciado atualmente, muitas décadas após sua morte.

Mas há outra razão para que eu admire este homem. Está relacionada ao discurso que fez em 1942, depois de ter recebido um prêmio por ser bom pai. Estas foram suas palavras naquele dia: "Nada me tocou mais profundamente do que [esta honra que me foi dada] pelo Comitê Nacional do Dia dos Pais. Sou soldado de profissão e tenho grande orgulho nesse fato.

Tenho, porém, mais orgulho, infinitamente mais, de ser pai. O soldado destrói a fim de construir. O pai sempre constrói, nunca destrói. O primeiro tem o potencial da morte, o outro personifica a criação e a vida. Embora as hordas da morte sejam poderosas, os batalhões da vida são mais fortes ainda. Minha esperança é que meu filho, quando eu tiver partido, não se lembre de mim no campo de batalha, mas no ambiente do lar".[1] É exatamente assim que me sinto sobre meu filho e minha filha.

Vamos examinar um pouco mais de perto o que significa ser pai de meninos. No capítulo anterior, discutimos a importância do relacionamento pai-filho e a razão de o elo entre eles ser essencial ao desenvolvimento masculino. Quero agora me concentrar nas duas primeiras maneiras em que a influência do pai é transmitida no lar, começando com certo exemplo. Se a formação do caráter for o principal alvo da paternidade, e creio que é, então, o melhor modo para incutir isso é mediante a conduta e o comportamento do pai. A identificação com ele ensina muito mais do que fazer sermão, repreender, castigar, subornar e lisonjear. Os meninos observam atentamente os pais, notando cada detalhe de comportamento e valores. Isso é provavelmente verdade também em sua casa. Seus filhos imitam quase tudo o que você faz. Se perde a calma regularmente e insulta sua esposa, seus meninos vão tratar desrespeitosamente a mãe e outras mulheres. Se você bebe demais, seus filhos correrão o risco de abusar de substâncias químicas. Se falar palavrões ou fumar, ou brigar com o chefe ou os colegas, seus filhos seguirão provavelmente seu exemplo. Se for egoísta, mesquinho ou irado, verá essas características exibidas na próxima geração.

Felizmente, o contrário é também verdade. Se você for honesto, digno de confiança, interessado no bem-estar das pessoas, amoroso, autodisciplinado e temente a Deus, seus filhos serão influenciados por essas qualidades à medida que crescerem. Se for profundamente dedicado a Cristo e viver segundo os princípios bíblicos, seu filhos provavelmente seguirão os seus passos. Muito depende do que eles observarem em você, para o bem ou para o mal.

Alguém disse: "Eu prefiro ver um sermão a ouvi-lo". Há verdade nessa declaração. As crianças talvez não se lembrem do que você diz, mas são geralmente influenciadas por toda a vida pelo que você faz. Considere por exemplo a tarefa

90 Educando meninos

de ensinar seus meninos a serem honestos. Você deve realmente ensinar o que a Escritura diz sobre a verdade, mas deve também procurar oportunidades para viver segundo esse padrão de justiça. Lembro-me de algo que aconteceu há anos no Estado da Geórgia quando o time da Escola Secundária de Rockdale venceu o campeonato de basquete. O treinador Cleveland Stroud não podia ter ficado mais orgulhoso da sua equipe. Mas então, alguns dias mais tarde, enquanto assistia ao filme do jogo, ele notou que havia um jogador inelegível na quadra por 45 segundos durante um dos jogos. Stroud telefonou para a Associação de Escolas Secundárias da Geórgia e falou sobre a violação, o que custou à escola o título e o troféu. Quando lhe perguntaram na conferência da imprensa, o treinador Stroud disse: "Alguns afirmaram que devíamos nos calar a esse respeito. Que foram apenas 45 segundos e que o jogador não era na verdade alguém que causasse impacto. Mas é preciso fazer o que é honesto e correto. Eu disse ao meu time que as pessoas esquecem os pontos dos jogos de basquete, entretanto, elas nunca se esquecem do que você é feito".[2]

Tenho certeza de que cada membro da equipe dos Bulldogs vai lembrar-se do caráter do treinador Stroud. Uma carta do editor do jornal local resumiu muito bem o episódio: "Temos escândalos em Washington e roubos na Wall Street. Graças a Deus vivemos em Rockdale County, onde a honra e a integridade estão vivas e são praticadas".[3]

Seus filhos e filhas precisam ver você fazendo o que é certo, mesmo quando isso seja inconveniente.

Isto faz surgir uma pergunta sobre as outras características que você está tentando modelar para seus filhos. Já pensou bem nisso? Sabe exatamente o que está tentando realizar em casa? Se não tem certeza de quem é como homem, ou o que está tentando dizer com "a mensagem da sua vida", seus filhos (e filhas) não terão um exemplo consistente a seguir. Esse plano deve começar, creio eu, com um compromisso pessoal com Jesus Cristo, que guiará os seus passos nos dias vindouros. A não ser que o conheça, seus esforços para modelar a justiça serão inadequados e vazios.

Ao construir sobre esse fundamento, o alvo será tornar-se "um bom homem de família". O dr. David Blankenhorn, chefe do Instituto de Valores Americanos, destaca em seus escritos que esta frase quase foi obscurecida.[4] A tradução literal seria "alguém que coloca a sua família em primeiro lugar". Repare nas três palavras que formam a frase. *Bom,* referindo-se aos valores morais largamente aceitos; *família,* indicando propósitos maiores do que o "eu"; e *homem,* que reconhece uma norma de masculinidade. Ao que tudo indica, a cultura contemporânea não celebra mais um ideal compartilhado por todos de homem que dá a primazia à família. Onde vemos a masculinidade responsável representada? Bill Cosby a modelou na TV durante alguns anos, mas quem mais foi retratado na mídia como um bom homem de família? Não há muitos. Há mais probabilidade de atletas geniosos, de conquistadores ou de empresários que sacrificaram tudo, inclusive mulher e filhos, para fazer de sua empresa um sucesso. Na ausência de bons maridos e pais, os meninos impressionáveis acabam no geral seguindo modelos defeituosos.

Vamos observar mais cuidadosamente o que significa ser "um bom homem de família" no mundo atual. Para colocar isso em perspectiva, talvez fosse útil examinar quatro papéis tradicionais que os homens têm desempenhado em casa. O primeiro é *servir como provedor da família.* Ninguém discutia há cinquenta anos que a principal responsabilidade do homem fosse ser o "ganha-pão". Isto ficou menos claro atualmente, o que é lamentável. Embora a maioria das esposas e mães trabalhe fora, continua sendo obrigação do homem assegurar que as necessidades financeiras da família sejam satisfeitas.

A segunda contribuição que o pai tem feito historicamente é *servir como líder do clã.* Este papel se tornou altamente controverso com o movimento feminino, mas foi raramente desafiado antes da década de 1960. Era frequentemente afirmado naqueles dias que "dois comandantes afundam o navio" e "dois cozinheiros estragam a sopa". O pai era o árbitro final nos assuntos importantes. Admite-se que este papel de liderança era, às vezes, abusado por homens egoístas que tratavam suas esposas com desrespeito e seus filhos como bens pessoais, mas esse nunca foi o modo desejado para a função designada. As Escrituras, que parecem ordenar esta responsabilidade de liderança aos homens, também definem os limites da sua autoridade. É dito aos maridos que amem suas mulheres como sua própria carne, estando dispostos a dar suas vidas por elas. Eles são também advertidos a não tratar seus filhos com aspereza ou desconsideração. Esse sistema deu geralmente bons resultados durante milhares de anos.

A terceira contribuição feita por um pai é *servir de protetor*. Ele protegia os membros da família do mundo exterior e os ensinava como enfrentá-lo com sucesso. Era a ele que os membros da família procuravam quando se sentiam ansiosos ou ameaçados. Se outro homem tentasse abusar ou insultar sua esposa, o pai defendia a sua honra. Era sua responsabilidade ver se a casa estava segura à noite e se os filhos estavam em casa numa hora razoável. Cada membro da família sentia-se um pouco mais seguro com a sua presença.

Finalmente, a quarta contribuição feita por um pai eficiente era *prover direção espiritual para a família*. Embora falhasse muitas vezes neste papel, era sua obrigação ler as Escrituras para os filhos e ensinar-lhes os fundamentos da sua fé. Ele era o intérprete do código moral e dos rituais sagrados da família e se assegurava de que os filhos frequentassem a igreja todas as semanas. Sabe-se que nem todos os homens desempenharam adequadamente no passado cada um desses quatro deveres. Mas havia consenso amplo na cultura de que isto era o que eles *deveriam* fazer.

Vocês podem lançar suas pedras e garrafas em mim agora. Estou certo de que alguns de meus leitores estão arrepiados com a implicação de que é assim que os homens devem agir agora. Com todo respeito, porém, há sabedoria eterna nesses papéis tradicionais. Cada um deles está apoiado em ensinos bíblicos. É claro que se trata de coisas antigas, mas os homens têm sido definidos por essas responsabilidades há milênios.

É de lamentar que esses quatro papéis tenham sido ridicularizados e atacados por pós-modernistas e seus aliados na mídia. Como resultado, muitos pais têm um conceito errado do que devem fazer ou como fazer. Alguns deles renunciaram à sua autoridade no lar e não se envolvem de forma alguma ou tentam educar os filhos de modo mais característico das mães. Foi-lhes dito que precisam ser mais sensíveis e aprenderem a expressar suas emoções — desde a ira até o medo. Com efeito, os homens estão sendo pressionados a ser mais como as mulheres e as mulheres como os homens. Esta inversão de papéis confunde terrivelmente os meninos.

Não é inadequado que o homem tenha sentimentos profundos ou que revele suas paixões e pensamentos íntimos. Ele também não precisa apresentar um exterior gelado para o mundo à sua volta. Ao mesmo tempo, entretanto, existe na masculinidade lugar definido para a força e confiança em meio à tempestade, e esse papel cabe mais naturalmente aos homens. Assim como um grande carvalho oferece abrigo e proteção para todos os seres vivos que se aninham em seus ramos, um homem forte oferece segurança e conforto para cada membro da família. Ele sabe quem é como um filho de Deus e o que é melhor para sua esposa e filhos. Seus filhos têm necessidade de um homem assim para quem olhar e imitar. Eles desrespeitam pais fracos intimidados pelas mulheres ou cujas emoções estão sempre à mostra. Isso parece sentimental e contrário a tudo o que você ouviu? Assim seja. Os homens foram destinados a cuidar das pessoas a quem amam, mesmo que isso envolva sacrifício pessoal. Quando cumprem essa responsabilidade, as esposas, filhos e filhas vivem no geral em maior paz e harmonia.

As boas ilustrações da masculinidade tradicional e bíblica são difíceis de encontrar, mas há um exemplo de meus escritos anteriores que quero repetir. Ele descreve meu avô, que morreu um ano antes do meu nascimento. Este relato foi incluído em meu livro, *Conversa Franca* (Mundo Cristão), mas sua relevância neste ponto justifica nova leitura.

Durante a semana do Natal de 1969, os dois irmãos sobreviventes de meu pai e sua irmã se encontraram na Califórnia para uma reunião familiar. Nessa feliz ocasião, eles passaram a maior parte de cinco dias em reminiscências da sua infância na casa paterna. Um dos netos gravou as conversas em fitas-cassete e tive o privilégio de obter um conjunto completo. Que rica herança foi esta, dando-me uma visão do lar de meus avós e das primeiras experiências de meu pai.

Embora todas as conversas fossem interessantes para mim, havia um fio comum especialmente significativo que se estendeu pela semana inteira. Ele enfocava o respeito que aqueles quatro irmãos sobreviventes tinham pela memória do pai (meu avô). Ele morreu em 1935, no ano anterior ao meu nascimento, todavia, eles ainda falavam dele com reverência indiscutível 34 anos mais tarde. Meu avô vivia ainda na mente deles como homem de caráter e força admiráveis. Pedi que explicassem as qualidades que tanto apreciavam, mas recebi pouco mais do que generalidades.

— Ele era uma torre de força — disse um.

— A dignidade o envolvia como um halo — disse outro, com gestos apropriados.

— Nós o respeitávamos — replicou o terceiro.

É difícil resumir as sutilezas e complexidades da personalidade humana, e eles não conseguiram encontrar as palavras certas. Só quando começamos a falar sobre lembranças específicas é que a personalidade do patriarca tornou-se aparente. Meu pai forneceu a melhor evidência escrevendo suas memórias da morte do Avô Dobson, que reproduzi abaixo. Fluindo por toda a narrativa está o impacto causado em sua família por um grande homem, mesmo três décadas após seu falecimento.

Os últimos dias de R. L. Dobson

O ataque que tirou sua vida ocorreu aos 69 anos de idade e resultou finalmente na separação do círculo familiar. Durante muitos anos após sua morte, eu não podia passar pelo Hospital Tri-State sem notar determinada janela. Ela se destacava das outras, era especial por representar o quarto em que ele sofrera tanto. Os detalhes daqueles dias trágicos permanecem em minha memória, inalterados pela passagem do tempo.

Havíamos ficado três dias e três noites praticamente sem dormir, ouvindo-o esforçar-se para respirar, ouvindo os sons da morte que se aproximava, sentindo o cheiro da morte. Papai estava em coma profundo. Sua respiração difícil podia ser ouvida de alto a baixo da ala em que estava. Andávamos pelos corredores daquele velho hospital durante horas, escutando a luta incessante que se tornava cada vez mais débil. Várias vezes a enfermeira nos chamara para entrar e nos despedirmos pela última vez — passamos pela agonia de desistir dele —, mas seu coração se reanimava e a vigília interminável começava outra vez. Finalmente, tínhamos ido para um quarto conjugado, não para dormir, mas, alguns nas cadeiras e outros nas camas, havíamos caído no sono da completa exaustão.

Às cinco para as quatro a enfermeira entrou e acordou um de meus irmãos gêmeos. Robert despertou sobressaltado. — Ele morreu? — perguntou.

— Não, mas se vocês quiserem ver seu pai mais uma vez enquanto está vivo, é melhor irem agora.

Todos foram logo avisados e fizemos fila para entrar no quarto rodeando sua cama pela última vez. Lembro-me de estar à sua esquerda: alisei o cabelo em sua testa e coloquei a mão sobre a sua, grande e avermelhada, bem parecida com a minha. Senti a febre que precede a morte: 41 graus. Enquanto me achava ali, senti uma mudança em mim. Em vez de ser um homem crescido (tinha 24 anos na época), voltei a ser um menininho. Dizem que isto acontece frequentemente com os adultos que testemunham a morte de um dos pais. Pensei que estava na estação de trens em Shreveport, Louisiana, no fim da tarde e esperava a volta dele. O velho trem de passageiros estava chegando à estação e eu o vi "fazendo a curva". Meu coração inchou de orgulho, voltei-me para o garotinho ao meu lado e disse: — Está vendo aquele homem grande na parte de trás do trem, com uma das mãos no freio e a outra no pequeno apito que dá sinal para o engenheiro? Esse homem grandão é meu pai! — Ele apertou os freios e ouvi as rodas parando. Desceu do último vagão, e eu corri e me atirei em seus braços. Dei-lhe um abraço apertado e senti o cheiro da fumaça do trem em suas roupas. — Papai, amo você — disse eu.

Tudo voltou. Apertei aquela mão enorme e falei: — Adeus, papai — enquanto ele ia escapando depressa. — Não esquecemos como o sr. trabalhou duro para enviar cinco meninos e uma menina para a faculdade; como usou esses velhos uniformes de condutor até se tornarem lustrosos, fazendo isso para que tivéssemos coisas que na verdade não precisávamos...

Aos três minutos para as quatro, como um navio majestoso saindo lentamente do porto para o mar da eternidade, ele deu seu último suspiro. A enfermeira fez sinal para que saíssemos e puxou o lençol sobre o seu rosto, um gesto que levou o terror ao meu coração, e nos voltamos chorando em silêncio para deixar o quarto. Ocorreu então um incidente que nunca esquecerei. Quando chegamos à porta, coloquei o braço sobre os ombros de minha pequenina mãe e disse: — Mamãe, isto é terrível.

Enxugando os olhos com o lenço, ela replicou: — É verdade, Jimmy, mas há uma coisa que a mamãe quer que você lembre agora. Nós dissemos boa-noite aqui, mas um desses dias vamos dizer bom-dia lá.

Creio que ela disse mesmo bom-dia, onze anos mais tarde, e sei que ele a encontrou no céu.

Sua morte foi marcada pelo silêncio e dignidade, como fora a sua vida. Chegaram assim ao fim os negócios de R. L. Dobson, e terminou também desse modo a solidariedade da família.

A velha casa nunca mais foi a mesma. O velho espírito que conhecêramos quando crianças desapareceu para sempre.

Esta ilustração revela algumas das características específicas que tornaram R. L. Dobson uma poderosa influência em sua família; ela nos conta como seu filho se sentia em relação a ele. Conheço também alguns outros detalhes. Meu avô era um dos carvalhos que já mencionei — homem forte e íntegro. Embora não fosse cristão até pouco tempo antes de sua morte, ele viveu de acordo com um padrão interno singularmente firme. Quando jovem, por exemplo, investiu pesadamente num negócio com um parceiro que mais tarde descobriu ser desonesto. Quando soube da roubalheira, saiu da empresa e a deu virtualmente para o outro homem. Esse ex-sócio transformou a corporação em uma das operações mais bem-sucedidas do sul e se tornou multimilionário. Meu avô, porém, nunca olhou para trás. Levou uma consciência limpa para a sepultura.

Havia, como é claro, outras características admiráveis, e muitas delas foram transmitidas ao meu pai. Esses dois homens personificaram muito do que estou tentando transmitir neste exame da masculinidade. Eles passaram então esses valores para mim. Se os homens de hoje estivessem tão certos da sua identidade masculina como meu pai e meu avô, haveria muito menos meninos perdidos que buscam, em vão, modelos nas gangues de rua ou na cultura popular.

Meu ponto nesta discussão foi recomendar a todos os pais jovens que providenciem esse modelo sobre o qual seus meninos poderão construir suas identidades masculinas. Quando você modela os papéis tradicionais que descrevemos ou alguma versão deles, seus filhos vão observar quem você é e aprender assim a servir de maneira similar quando crescerem. É por tudo isso que qualquer advertência aos pais sobre a educação de meninos começa com um exame de seu comportamento e caráter individual.

Mencionei antes que havia *duas* maneiras principais de os pais influenciarem os filhos do sexo masculino. Se o modelo é a primeira, a segunda trata das instruções específicas que os pais devem transmitir aos filhos. Esse assunto poderia encher vários livros, mas vou concentrar-me no subtópico do que um pai deve ensinar a seus filhos especificamente sobre meninas e mulheres. É improvável que aprendam isso em qualquer outra parte.

Vou dar agora algumas sugestões em rápida sucessão, supondo que você seja pai de um ou mais meninos. Leia: se depreciar o sexo oposto ou se referir às mulheres como objetos sexuais, essas atitudes vão se manifestar diretamente nos namoros e relacionamentos conjugais deles mais tarde. Lembre-se de que a sua meta é preparar um menino para liderar uma família quando crescer e mostrar-lhe como ganhar o respeito daqueles a quem serve. Diga que é gostoso rir e divertir-se com os amigos, mas avise que não deve ser "tolo". Os tolos não são respeitados, e as pessoas, especialmente meninas e mulheres, não seguem os meninos e homens a quem não respeitam. Diga também a seu filho que ele *nunca* deve bater numa garota em circunstância alguma. Lembre-lhe que ela não é tão forte quanto ele e que merece o seu respeito. Ele deve não só não machucá-la, como também protegê-la se for ameaçada. Quando estiver passeando com uma menina na rua, deve andar do lado de fora, mais perto dos carros. Isto é simbólico da sua responsabilidade de cuidar dela. Quando estiver namorando, ele deve pagar pelo que comerem e pelo divertimento. As meninas não devem (esta é simplesmente minha opinião) telefonar para os meninos — pelo menos até que tenham um compromisso firme. Os garotos devem tomar a iniciativa, planejando os encontros e convidando a menina para sair. Ensine seu filho a abrir portas para as meninas e a ajudá-las com os casacos ou cadeiras num restaurante. Quando for buscá-la na casa dela, diga-lhe que saia do carro e bata na porta. Nunca buzine. Ensine que deve levantar-se, em situações formais, quando uma mulher sai da sala ou da mesa, ou quando ela volta. Este é um modo de mostrar respeito por ela. Se a tratar como uma dama, ela o tratará como homem. É um excelente plano.

Faça um esforço concentrado para ensinar a abstinência sexual aos seus adolescentes, do mesmo modo que os ensina a abster-se de drogas e álcool e outros comportamentos negativos. É claro que pode fazer isso! Os jovens são absolutamente capazes de compreender que o sexo irresponsável não é do seu melhor interesse e que leva a moléstias, gravidez indesejada, rejeição etc. Em muitas casas hoje, ninguém está compartilhando esta verdade com os adolescentes. Os pais ficam embaraçados de falar sobre sexo e, fico perturbado em dizer, as igrejas não estão dispostas a tratar do assunto. Isso cria um vácuo no qual os conselheiros liberais sobre sexo se insinuam para dizer: "Sabemos que você vai fazer sexo de qualquer jeito, por que então não fazer direito?". Que mensagem condenável essa. É por esse motivo que o herpes e outras doenças sexualmente transmissíveis estão se espalhando pela população e a gravidez indesejada espreita nos campus escolares. Apesar dessas terríveis consequências sociais, muito pouco apoio é oferecido até para os jovens que estão desesperadamente procurando uma razão válida para dizer não. É dito a eles que o "sexo seguro" é aceitável se usarem o dispositivo apropriado. Você, como pai, deve contrabalançar essas mensagens em casa. Diga a seus filhos que não há segurança — nenhum lugar para se esconder — quando a pessoa vive em contradição com as leis de Deus! Lembre a eles, repetida e enfaticamente, o ensino bíblico sobre a imoralidade sexual — e por que alguém que transgride essas leis não só prejudica a si mesmo, como prejudica também a menina e o homem com quem vier a casar-se. Diga a eles que nunca peguem nada que não lhes pertence — especialmente a pureza moral de uma mulher.

Diga também a seus filhos que o sexo tem natureza progressiva. Beijar e acariciar levarão inevitavelmente a intimidade maior. É exatamente assim que somos feitos. Se os rapazes quiserem permanecer morais, devem tomar providências para retardar a progressão física desde logo no relacionamento. Ensine que não devem ligar o motor se não pretendem fazê-lo funcionar. Finalmente, torne claro que a moralidade sexual não é só certa e apropriada, ela é uma das chaves para o casamento e a vida familiar saudáveis.

Comece essas e outras conversas cedo, de acordo com a idade e maturidade da criança. Elas devem ser bem planejadas e efetuadas à medida que decorrem os anos. Você já não ouviu homens adultos dizerem com convicção: "Meu pai sempre me disse..."? Isto se deve ao fato de as coisas enfatizadas na infância no geral ficarem durante a vida inteira na mente do indivíduo, mesmo que não pareçam ter sido "gravadas" na hora. Em resumo, este tipo de instruções específicas é a substância da sua responsabilidade de afirmar, reconhecer e celebrar a viagem de seu filho para a virilidade.

Como já disse, admito que algumas das ideias sugeridas possam parecer antiquadas. Contudo, elas ainda fazem sentido para mim porque a maioria delas tem base bíblica. Elas também contribuem para relacionamentos harmoniosos entre os sexos, o que renderá dividendos para os que venham a se casar. O dr.

Michael Gurian disse muito bem: "Toda vez que você cria um homem amoroso, sábio e responsável, criou um mundo melhor para as mulheres. As mulheres [de hoje] estão sendo obrigadas a ligar-se a homens incompletos, meninos que não foram criados até a idade adulta, não sabem o significado de uma união, não sabem quais são as suas responsabilidades para com seus semelhantes, e não têm um sentido concreto de serviço".[5] Os pais de hoje têm uma oportunidade para mudar isso.

Sei que as sugestões e ideias oferecidas neste capítulo colocam grande pressão sobre nós para sermos superpais, mas é assim que as coisas são. Senti o mesmo quando meus filhos eram pequenos. Para ser franco, criar filhos foi uma responsabilidade e tanto para Shirley e eu. Sabíamos ser inadequados para lidar com a tarefa e que ninguém é capaz de garantir o resultado dela. Foi por esse motivo que começamos a orar diligentemente pelo bem-estar espiritual de nossos filhos. Milhares de vezes, por meio dos anos, ficamos de joelhos pedindo sabedoria e orientação.

Fizemos, então, o nosso melhor em casa. De alguma forma, isso parece ter sido suficiente. Nossos dois filhos amam o Senhor hoje e são seres humanos maravilhosos. Shirley merece quase todo o crédito pelo resultado, mas eu também me esforcei ao máximo. Felizmente, os pais não precisam ser perfeitos para transmitir seus valores à geração seguinte.

Nosso Pai celestial vai responder também às suas orações por seus filhos caso se volte para ele. O Senhor vai guiá-los em meio aos temporais da adolescência. Mas não fará por você aquilo que você pode e deve fazer, e é disto que estamos aqui para falar.

PERGUNTAS E RESPOSTAS

Meu filho de 13 anos está em plena adolescência. Estou suspeitando que possa estar se masturbando ultimamente, mas não sei como abordar o assunto com ele. Devo preocupar-me e, caso positivo, o que devo dizer a ele?

Não acho que deva invadir esse mundo privado, a não ser que existam circunstâncias especiais que o levem a isso. Ofereço esse conselho embora reconheça que a masturbação é um assunto altamente controverso, e os líderes cristãos diferem muito em suas perspectivas a respeito. Vou responder à sua pergunta, mas espero que compreenda que alguns eruditos e ministros bíblicos vão discordar enfaticamente do que vou dizer.

Primeiro, vamos considerar a masturbação de uma perspectiva médica. Podemos dizer sem medo de contradição que não há evidência científica para indicar que este ato é prejudicial ao corpo. Apesar de advertências aterradoras feitas aos jovens historicamente, ela não causa cegueira, fraqueza, retardamento mental ou qualquer outro problema físico. Se causasse, toda a população masculina e metade da feminina estaria cega, fraca e doente. Entre 95% e 98% dos meninos se envolvem nesta prática — e sabe-se que os restantes mentem. É quase um comportamento universal. Uma porcentagem menor, mas ainda significativa, de meninas também se envolvem no que era antes chamado de "autogratificação", ou pior, "abuso de si mesmo".

Quanto às consequências emocionais da masturbação, só quatro circunstâncias devem preocupar-nos. A primeira é quando associada com culpa opressiva da qual o indivíduo não consegue escapar. Essa culpa tem o potencial de causar considerável dano psicológico e espiritual. Os meninos e meninas que se julgam sob condenação divina podem gradualmente convencer-se de que nem Deus poderia amá-los. Eles prometem mil vezes, com toda sinceridade, nunca mais cometer esse ato "desprezível". Uma semana ou duas passam, ou até vários meses; mas, por fim, a pressão hormonal se acumula até que quase todo momento acordado reverbera com o desejo sexual. Finalmente, num momento (e quero dizer *um momento)* de fraqueza, acontece outra vez. O que fazer então, querido amigo? Diga-me o que um ou uma jovem diz a Deus depois de ter acabado de quebrar a milésima promessa solene feita a ele? Estou convencido de que alguns adolescentes desistiram da sua fé pela sua incapacidade de agradar a Deus neste ponto.

A segunda circunstância em que a masturbação poderia causar implicações danosas é quando se torna extremamente obsessiva. Isto é mais provável de acontecer quando o indivíduo compreende que é um "fruto proibido". Creio que a melhor maneira de evitar esse tipo de reação obsessiva é o adulto não a enfatizar ou condenar. Não importa o que você fizer, você não vai impedir a prática da masturbação em seus adolescentes. Esta é uma certeza. Você só vai fazer com que fique oculta — ou sob as cobertas. Nada funciona como uma "cura". Banhos frios, muito exercício, muitas atividades e ameaças terríveis são ineficazes. Tentar suprimir este ato é uma campanha destinada a fracassar — por que então iniciá-Ia?

A terceira situação com a qual devemos nos preocupar é quando o jovem se torna viciado em material pornográfico. O tipo de obscenidade ao alcance dos adolescentes hoje tem a capacidade de agarrar e prender um menino pelo resto da vida. Os pais desejarão interferir se houver evidência de que seu filho ou filha está se dirigindo para esse caminho bem palmilhado. Vou discutir esse perigo num capítulo subsequente.

O quarto risco da masturbação não se refere aos adolescentes, mas a nós adultos. Este hábito pode seguir-nos até o casamento e se tornar um substituto para as relações sexuais saudáveis entre marido e esposa. Isto, creio eu, é o que o apóstolo Paulo quis dizer quando nos instruiu a não privar ou "fraudar" um ao outro como parceiros sexuais. O apóstolo escreveu: "Não vos priveis um ao outro, salvo talvez por mútuo consentimento, por algum tempo, para vos dedicardes à oração e, novamente, vos ajuntardes, para que Satanás não vos tente por causa da incontinência" (1 Co 7.5).

Quanto às implicações espirituais da masturbação, deixarei para os teólogos uma resposta mais definitiva. Acho, porém, interessante que as Escrituras não tratem deste assunto exceto por uma única referência no Antigo Testamento, feita a um homem chamado Onã. Ele interrompeu o intercurso sexual com sua cunhada e permitiu que seu sêmen se derramasse no chão, a fim de não produzir descendência para seu irmão, o que era seu "dever" (Gn 38.8-9). Embora esse versículo seja muitas vezes citado como evidência de que Deus desaprova a masturbação, o contexto não parece ser adequado.

O que você, como pai, diria então a seu filho de 13 anos sobre este assunto? Meu conselho é que não diga nada após a puberdade ter ocorrido. Você só vai causar embaraço e desconforto. Para os mais jovens, seria bom incluir o assunto da masturbação numa conversa sobre "Preparando-se para a Adolescência", que recomendei em outras ocasiões. Sugiro que os pais falem com seus meninos de 12 ou 13 anos da mesma maneira que meu pai e minha mãe discutiram este assunto comigo. Estávamos no carro e meu pai disse: "Jim, quando eu era menino me preocupava demais com a masturbação. Isso se tornou algo difícil para mim, porque achava que Deus estava me condenando por aquilo que eu não conseguia controlar. Estou dizendo a você agora que espero que não tenha necessidade de se envolver nesse ato quando entrar na adolescência. Mas, se isso acontecer, não se preocupe demais. Acho que não vai influenciar muito o seu relacionamento com Deus".

Que coisa compassiva meu pai fez por mim naquela noite no carro! Ele era um ministro muito conservador que nunca comprometeu os seus padrões de moral até o dia de sua morte. Defendia como uma rocha os princípios e mandamentos bíblicos. Todavia, me amava o suficiente para levantar de meus ombros o fardo de culpa que quase destruiu alguns de meus amigos da igreja. Este tipo de fé ensinado por meus pais é uma das principais razões para que eu nunca achasse necessário me rebelar contra a autoridade paternal ou desafiar a Deus.

Esses são os meus pontos de vista, pelo que valem. Sei que minhas recomendações vão inflamar alguns. Se você for um deles, peço que me desculpe. Só posso oferecer o melhor conselho de que sou capaz. Oro para que neste caso eu esteja certo.

Meu filho está no primeiro ano da faculdade e parece ter encontrado uma garota que pensa estar amando. Ele veio para casa no Natal e conversamos sobre o tipo de família que ele queria ter. Ele estava porém preocupado com o alto índice de divórcio que ameaça todo novo casamento e me perguntou como poderia diminuir esse risco para ele e sua futura esposa. Que recomendações você teria feito?

Essa pergunta poderia ter seiscentas respostas, mas me contentarei em dar apenas uma sugestão. Você precisa explicar a seu filho como as mulheres são diferentes dos homens e como essa diferença vai afetar o casamento dele. Isso se refere ao que poderia ser chamado de "suposições diferentes". Muitos homens se casam com a ideia errada de que as mulheres vão ser as suas líderes de torcida e cuidarão de seus filhos sem esperar nada em troca. Eles acreditam que sua maior e talvez única responsabilidade seja ganhar dinheiro e ter sucesso profissional, mesmo que isso exija doze horas por dia do seu tempo. A suposição das mulheres, por outro lado, é que o casamento vai ser um caso maravilhosamente romântico. Elas esperam jantares à luz de velas, passeios na chuva e noites de conversação alma-a-alma. Essas duas expectativas são ilusórias e vão tropeçando por alguns anos até que finalmente colidem. Os homens que trabalham demais e as mulheres Cinderela no geral destroem um ao outro. Já vi este tipo de coisa desenvolver-se repetidamente entre os estudantes de Medicina que começaram seu treinamento com enorme entusiasmo compartilhado pelas esposas. Mas, no terceiro ano, a mulher (supondo que o estudante fosse homem) começa a perceber que o marido tem uma amante. Não se trata de outra mulher. Ele se envolveu num caso vitalício com a Medicina e ficaria cativo dessa obsessão pelo resto da sua vida, juntos. Quando essa realidade evidencia-se, o divórcio não demora a vir, geralmente no último ano.

Recomendo bastante aos pais que digam a seus filhos adolescentes e universitários que as meninas são românticas incuráveis e não bastará para elas que os maridos tenham sucesso em Sua Profissão. Isso seria suficiente nas décadas passadas. Hoje, algo mais é esperado. Se quiserem casamentos e famílias sólidas, devem reservar tempo e energia para o relacionamento conjugal, conversando e tratando um ao outro como namorados.

Este é um conselho que eu daria a todos os noivos ou recém-casados. Uma simples compreensão dessas suposições "diferentes" poderia evitar muitos divórcios penosos. Acho que deve compartilhar isso com seu filho.

O senhor mencionou a necessidade de ensinar a base bíblica da moralidade aos filhos. Pode dar algumas referências bíblicas específicas para ajudar-me a ensiná-los nesse aspecto?

Na verdade há muitas fontes, mas as que se seguem devem ser úteis. Dependendo da idade da criança, comece lendo os cinco primeiros capítulos de Provérbios numa tradução moderna, onde o rei Salomão dá conselhos paternais ao filho. Você vai encontrar muitos pontos nesse capítulos para conversar com seu filho sobre a vida reta. Passe depois para os seguintes versículos.

- Mateus 15.19: "Porque do coração procedem maus desígnios, homicídios, adultérios, prostituição, furtos, falsos testemunhos, blasfêmias".
- Romanos 1.24: "Por isso, Deu entregou tais homens à imundícia, pelas concupiscências de seu próprio coração, para desonrarem o seu corpo entre si".
- Romanos 13.13: "Andemos dignamente, como em pleno dia, não em orgias e bebedices, não em impudicícias e dissoluções, não em contendas e ciúmes".
- 1Coríntios 6.18: "Fugi da impureza. Qualquer outro pecado que uma pessoa cometer é fora do corpo, mas aquele que pratica a imoralidade peca contra o próprio corpo".
- 1Coríntios 10.8: "E não pratiquemos imoralidade, como alguns deles o fizeram, e caíram, num só dia, vinte e três mil".
- 2Coríntios 12.21: "Receio que, indo outra vez, o meu Deus me humilhe no meio de vós, e eu venha a chorar por muitos que, outrora, pecaram e não se arrependeram da impureza, prostituição e lascívia que cometeram".
- Gálatas 5.19: "Ora, as obras da carne são conhecidas e são: prostituição, impureza, lascívia".
- Efésios 5.3: "Mas a impudicícia e toda sorte de impurezas ou cobiça nem sequer se nomeiem entre vós, como convém a santos".
- Colossenses 3.5: "Fazei, pois, morrer a vossa natureza terrena: prostituição, impureza, paixão lasciva, desejo maligno e a avareza, que é idolatria".
- 1Tessalonicenses 4.3: "Pois esta é a vontade de Deus: a vossa santificação, que vos abstenhais da prostituição".
- Judas 1.7: "Como Sodoma, e Gomorra, e as cidades circunvizinhas, que, havendo-se entregado à prostituição como aqueles, seguindo após outra carne, são postas para exemplo do fogo eterno, sofrendo punição".

7 Mães e filhos

OLHE, MÃE, AGORA É a sua vez. Vamos falar do que significa ser menino e como você pode relacionar-se melhor com eles. Tenho o maior respeito e admiração por aquelas que são abençoadas por terem recebido a graça de ser mães. Há algumas tarefas na experiência humana que exigem as habilidades e a sabedoria necessárias a uma mãe no cumprimento de seus deveres diários. Ela deve ser uma psicóloga residente, médica, teóloga, educadora, enfermeira, cozinheira, motorista, bombeira e, ocasionalmente, policial. Se tiver sucesso em cada uma dessas responsabilidades, ela terá de repetir tudo outra vez amanhã.

A fim de compreender o mundo em que vive a mãe jovem, nossos leitores do sexo masculino talvez queiram acompanhar uma delas numa visita pela manhã ao pediatra. Depois de ficar sentada 45 minutos com um garotinho irritado, febril, no colo, a mamãe e o bebê são finalmente recebidos no consultório. O médico examina a criança doente e depois diz à mulher com expressão séria: — É preciso que ele fique quieto durante quatro ou cinco dias. Não deixe que coce a erupção. Ele não pode cuspir o remédio, e você vai ter de ficar atenta às suas fezes.

— Está bem, dr.! Mais alguma recomendação?

— Sim, mais uma. Esta doença é altamente contagiosa. Faça com que seus quatro outros filhos fiquem longe dele. Volte dentro de uma semana.

O surpreendente sobre as mães é que a maioria delas conseguiria cumprir o recado e fazê-lo com amor e graça. Deus as fez boas em sua missão. Deu a elas paixão pelos filhos. A maioria delas daria literalmente a vida para proteger as crianças que lhe foram confiadas. Apesar dessa dedicação, porém, muitas mulheres admitem que educar meninos tem sido um desafio especial. Como mencionado antes, elas lembram como era ser uma menininha enfeitada de

106   Educando meninos

babados, mas só têm uma vaga ideia de como seus filhos sentem, pensam e se comportam. Os meninos tendem a fazer bagunça, provocar os outros irmãos, correr pela casa e desafiar cada decisão e ordem que lhes dão.

Um de meus colegas, o dr. Tim Irwin, compartilhou sua observação de que as mulheres que não cresceram com irmãos ficam no geral espantadas com os meninos — com a aparência, sons e cheiros que eles geram. Algumas admitem não terem "ideia" de como lidar com eles. Uma sugestão óbvia é ajudar os meninos a liberarem seu excesso de energia envolvendo-os em atividades onde lutas, risos, corridas, acrobacias e gritos sejam aceitáveis. Futebol, judô e basquete são algumas das possibilidades. As mães também precisam fazer com que as mentes e mãos dos meninos estejam sempre ocupadas. Isso é do seu maior interesse. Meu pai disse certa vez sobre nosso menino irrequieto: "Se você deixar que esse menino fique entediado, vai merecer o que ele fizer". O padrasto de Shirley, depois de cuidar de nossos filhos por uma semana, sugeriu: "Boas crianças, mas você tem de mantê-las ao ar livre". Bom conselho!

Há outra característica dos meninos que aposto que você notou. Eles quase não escutam a maior parte do tempo. Têm habilidade notável para ignorar tudo o que não lhes interessa. Os homens são também assim. Minha mulher não consegue entender como posso escrever um livro, inclusive este, enquanto um jogo de futebol televisionado está berrando no escritório. Na verdade, não assisto e componho ao mesmo tempo, mas posso desligar o som em minha mente até que decida ouvi-lo, como quando um *replay* aparece na tela. Depois de assistir por alguns momentos, volto ao que estava fazendo. Este é um "talento" que enlouquece as mulheres. Os maridos conseguem ler um relatório do trabalho e não ouvir nada que está sendo dito a um metro de distância. Uma senhora frustrada chegou a pôr um fósforo aceso na parte de baixo do jornal que o marido estava lendo, o que chamou a atenção dele quando a chama alcançou seu rosto. Ela disse que a única outra maneira de despertá-lo seria dançar completamente nua na mesa da sala de jantar. Não tenho certeza de que isso daria certo!

Os meninos têm essa mesma habilidade de ignorar as mães. Eles sinceramente não escutam as palavras que estão sendo despejadas em seus ouvidos. É por esse motivo que recomendo às mães que toquem fisicamente os filhos

Mães e filhos   107

quando quiserem obter sua atenção. Quando se voltarem para olhá-la, dê suas mensagens em frases curtas. Vou falar a respeito de comunicação com os meninos mais tarde, mas, por ora, quero discutir os vários indícios do desenvolvimento, começando ao nascer.

Nos capítulos anteriores, falamos sobre o papel essencial que os pais desempenham no início do desenvolvimento dos meninos, mas as mães também fazem parte disso. Não há meios de enfatizar excessivamente a importância do que é chamado de "elo infantil" entre mãe e filho de ambos os sexos. A qualidade desse relacionamento terá implicações para a vida inteira e pode até determinar a vida ou a morte. Mary Carlson, uma pesquisadora da Escola de Medicina Harvard, estudou recentemente um orfanato romeno lotado, onde, fila após fila, bebês ficavam abandonados em seus berços. Os funcionários tinham trabalho demais, e os bebês quase nunca eram tocados, nem mesmo para serem amamentados. O que mais surpreendeu Carlson foi o silêncio opressivo no berçário. Ninguém chorava, ninguém tagarelava, nem sequer um choramingo. Depois de exames físicos aos 2 anos, Carlson descobriu que os bebês tinham índices muito altos, no sangue, de certo hormônio do estresse chamado cortisol. Esse hormônio em quantidades excessivas pode afetar o cérebro. (Mencionamos este fenômeno no quarto capítulo.) O crescimento foi retardado, e as crianças agiam como se tivessem metade da idade cronológica.[1] Mesmo que consigam sobreviver, jamais se recuperarão totalmente.

Mas, quais as implicações de circunstâncias menos trágicas onde o relacionamento mãe-menino simplesmente falha em assumir uma forma definida? Essa pergunta específica foi estudada na Universidade de Harvard. Os pesquisadores descobriram que o elo na vida é essencial, sendo até ligado à saúde física quarenta ou cinquenta anos mais tarde. É incrível, mas 91% dos estudantes da faculdade que disseram não ter gozado de relacionamento próximo com as mães desenvolveram doenças coronárias arteriais, hipertensão, úlceras do duodeno e alcoolismo na meia-idade. Só 45% desses homens que se lembravam do calor e proximidade materna tiveram doenças similares. Ainda mais surpreendente é o fato de que 100% dos participantes deste estudo cujos pais eram frios e distantes vieram a sofrer várias moléstias na meia-idade. Em resumo, a qualidade dos primeiros relacionamentos entre os meninos e suas mães é um poderoso presságio de saúde psicológica e física durante a vida inteira. Quando certas necessidades não são satisfeitas na infância, os problemas pairam em toda a estrada.[2]

Em vista da natureza delicada das crianças pequenas, é talvez compreensível por que eu continuo firmemente contrário à colocação delas nas creches, a não ser que não haja alternativa. Pode até parecer que as crianças estão lidando adequadamente com uma série de babás temporárias, mas elas foram destinadas a ligar-se emocionalmente com a mãe e o pai e desenvolver-se com segurança na proteção de seus braços. Essa crença foi raramente desafiada durante cinco mil anos, mas muitas mulheres hoje acham que não têm escolha além de voltar ao trabalho o mais depressa possível depois de dar à luz. Se você é uma delas, deixe-me dizer respeitosa e compassivamente que compreendo as pressões financeiras e emocionais que você enfrenta. Mas, para as mães recentes que têm outras opções, eu recomendaria enfaticamente que não entreguem seus bebês para as creches, muitas das quais têm funcionárias que ganham pouco e não possuem suficiente treinamento. Elas também não compartilham sua dedicação irracional a essa criança.

Minha opinião sobre este assunto é comprovada. O Instituto Nacional de Saúde Infantil e Desenvolvimento Humano conduziu o estudo mais abrangente sobre este tema feito até hoje. Mais de 1.100 mães e crianças em dez dos principais centros de cuidados nos Estados Unidos foram avaliadas quando as crianças tinham 6, 15, 24 e 36 meses. Os resultados preliminares foram publicados no jornal *USA Today*, como segue:

> As mulheres que trabalham se preocupam em deixar seus filhos pequenos aos cuidados de outras pessoas, com medo de prejudicar o relacionamento entre eles. Notícias do governo federal confirmam que têm razão em preocupar-se. Quanto mais horas a criança fica com outros nos três primeiros anos de vida, a tendência é de uma interação menos positiva entre mãe e filho.[3]

As descobertas preliminares confirmam que deixar uma criança muito pequena numa creche significa menos envolvimento sensível entre mãe e filho. A criança tende também a reagir menos positivamente à mãe. Em outras palavras, o elo entre mãe e filho é um tanto afetado pela experiência, especialmente quando a natureza da mãe inclina-se para a insensibilidade.

Esses dados foram expedidos quando o estudo não estava ainda completo. Ao ser concluído em 2001, os pesquisadores anunciaram descobertas ainda mais perturbadoras. Eles disseram que as crianças que passavam a maior parte do tempo nas creches tinham três vezes mais probabilidades de apresentar problemas comportamentais no jardim de infância do que as cuidadas principalmente pelas mães. Esses resultados foram baseados em avaliações das crianças pelas mães, pelas pessoas que cuidavam delas e pelas professoras do jardim de infância. Havia uma correlação direta entre o tempo passado na creche e atitudes como agressão, rebeldia e desobediência. Quanto mais tempo passado nesses ambientes fora de casa, tanto maiores os problemas comportamentais. O dr. Jay Belsky, um dos principais investigadores do estudo, disse que as crianças que passam mais de trinta horas por semana em creches "são mais exigentes, insubmissas e agressivas. Elas tiveram mais pontos em relação a: participar de mais brigas, crueldade, provocação, mesquinharia, assim como falar demais, exigir que suas demandas sejam imediatamente satisfeitas".[4]

Depois da publicação deste estudo, houve grita das comunidades liberais, que afirmam há anos que as crianças dos centros de cuidados infantis vicejam melhor. Elas atacaram a metodologia do estudo e consideraram inválidas as suas descobertas. Outras exigiram mais dinheiro federal para programas de qualidade para as creches. Não há dúvida de que melhores opções são necessárias para os pais que precisam depender das creches. Todavia, tenho uma ideia melhor. Por que não reduzir os impostos sobre os pais, a fim de que as mães possam fazer o que a maioria delas deseja desesperadamente — ficar em casa com os filhos?

Num estudo conduzido pela Public Agenda, 70% das mães de crianças com menos de 5 anos queriam deixar o trabalho. Setenta e um por cento disseram que a creche era o "último recurso". Ao perguntarem qual o arranjo melhor para as crianças pequenas, 70% responderam que um dos pais em casa é o preferível, 14% disseram que quando os pais trabalham em horários diferentes é melhor e

6% preferem um parente próximo. Só 6% consideravam que um centro de cuidados infantis de qualidade é a melhor opção.[5] Deborah Wadsworth, presidente da Public Agenda, disse: "Quando se trata de entregar o filho a outro adulto que não conhecem, elas ficam ansiosas".[6]

Quando nossa primogênita tinha 2 anos, eu estava terminando meu doutorado na Universidade da Califórnia do Sul. Cada centavo disponível era necessário para sustentar meus estudos e despesas associadas. Embora não quiséssemos que Shirley trabalhasse enquanto Danae era pequena, sentimos que não havia opção. Shirley lecionava e nossa menininha ia para uma creche todas as manhãs. Certo dia, quando chegamos ao centro, Danae começou a chorar incontrolavelmente. "Não! Não! Não, papai!" — ela me disse. Agarrou-se ao meu pescoço enquanto a levava até a porta e suplicou que eu não fosse embora. As crianças nessa idade não gostam de separar-se dos pais, mas aquilo era um tanto diferente. Danae tinha o olhar aterrorizado, e suspeitei que ficara muito perturbada da última vez em que estivera ali. Só podia, entretanto, imaginar o que acontecera. Dei meia-volta e fui para o carro com minha filhinha preciosa nos braços. Quando estávamos sozinhos, disse a ela: "Danae, prometo que você nunca mais terá de ficar de novo na creche". E cumpri a promessa.

Shirley e eu conversamos sobre como resolver o problema. Decidimos finalmente vender e "comer" um dos nossos Volkswagens, o que permitiu que ela ficasse em casa para cuidar de nossa filha durante um ano. Quando o dinheiro estava acabando, eu já saíra da escola e Shirley pôde, então, ser mãe em tempo integral. Nem todos poderiam ter feito o que fizemos e, certamente, há milhares de pais e mães sozinhos que não têm alternativas. Se for esse o caso, você simplesmente tem de fazer o seu melhor. Se um parente ou amigo puder ficar com seu filho durante o dia, isso é melhor do que uma creche, em iguais circunstâncias. O necessário é a continuidade no relacionamento entre a criança e a pessoa que cuida dela diariamente.

A conclusão de muitos estudos sobre a infância e o desenvolvimento da criança pequena é sólida: os bebês têm várias necessidades emocionais essenciais. Entre elas estão o toque, a conexão, a permanência, a formação e a afirmação. Sofro pelas muitas crianças violentadas e negligenciadas hoje, cujas

Mães e filhos 111

necessidades são tragicamente ignoradas. Não há nada mais triste nesta vida do que uma criança que não é amada ou que se sente mal amada. Desejo algumas vezes que os bebês nascessem com um letreiro no pescoço advertindo: "Aviso! Cuidado! Frágil! Tenha amor por mim. Proteja-me! Dê-me um lugar em seu coração".

Apesar da importância inicial do laço mãe-filho, pode parecer estranho que os meninos precisem separar-se das mães durante o período entre 15 e 36 meses. Os meninos, ainda mais que as meninas, ficam negativos nessa idade e resistem a quaisquer esforços para dominá-los ou dirigi-los. Dizem não para tudo, até para as coisas de que gostam. Fogem quando chamados e berram desesperadamente na hora de dormir. No geral, respondem melhor aos pais, mas não muito. Creia você ou não, este é o momento de oportunidade para a mãe. Ela *deve* tomar conta nesses dias deliciosos, mas desafiadores da tenra infância. Não basta deixar a disciplina apenas para o pai. O respeito pela sua autoridade e liderança é firmado neste período, e as oportunidades perdidas serão difíceis de recuperar mais tarde. Lembre-se de que os meninos necessitam desesperadamente de supervisão. Eles precisam ser também literalmente "civilizados". Na ausência de uma liderança firme, mas amorosa, eles tendem a seguir suas inclinações egoístas e destrutivas, que podem ser prejudiciais para um menino e para os outros membros da família. Vamos tratar melhor dos princípios da disciplina no capítulo 16.

Quais as outras implicações para as mães durante este período de desligamento e diferenciação? De um lado, elas não devem sentir-se rejeitadas e feridas pela gravitação dos filhos em direção aos pais. Lembrem-se de que o comportamento não é pessoal. Os meninos são geneticamente programados para sentir-se assim. Lembro-me de ter-me sentido embaraçado com os abraços e beijos de minha mãe quando tinha 3 anos. Certo dia, disse a ela que isso era "tolo". Sua resposta sábia foi: — Eu também acho. — Eu queria e precisava do amor dela, mas já sentia um impulso estranho na direção de meu pai. Embora a maioria das crianças não seja capaz de articular esse impulso, o que está acontecendo é um processo saudável mediante o qual a virilidade vai desabrochar na hora oportuna. As mães devem encorajar os pais a marcar presença ao lado dos filhos quando a necessidade é maior. Mostrem a eles esta parte do meu livro, mesmo que não leiam o resto. Os homens tendem a ficar extremamente ocupados durante os primeiros anos da vida do filho, e sua mente se fixa em outras coisas. Um empurrão delicado chamará melhor a atenção deles do que inundá-los com culpas e críticas.

Com a passagem do tempo, a sexualidade dos meninos ficará mais aparente. Não acredite nem por um momento que eles são assexuados, desde a mais tenra infância. Algumas crianças pequenas e pré-escolares vão segurar ou esfregar os genitais, o que tem sido incorretamente chamado de masturbação. Isso embaraça e preocupa as mães, mas não tem implicações morais nem é algo permanente. Indica simplesmente que o menino descobriu "o lugar em que tem boas sensações". Ele pode ser ensinado que há uma hora certa e uma hora errada para tocar em si mesmo, mas não deve ser envergonhado ou castigado por ser "ligado" adequadamente.

Quando eu tinha 5 anos estava deitado na cama com minha tia-avó. Ela era uma mulher idosa com algumas ideias recatadas. Eu tinha quase adormecido e ela lia. De repente, disse alarmada "O que você está fazendo debaixo das cobertas?". Pode acreditar, eu não estava fazendo *nada* sob os lençóis. Nem sequer sabia que havia algo interessante a ser feito ali. Acho engraçado quando penso naquele momento, mas fiquei confuso e imaginando por que minha tia estava preocupada. Não cometa um erro igual com seus meninos.

Durante os primeiros anos, os meninos às vezes fantasiam com relação às mulheres ou meninas. Não que pensem em intercurso, que poucos deles compreendem, mas têm vagos pensamentos sobre nudez ou outras imagens sexuais das mulheres. Tudo isso faz parte da experiência masculina.

Lembro-me de uma amiga que estava com seu filho de 7 anos no carro. De repente, ele começou a fazer uma série de perguntas relevantes sobre sexo. Insistiu em que ela contasse tudo sobre os bebês e como eram concebidos. Para sua mãe, não foi fácil ter sido confrontada tão cedo com questões com as quais não esperava lidar senão dali a dois ou três anos. Ela contou tudo. Enquanto a mãe falava, o menino ficou olhando para a frente sem fixar os olhos. Quando a lição terminou, ele estendeu o braço e apertou o botão para abrir a janela, depois pôs a cabeça para fora, dizendo: "Oooohhhh! Que nojo! Vou vomitar! Não quero nem lembrar disto". Algumas semanas mais tarde, quando seu priminho nasceu, ele contou ao irmão menor de onde a criança viera. Mas ele não entendera direito. "A mãe e o pai", disse ele "tiveram de fazer aquela coisa de esper" (significando coisa de esperma).

Os 10 anos para a maioria dos meninos é uma época adorável. Alguns a chamaram de período "angélico", quando a colaboração e a obediência estão no auge. Isso não vai mais acontecer. Aos 11 anos, o menino típico provavelmente vai tornar-se caprichoso e mal-humorado. Pode irritar a mãe, provocar os irmãos e irmãs menores e avançar um pouco mais os seus limites. Isto significa que a testosterona está começando a correr e a rebelião da adolescência vem chegando. Depois, vêm os 12 e os 13. Nos três anos seguintes, segure, se puder!

A falecida conselheira e autora Jean Lush foi minha entrevistada há alguns anos para discutir este assunto de mães e filhos no programa *Focus on the Family*. Esta é uma parte do que ela disse sobre o início da puberdade:

> De todo aconselhamento que já fiz e de minhas leituras, posso dizer... nossa, o décimo terceiro ano pode ser um ano difícil. Vou dar-lhe um exemplo de minha família. A mãe notou que o filho estava de mau humor e disse: — Venha cá e veja estas fotos. Quero que me ajude a escolher qual vou usar para o Natal. São retratos meus. — O menino aproximou-se e disse: — Não gosto de nenhuma delas. Você está com mau hálito. Vou para o meu quarto. — A mãe falou: — Fiquei tão magoada! — Duas horas depois, porém, o garoto saiu do quarto e disse: — Amo você, mamãe. — Ele a beijou e foi dormir. Esta foi uma atitude típica do rapazinho de 13 anos. Nessa idade ele vai mostrar-se muitas vezes rude e implicante. Vai gritar com os pais, bater portas e mudar várias vezes de humor. Mas, de repente, sai do casulo e volta a ser um membro agradável da família. Esses meninos entre os 13 e os 14 anos são realmente difíceis de entender.
>
> Outra coisa: o menino alcança a maturidade masculina sobre o corpo morto da mãe. Não se esqueça disso. Ele não apenas a mata, mas a "esfaqueia" lentamente. Vou explicar. Penso que muitos meninos têm medo da masculinidade à sua frente. É claro que nem todos são assim. Alguns apenas prosseguem com facilidade, mas há outros que perguntam ansiosos: "Será que um dia vou tornar-me um homem de verdade?". Nesses casos a mãe está em seu caminho. Se for

próxima demais, a criança pode sentir-se engolida por ela. Afinal de contas, ela é uma mulher. Fica entre ele e o fato de ser homem. Os meninos que lutam mais são, às vezes, aqueles que tiveram relacionamentos mais aproximados com as mães. Portanto, o que fazem para tirá-la da frente? Têm de "matá-la". Matar é o menino que disse: "Você tem mau hálito". Essa foi a sua maneira de estabelecer a sua masculinidade. Esse episódio foi muito difícil para a mãe, que se sentiu rejeitada e ferida pelo filho, mas é uma transição que elas têm de aceitar. As mães cujos filhos de repente passam por este tipo de alienação ficam inclinadas a perguntar a si mesmas: "O que estou fazendo de errado? Não sei o que fazer. Meu filho é um pequeno tirano". Fique firme. Melhores dias virão.[7]

Mas e se dias melhores não vierem? E se a atitude do Júnior piorar cada vez mais na adolescência? Estou certo de que isso aconteceu, ou acontecerá, com um ou mais de seus filhos. É um impulso hormonal e ocorre nas melhores famílias. Quando a hostilidade e a rebelião começam a aparecer, como você impede seus filhos (e filhas) de explodirem e fazerem algo idiota? Já tratei desse assunto em outros livros, mas quero oferecer uma descoberta que não havia compartilhado antes. Um Estudo de Saúde pesquisou 11.572 adolescentes para determinar quais os fatores mais úteis para a prevenção do comportamento negativo, tal como violência, suicídio, uso de drogas, comportamento sexual precoce e gravidez na adolescência. Estes foram os resultados da pesquisa: A presença dos pais é muito positiva em quatro momentos críticos do dia — de manhã, depois da escola, na hora do jantar e na hora de dormir. Quando esse contato regular é combinado com outras atividades compartilhadas entre pais e filhos, um resultado altamente positivo é obtido. Os pesquisadores observaram também que os adolescentes que tinham um sentimento de ligação com os pais (sentimentos de calor, amor e cuidado) tinham menos probabilidade de se envolverem em comportamentos prejudiciais.[8]

Alguns de meus leitores talvez perguntem: "Como posso estar com meu adolescente de manhã, à tarde e à noite? Tenho muito trabalho a fazer". Na verdade, você tem simplesmente de decidir o que é mais importante para você a esta altura. Não vai ser tão importante daqui a alguns anos, mas sua disponibilidade agora pode fazer a diferença para seu filho entre sobreviver ou pular do penhasco.

Meus pais tiveram de enfrentar essa escolha difícil quando eu tinha 16 anos. Meu pai era um evangelista que viajava a maior parte do tempo, enquanto minha mãe ficava em casa comigo. Durante a adolescência, comecei a ficar implicante com minha mãe. Nunca cheguei à rebelião total, mas estava definitivamente namorando a possibilidade. Nunca esquecerei a noite em que minha mãe telefonou para meu pai. Eu estava escutando quando ela disse: "Preciso de você". Para minha surpresa, meu pai cancelou imediatamente uma lista de quatro anos de reuniões, vendeu nossa casa e mudamos para o sul. Assumiu ali um pastorado para poder ficar comigo até que terminasse a escola secundária. Aquele foi um enorme sacrifício para ele, do qual nunca se recuperou profissionalmente. Mas ele e minha mãe sentiram que meu bem-estar era mais importante do que as suas responsabilidades imediatas. Meu pai ficou em casa comigo durante aqueles anos difíceis quando eu poderia ter entrado em sérias dificuldades. Quando falo com reverência de meus pais hoje, como costumo fazer, uma das razões é por terem dado prioridade a mim quando eu estava escorregando para perto da beirada. Você faria o mesmo pelo seu adolescente?

Você talvez não seja chamado para fazer uma mudança assim radical em seu estilo de vida. A solução é, às vezes, muito mais simples, segundo um estudo conduzido pelo dr. Blake Bowden, do Hospital Infantil de Cincinnati. Ele e seus colegas pesquisaram 527 adolescentes para saber que características de família e de estilo de vida estavam relacionadas com a saúde e o ajuste mental. O que eles, mais uma vez, observaram foi que os adolescentes cujos pais jantavam com eles cinco vezes por semana ou mais tinham menos probabilidade de usarem drogas, ficarem deprimidos ou terem problemas com a lei. Tinham também mais probabilidade de se saírem bem na escola e de serem cercados por um círculo de amigos que serviam de apoio. O benefício foi visto até para as famílias que não comiam juntas em casa. Os que se reuniam em restaurantes *fast-food* tiveram os mesmos resultados. Em contraste, os adolescentes mais desajustados tinham pais que só comiam com eles três noites ou menos por semana.[9]

Não é interessante como os dois estudos registrados chegaram à mesma conclusão? O envolvimento dos pais é a chave para ajudar os filhos a atravessarem as tempestades da adolescência. Esta é outra investigação associada a crianças

116   Educando meninos

menores. A dra. Catherine Snow, professora de educação da Faculdade de Educação de Harvard, acompanhou 65 famílias durante um período de oito anos. Ela descobriu que a hora do jantar tinha mais valor para o desenvolvimento da criança do que a das brincadeiras, da escola e de ouvir histórias.[10] Há claramente poder em "partir o pão" juntos.

O que essas descobertas significam? Há algo mágico sobre sentar juntos durante uma refeição? Não, e os pais que acreditam nisso vão ficar certamente decepcionados. O que o estudo de Bowden mostra é que os relacionamentos familiares são o que importa para os adolescentes. Quando os pais têm tempo para seus filhos, quando se reúnem quase todos os dias para conversar e interagir — neste caso enquanto comem —, seus adolescentes vão muito melhor na escola e na vida. Conclusão? As famílias dão estabilidade e saúde mental às crianças e aos adolescentes.

Com tanta evidência positiva para apoiar as refeições em família, não é pena que só um terço das famílias norte-americanas comam juntas na maioria das noites? O mundo caótico em que vivemos nos pressionou de todos os lados e nos levou a comer às pressas. Algumas pessoas "jantam" mais nos carros ou escritórios do que em casa, engolindo um sanduíche ou um hambúrguer enquanto dirigem. Graças a Deus é possível mudar esta tendência. Com determinação e planejamento, devemos cruzar os mundos uns dos outros pelo menos uma vez ou duas a cada dia. O ingrediente mais importante não é o que está à mesa — podemos servir uma comida feita em casa ou pedir um prato no restaurante. O que *faz* a diferença é deixarmos regularmente tempo para sentar e conversar juntos.

A refeição pode também ser a peça decorativa para as tradições familiares, que dão identidade e sentimento de pertencer a cada membro. Nos Estados Unidos, temos alimentos específicos para cada feriado. Peru no Dia de Ações de Graças e Natal, feijões vermelhos e presunto no Dia de Ano-Novo, presunto assado na Páscoa, hambúrguer grelhado (feito de peru) no dia Quatro de Julho e comida chinesa na véspera de Natal (não me pergunte o porquê). As várias tradições têm muitas dimensões, que vão muito além da escolha de alimentos. Cada um de nós fica à espera dessas datas, que são sempre cheias de riso, espon-

Mães e filhos   117

taneidade e significado. As crianças gostam desses tipos de atividades repetidas que as ligam a seus pais. Espero que você também tenha as suas próprias tradições similares.

Em último lugar, as refeições familiares continuam sendo o cenário excelente para transmitir as verdades da sua fé. Enquanto as bênçãos do dia são recapituladas, os filhos veem a evidência do cuidado amoroso e fiel de Deus e a importância de honrá-lo com um momento de gratidão. Em nossa família, nunca comemos sem fazer uma pausa para primeiro expressar gratidão àquele que nos dá "toda boa dádiva e todo dom perfeito" (Tg 1.17). Creio que os filhos de pais cristãos deveriam aprender a "dar graças" em toda refeição. Os pais podem usar também esse período de conversa para discutir princípios bíblicos à mesa e aplicá-los às circunstâncias pessoais. Jesus usou o período de comunhão criado à mesa para apresentar muitos de seus ensinos. Atos 2.46-47 nos dá um vislumbre de quão importante era compartilhar a refeição para a primeira igreja ao descrever como os cristãos "partiam pão de casa em casa e tomavam as suas refeições com alegria e singeleza de coração, louvando a Deus".

Quanto mais seus filhos se sentirem parte de algo agradável e divertido, tanto menos precisarão rebelar-se contra isso. Esta não é uma promessa, apenas uma probabilidade.

Antes de deixarmos a mesa familiar, há outro ponto relativo à saúde que desejo mencionar. Com toda essa conversa sobre a importância do alimento, precisamos ter cuidado para não contribuir para a obesidade precoce. Um estudo médico recente, conduzido no Hospital Infantil de Colúmbia, em Ohio, confirmou que as crianças de hoje são mais pesadas e têm níveis muito mais elevados de colesterol e triglicérides do que as de quinze anos atrás. Um dos pesquisadores, o dr. Hugh Allens, declarou: "A não ser que essas tendências mudem, trinta milhões dentre os oitenta milhões de crianças vivas hoje nos Estados Unidos provavelmente, morrerão de problemas cardíacos".[11] Que predição deprimente esta! A questão é que os lanches substituíram a boa nutrição, e até quando alimentos saudáveis estão sendo consumidos, as crianças não estão se exercitando o suficiente para queimar as calorias. Entre a televisão, idas de carro à escola, jogos de computador e passar tempo na pizzaria, as crianças não correm

118 Educando meninos

e pulam como costumavam. Os pais devem então descobrir atividades das quais possam participar com os filhos, tais como caminhadas, andar de bicicleta, brincar de apanhar a bola ou esquiar. As crianças estão ocupadas formando hábitos de uma vida inteira e, portanto, comer direito e fazer exercícios todos os dias contribuirão para sua saúde no futuro. Uma vez que seus filhos estejam no caminho certo, você talvez queira movimentar também o seu próprio "corpo".

É possível que eu tenha passado tempo demais falando sobre comida, mas ela é uma parte importante da vida familiar. Vamos falar sobre outros aspectos do relacionamento mãe-filho no próximo capítulo.

PERGUNTAS E RESPOSTAS

É difícil para mim admitir que tenho muito pouco respeito por meu marido. Ele quase nunca teve sucesso e não é um líder em nosso lar. Tento esconder essa atitude em relação a ele em casa, mas é difícil. O que posso fazer se acho que ele não merece a minha admiração?

Penso que você já sabe qual vai ser a minha resposta, mas vou dá-la de qualquer modo. Você, como mãe, tem as chaves para o relacionamento entre seus meninos e o pai. Se mostrar respeito por ele como homem, eles se inclinarão mais a admirá-lo e imitá-lo. Se pensar que é um coitado, um idiota ou um perdedor, essas atitudes vão influenciar diretamente a interação deles. Em um de meus livros anteriores, contei uma história pessoal escrita por Lewis Yablonsky, que merece ser repetida porque ilustra perfeitamente este ponto. Isto é o que ele escreveu sobre seu relacionamento com o pai, no livro *Fathers and Sons.*

> Lembro-me muito bem de estar sentado à mesa do jantar com meus dois irmãos, meu pai e minha mãe e me encolhendo ao ouvir os ataques dela contra meu pai. — Olhem para ele — dizia ela em iídiche. — Seus ombros estão curvados, ele é um fracasso. Não tem a coragem de arranjar um emprego melhor ou ganhar mais dinheiro. É um homem vencido. — Ele mantinha os olhos no prato e nunca replicava. Minha mãe jamais exaltou os dons de persistência dele ou o fato de trabalhar tanto. Em vez disso, se concentrava constantemente no lado negativo e criou uma imagem para seus três filhos de um homem sem ânimo para lutar, esmagado por um mundo sobre o qual não tinha controle.

O fato de ele não contestar as críticas constantes dela tinha o efeito de confirmar a validade delas para os filhos. E o tratamento de minha mãe e a figura de meu pai não transmitiram a ideia de que o casamento é uma boa condição, ou que as mulheres eram basicamente pessoas. Não fiquei especialmente motivado a assumir o papel de marido devido às minhas observações de meu pai pisoteado.[12]

Fica evidente que a mãe de Yablonsky prejudicou seriamente a imagem do pai, fazendo com que os filhos não quisessem imitá-lo. Esse é o poder da mulher no seio da família. Num certo sentido, ela serve como porteiro entre os filhos e o pai. Pode construir a relação pai-filho ou prejudicá-la para sempre. Os meninos, especialmente, nascem com a necessidade de "ser como o pai", mas vão procurar modelos em outra parte se o "velho" parecer um imbecil insuportável em casa.

Minha mãe, que cometeu poucos erros em nosso lar, tropeçou grandemente neste ponto — não por desrespeitar meu pai, mas porque não permitiu que ele tivesse muito acesso a mim quando eu era pequeno. Ela tomou completa posse de mim desde o início. Eu era seu primeiro e único filho, tendo nascido de cesariana numa época em que esse era um parto arriscado. Ela tinha prazer em ser mãe e se dedicou à tarefa de cuidar de mim. Admitiu mais tarde, arrependida, que impedira que meu pai e eu tivéssemos um laço mais estreito nos primeiros anos. Desculpou-se por tê-lo magoado, fazendo com que se sentisse desnecessário na responsabilidade de criar um filho. As coisas iriam mudar enquanto eu crescia, mas minha mãe teve de reprimir-se um pouco antes que isso acontecesse.

Para resumir, insisto com você que facilite o acesso entre seus filhos e o pai. Isto é especialmente importante para os meninos, que olharão para esse homem como o exemplo a ser seguido.

O senhor mencionou que os meninos e os homens não são comunicadores naturais. Nossa, como isso descreve os "homens" em minha vida! O que posso fazer para manter todos falando uns com os outros?

120 Educando meninos

Toda família precisa de pelo menos uma pessoa bastante comunicativa, e parece que você é exatamente essa pessoa. Muitos meninos se inclinam a reprimir toda e qualquer frustração. A não ser que você tome a iniciativa de fazer com que se abram, alguns podem retrair-se e se introverterem emocionalmente. Recomendo que você faça o que for necessário para entrar no mundo de seu filho. Continue conversando, explorando e ensinando. A comunicação é o objetivo. Tudo depende disso.

Em 1991, Saddam Hussein e seu Exército iraquiano invadiram o pequeno país do Kuwait, rico em petróleo, e empregaram terrível brutalidade com o povo dali. Suas tropas estavam prontas para atacar a Arábia Saudita e controlar, assim, metade do suprimento de petróleo do mundo. O presidente dos Estados Unidos, George Bush, exigiu repetidamente que Saddam retirasse suas forças, mas ele recusou-se obstinadamente a isso. Em 17 de janeiro daquele ano, foi então lançada a Operação Tempestade do Deserto. Várias centenas de milhares de tropas aliadas atacaram o Exército iraquiano por terra, mar e ar. Qual você pensa que foi o principal alvo da batalha?

Você talvez ache que seriam os tanques de Saddam, ou seus aviões, ou os soldados da linha de frente. Em vez disso, os aliados destruíram a rede de comunicações do Iraque. Bombardeios a esmagaram com bombas inteligentes e outras armas. Ao agir assim, nossas forças impediram que os generais do Iraque conversassem entre si. Eles não tinham meios de coordenar seus esforços ou dirigir os movimentos dos seus exércitos. A guerra terminou algumas semanas mais tarde.

O que aconteceu na Tempestade do Deserto tem relevância direta para as famílias. Quando o elo comunicativo entre os membros se interrompe, eles ficam desorganizados e distantes um do outro. Se os maridos e as esposas deixam de se falar, ou se pais e filhos silenciam, passa a haver falta de compreensão e ressentimento. Barreiras de aço são levantadas e a ira prevalece. Para muitas famílias este é o começo do fim.

Quero insistir com vocês, mães, para que conversem regularmente com seus filhos (e, como é natural, com todos os outros membros da família). Esta é uma habilidade que pode ser ensinada. Não poupe esforços para manter as linhas de comunicação abertas e claras. Procure saber o que seu marido e filhos estão pensando e sentindo. Os meninos devem ser especialmente o seu alvo, porque eles podem estar escondendo um caldeirão de emoções. Quando perceber que está se desenvolvendo um espírito fechado, não deixe passar mais um dia sem trazer os sentimentos ocultos à tona. Este é o primeiro princípio da vida familiar sadia.

A maior alegria de minha vida foi ter o privilégio de trazer dois filhos saudáveis ao mundo e criá-los dia a dia. É difícil para eu entender os que são contrários à maternidade e pensam que é só um desperdício do tempo das mulheres. O que poderia ser mais compensador do que ser mãe de alguém? A Bíblia refere-se aos filhos como uma "bênção" de Deus, e é justamente o que eles são. Seu comentário me fez lembrar de uma carta inspiradora que recebi recentemente de um médico amigo, falando a esse respeito. Ele nos mostra como a maternidade não é só uma bênção, ela é "sagrada". Penso que você vai gostar de lê-la. A carta veio do dr. C. H. McGowen:

Prezado dr. Dobson,

Enquanto lia as Confissões *de Agostinho recentemente, encontrei o adjetivo* sacro, *que ele usou em referência a algo santo ou sagrado. Por ser médico, em nossa profissão usamos a palavra* sacro *para identificar o osso localizado no fim da espinha ou da pélvis. Como cristão, fiquei imaginando se teria havido alguma influência ou inspiração divina sobre os anatomistas antigos que estavam dando nomes às várias partes do esqueleto. Isso me levou a fazer algumas pesquisas quanto à possível associação da teologia e anatomia no que se refere a esse osso específico. Foi muito providencial, creio eu, que a parte da anatomia humana que guarda o canal do nascimento na mulher seja chamada, em latim, de* sacrum, *literalmente "osso santo ou sagrado". Por que o anatomista da Antiguidade (Galan, cerca de 400 A.D., ou Vessálio, cerca de 1543 A.D.) escolheu este nome, em particular, para este osso?*

O dicionário nos diz que a palavra sacro *ou* sagrado *significa "propriedade de Deus, santo, separado para um propósito especial e adequadamente imune à violência ou interferência". Observemos agora a associação com o sacro. Ele guarda a pélvis com o seu canal do nascimento, que é a origem da vida física. Ele contém os órgãos que produzem as "sementes" da vida nos ovários. São os produtores dos óvulos que, quando fertilizados pelo esperma, tornam-se alma vivente implantada por Deus. O corpo que se desenvolve no útero, também localizado na pélvis, contém esta alma a partir do momento da concepção, e essa alma é declarada sagrada porque pertence a Deus. Ezequiel 18.4 diz: "Todas as almas são minhas". O corpo é apenas a casa ou tenda para a alma.*

O sacro, então, é um osso santo com propósito muito definido. Ele deu apoio estrutural à criança em desenvolvimento no útero, que se torna cada vez mais importante à medida que ela cresce e ganha peso. Aos olhos de Deus, este lugar sagrado nunca deveria ser violado pela cureta do abortador, aparelho de sucção ou trocarte (este último no processo de aborto parcial no nascimento). Nada deve interferir durante qualquer estágio de desenvolvimento dessa vida preciosa que está crescendo ali. Nenhuma pílula ou "arma" cirúrgica deve violar esse domínio sagrado. Entrar nessa área por qualquer outra razão que não seja a de ajudar, ou trazer à vida, esse indivíduo que reside temporariamente no interior do corpo da mãe não é só uma violação da vida dessa pessoa, como também uma violação e intrusão na lei de Deus. Deus tem um propósito e plano para essa vida. Ele inspirou Davi a escrever: "No teu livro foram escritos todos os meus dias, cada um deles escrito e determinado, quando nem um deles havia ainda" (Sl 139.16b).

Obrigado, dr. Dobson, por tomar tempo para ler esta carta. O sacro é realmente sagrado.[13]

8

Perseguindo a lagarta

O GRANDE NATURALISTA FRANCÊS Jean-Henri Fabre conduziu, certa vez, uma experiência fascinante com lagartas processionárias, que recebem esse nome por andarem em fila. Ele as alinhou ao redor da beirada interna de um vaso e depois as monitorou cuidadosamente enquanto marchavam em círculo. No fim do terceiro dia, colocou no centro do vaso algumas agulhas de pinheiro, que são o alimento favorito das lagartas. Elas continuaram caminhando mais quatro dias sem quebrar a fileira. Finalmente, uma de cada vez, elas viraram de costas e morreram de inanição a poucos centímetros da fonte de seu alimento ideal.[1]

Essas criaturas peludas me fizeram lembrar de alguma forma as mães de hoje. A maioria delas se arrasta em círculos de manhã à noite, exaustas e atormentadas, imaginando como poderão fazer tudo que precisam. Muitas trabalham em tempo integral enquanto ao mesmo tempo cuidam da família, são motoristas dos filhos, preparam as refeições, limpam a casa e tentam desesperadamente manter seu casamento, amizades, relações familiares e compromissos espirituais. É um trabalho árduo. Lamentavelmente, este estilo de vida sobrecarregado e de tirar o fôlego, que chamo de "rotina do pânico", caracteriza a grande maioria de pessoas nos países ocidentais.

Você é uma dessas mulheres atormentadas que correm em círculos intermináveis? Você já se descobriu ocupada demais para ler um bom livro ou dar um longo passeio com seu cônjuge, ou carregar seu filho de 3 anos no colo enquanto lhe conta uma história? Tem tido tempo para estudar a Palavra de Deus — ter comunhão com ele e ouvir sua voz sussurrada? Você eliminou quase toda atividade significativa para lidar com a tirania da lista de "coisas para fazer" que nunca termina? Já perguntou a si mesma por que escolheu viver assim? Talvez tenha, mas não é um problema fácil de resolver. Vivemos como se estivéssemos em trens de carga barulhentos passando pela cidade. Não controlamos a velocidade — ou pelo menos pensamos que não —, portanto, nossa única opção é descer. Descer do trem e viver mais lentamente é muito difícil. Os velhos padrões morrem de fato com dificuldade.

Quando foi a última vez que suas amigas foram visitá-la inesperadamente? Para muitas faz tempo demais. Houve época em que as famílias tinham o hábito de entrar no carro e ir até a casa de um amigo passar a tarde conversando e comendo um pedaço de torta de banana. Esse era um dos pequenos prazeres especiais da vida.

Jamais esquecerei as vezes em que, quando menino, eu ouvia uma batida na porta e corria para ver quem era. A tela se abria alguns centímetros e uma voz familiar se fazia ouvir: — Tem alguém em casa? — Mamãe corria para pôr água no fogo para o café, e pelo resto da tarde ficávamos sentados conversando com os amigos — sobre nada e sobre tudo. Finalmente, chegava a hora de eles partirem, e nós os abraçávamos, convidando-os para voltar sempre. Esse tipo de camaradagem espontânea é difícil de conseguir no mundo apressado de hoje. As pressões e ocupações da vida praticamente destruíram o senso de comunidade que era antes comum entre as famílias e amigos. É raro, se é que o fazemos, visitar amigos sem aviso. E mesmo que fizéssemos isso, eles teriam provavelmente de cancelar uma série de compromissos a fim de estar conosco. Portanto, passamos os dias navegando pela vida, olhando para o relógio e imaginando por que quase não temos amizades íntimas.

Shirley e eu tivemos, recentemente, a bênção de morar ao lado de uma senhora de 80 anos chamada Jenny, que passamos a amar. Ela via nossas entradas e saídas e conhecia nossas muitas pressões. Jenny dizia repetidamente a Shirley: Querida, não se esqueça de tomar tempo para os amigos e a família. Você sabe, é importante não ficar ocupada demais para as pessoas. — Ela se sentia sozinha e estava falando de suas próprias necessidades. Nós a visitávamos e ocasionalmente jantávamos com ela. Cerra tarde, Shirley "tomou chá" com ela e tiveram uma conversa agradabilíssima. Mas era difícil dar a ela o que precisava. Nós estávamos viajando na via expressa de uma estrada e Jenny serpenteando por uma estrada rural naquele estágio da sua vida.

Jenny já se foi agora, mas suas palavras ecoam em nossa mente. Será que as nossas atividades diárias eram realmente mais importantes naqueles anos do que tirar tempo para amar uma mulher especial ou estender-se aos muitos outros cujos caminhos cruzamos? Quando penso nesses termos, quero desplugar — soltar, livrar-me de todos os embaraços que pesam sobre mim. Eu daria tudo para voltar 25 anos e viver outro dia com as duas crianças que abençoaram nosso lar. Seria custoso, é claro, mover-nos mais lentamente. Eu não poderia ter construído uma organização chamada Foco na Família, para a qual senti que Deus me havia chamado, ou escrito alguns dos livros que levam o meu nome. Em vista de tudo o que foi colocado à nossa frente, fizemos um bom trabalho de preservar a vida familiar e participar do mundo de nossos filhos. Mas, quando reflito, não posso senão perguntar: "Teríamos encontrado um meio termo que permitisse que Shirley e eu fizéssemos algo ainda melhor?". Não sei.

Nós não somos a única família com razões para fazer essa pergunta. Robert D. Putnam, professor de Ciência Política da Universidade de Harvard, trata da crescente tendência para o excesso de compromissos e isolamento em seu importante livro *Bowling Alone: The Collapse and Revival of American Community*. Ele entrevistou cerca de quinhentas mil pessoas nos últimos 25 anos e concluiu que estamos nos distanciando cada vez mais uns dos outros. A própria estrutura de nossos contatos sociais desabou verticalmente, empobrecendo nossa vida e nossas comunidades. Conhecemos menos os nossos vizinhos, socializamos mais raramente com os amigos e até nos distanciamos de nossas famílias. Só a lista de e-mails é que continuou a se expandir. O mesmo número de pessoas está jogando boliche, tanto quanto no passado (daí o título do livro de Putnam), embora um número maior delas esteja jogando sozinho. A participação nas ligas de boliche declinou 40% desde 1980. Na política, permanecemos espectadores razoavelmente bem-informados sobre os acontecimentos públicos, mas muito menos realmente participam do jogo.[2] (Durante a eleição nacional do ano 2000 que incluiu candidatos presidenciais com diferenças dramáticas de opinião sobre a América e seu futuro, só 31%

126 Educando meninos

dos prováveis eleitores no Estado do Arizona se preocuparam em votar, 39% na Califórnia, 40% no Havaí.)[3] Na vida religiosa, "Os americanos estão indo menos à igreja do que há três ou quatro décadas e as igrejas que frequentamos estão menos envolvidas com a comunidade mais ampla".[4]

Ao mesmo tempo, a chamada "igreja eletrônica", referindo-me aos serviços transmitidos pela televisão, rádio e internet, está ganhando popularidade. Embora alcance alguns espectadores e ouvintes que jamais iriam a um prédio de igreja, assistir de longe não substitui a comunhão dos crentes que existe no corpo da igreja. O autor de Hebreus escreveu: "Não deixemos de congregar-nos, como é costume de alguns; antes, façamos admoestações (animemos uns aos outros)" (Hb 10.25). Como podemos animar uns aos outros quando estamos adorando em nossas salas no Dia do Senhor?

Putnam diz que o fator mais importante por trás do crescente isolamento está no número de famílias em que os dois pais trabalham, distanciando assim os homens e as mulheres de suas redes sociais tradicionais. Bingo! Simplesmente não há tempo para muita coisa além de trabalhar e manter a casa. A televisão, a internet e outras formas de comunicação eletrônica enfraqueceram também o elo entre as gerações e interferiram na transmissão de tradições familiares. Quando consideradas em conjunto, elas tiram grande parte do significado e prazer da vida. Em resumo, Putnam diz que o "capital social" da América está encolhendo, resultando em mais divisão e um colapso geral da confiança mútua.[5]

Outros estudos confirmam as mesmas tendências e conclusões. O excesso de compromissos e isolamento são pandêmicos. O Plano de Saúde Oxford de Nova York, Nova Jersey e Connecticut descobriu que um em cada seis empregados dos Estados Unidos está tão sobrecarregado de trabalho que não pode sequer tirar férias por causa das exigências do emprego. "Os americanos", disseram os peritos em sondagem da opinião pública, "já são o povo mais necessitado de férias no mundo industrializado, com uma média de 13 dias de férias por ano, comparados com 25 ou mais no Japão, Canadá, na Grã-Bretanha, Alemanha e Itália. O estudo revelou que 32% dos pesquisados declararam que trabalham e almoçam ao mesmo tempo, e outros 32% disseram que não saem mais do prédio depois que entram. Cerca de 34% dos pesquisados disseram que seu emprego é tão exigente que não têm intervalos ou folgas enquanto trabalham. Outros 19% afirmaram que seu trabalho os faz sentir-se mais velhos do que realmente são. Dezessete por cento dizem que o trabalho os faz perder o sono à noite. Dentre os entrevistados, 17% contaram que é difícil tirar licença ou deixar o trabalho mesmo numa emergência, e 8% acreditam que se ficassem gravemente enfermos, seriam despedidos ou rebaixados".[6] Estamos nos matando de trabalhar.

Considero essas descobertas de Putnam importantíssimas do meu ponto de vista. O estilo de vida estressante que caracteriza a maioria dos ocidentais leva não só ao isolamento das pessoas entre si na comunidade mais ampla, como é também a principal razão para a dissolução da família. Os maridos e esposas não têm tempo um para o outro e muitos mal conhecem seus filhos. Eles não se reúnem com parentes, amigos ou vizinhos em vista de serem tiranizados por uma lista infindável de "coisas para fazer". Durante minhas pesquisas para escrever este livro, que levou mais tempo do que tudo que já escrevi, defrontei-me repetidamente com o mesmo triste fenômeno. Os pais estão simplesmente muito ansiosos e exaustos para protegerem e cuidarem dos filhos.

O pesquisador George Barna também observou evidência desta tendência. Ele escreveu: "Está se tornando menos comum hoje que um adolescente tenha tempo para uma interação definida com os membros da família. A maior parte do tempo que passam com a família é o que se poderia chamar de 'família e tempo': família e TV, família e jantar, família e lição de casa etc. A vida de cada membro da família é no geral tão sobrecarregada que a oportunidade de passar tempo juntos fazendo atividades específicas — falando sobre a vida, visitando lugares especiais, jogando e compartilhando explorações espirituais — tem de ser programada com antecedência. Poucos fazem isso".[7]

Percebo que as crianças e jovens hoje estão famintos da vida familiar como costumava ser — mas quase nunca é. Meus sogros, Joe e Alma Kubishta, têm 89 e 90 anos de idade, todavia, minha filha e suas amigas gostam de visitá-los. Por quê? Porque tudo ali é divertido. Eles têm tempo para jogar jogos de mesa, rir, comer e conversar sobre o que interessa aos jovens. Ninguém tem pressa. Quando são chamados ao telefone, estão sempre dispostos a conversar. Uma

128   Educando meninos

de suas visitas frequentes é um homem solteiro chamado Charlie que ama os Kubishtas. Quando teve de mudar, ele dirigiu 96 km com uma roseira, que plantou no quintal deles. Só queria ter certeza de que Joe e Alma não se esqueceriam do amigo ausente. Esse homem e mulher idosos, a quem eu também amo, dão algo aos mais jovens que não é encontrado absolutamente em outro lugar. Que tristeza!

Falei numa conferência na Casa Branca há alguns anos, em que o outro orador era o dr. Armand Nicholi, um psiquiatra da Universidade Harvard. Seu tema naquele dia, como o meu, era a condição da Família Americana. O dr. Nicholi explicou como uma existência que nos afasta completamente uns dos outros produz o mesmo efeito que o divórcio. Os pais nos Estados Unidos passam menos tempo com seus filhos do que em quase todos os outros países do mundo. Resultado: ninguém está em casa para suprir as necessidades dos pré-escolares solitários ou das crianças que têm a chave de casa. O dr. Nicholi salientou a ligação inegável entre a interrupção dos relacionamentos entre pais e filhos e o aumento dos problemas psiquiátricos que estamos vendo agora. "Se a tendência continuar", disse ele, "problemas de saúde graves serão inevitáveis na nação".[8] Nos hospitais nos Estados Unidos, 95% dos leitos serão ocupados por pacientes psiquiátricos se a incidência de divórcio, abuso, molestamento e negligência de crianças continuar aumentando.[9]

O excesso de ocupação e o isolamento da família não são problemas novos, é claro. As mães e os pais vêm lutando para controlar as pressões da vida desde a Segunda Guerra Mundial, mas a abordagem deles mudou. A maioria das mães com 50 anos e no início da casa dos 60 deu prioridade à família sem se importar com os custos. Essa a razão de tantas delas terem ficado em casa em tempo integral para cuidar dos filhos. Elas também serviam como "gerentes" da casa, mantendo tudo em ordem e limpo. Com o advento da revolução sexual, porém, as mães com perspectivas mais liberais começaram a reconsiderar as suas opções.

Um artigo publicado no exemplar de maio de 1981 da revista *Vogue* apresentou algumas das ideias revolucionárias que estavam sendo aceitas na época. O título era: "New Sanity — Mother's Lib" [A Nova Sanidade — Libertação das Mães], escrito por Deborah Mason. Segundo Mason, as mães da década de 1980 não sentiam mais necessidade de viver de acordo com as expectativas "irreais" da maternidade e seriam a primeira geração a pôr de lado a ideia da "Supermãe", da "santa/tirana que é tudo para seu filho — e cujo filho é tudo para ela". No artigo, Mason entrevistou a dra. Phyllis Chesler, uma psicóloga que encorajou as mães a procurarem e protegerem a sua individualidade, "separando-se" mais dos filhos. Chesler acreditava que a ideia da "mãe sempre-presente" era uma "insanidade relativamente moderna" e insistia com as mães para compartilhar suas responsabilidades com outros, inclusive avós, tias, irmãos e vizinhos. "Meu filho, Ariel, sempre teve quatro ou cinco adultos que eram importantes para ele", disse ela. "Durante um período de dois anos [minha assistente] foi como uma segunda mãe para ele."[10]

De acordo com a filosofia da época, o artigo insistia para que as mães fossem mais abertas com os filhos, tanto emocional como sexualmente. "Persiste a ideia de que você deve desistir de alguma forma do sexo para ser mãe: não deve praticá-lo na frente dos filhos, não deve praticá-lo em vez de estar com os filhos", escreveu ela. "A ideia é que se você é mãe, a vida sexual é frívola, autoindulgente e levemente obsoleta. Mas as mulheres estão aprendendo... As mães casadas estão dizendo aos filhos, por exemplo, que nas manhãs de domingo o quarto dos pais é proibido até as 10 horas da manhã. As mães solteiras estão permitindo a si mesmas a liberdade de convidar um homem para passar a noite com elas."[11]

Sou absolutamente contrário a quase tudo que é dito sobre a maternidade neste artigo. Não é assim fácil — ou desejável — libertar-se dos filhos. Os comentários da dra. Chesler particularmente contêm em si uma dose de tristeza. Com respeito à assistente que se tornou a "segunda mãe" de Ariel, só podemos adivinhar o que deve ter acontecido quando a mulher a quem ele se apegara seguiu seu caminho e deixou o menininho aos cuidados da mãe aflita. Quanto ao quarto dos pais ser proibido até as 10 horas da manhã de domingo, fico imaginando quem preparou o café para o filho, quais os programas de televisão que ele assistiu e quem impediu que fizesse algo perigoso enquanto a mãe e talvez um namorado estavam dormindo. Em resumo, este artigo revela os conflitos que estavam começando a surgir na década de 1980 e as conclusões ilógicas que se originaram deles. Algumas mulheres se convenceram de que seus filhos oderiam perfeitamente viver sem muita atenção e que até ficariam melhor se a mãe estivesse menos envolvida. Mães zangadas me disseram na ocasião que se ressentiam da obrigação de criar os filhos e não queriam filhos à sua volta.

Por favor, entenda que simpatizo com as frustrações e pressões que produziram essas reações. Elas foram precipitadas, de fato, pela competição insana que descrevi. Como reconheci no capítulo anterior, muitas mulheres *precisam* trabalhar fora de casa atualmente, por razões financeiras ou emocionais. Mesmo assim, estou aqui para expressar nos termos mais forres possíveis a crença de que as mães continuam sendo tão necessárias para o desenvolvimento sadio dos filhos quanto sempre foram e que as crianças não podem criar a si mesmas. Elas exigem quantidades enormes de tempo e energia durante toda a infância. Qualquer esforço para libertar-se delas será em detrimento dos filhos.

Felizmente, há crescente evidência de que as mães e os pais estão questionando as suposições das décadas de 1980 e 1990 que os conduziram a correr mais depressa e comprar mais. Essa reconsideração de velhas ideias foi expressa num artigo publicado em junho de 2000 em outra revista feminina, a *Cosmopolitan*, que, em minha opinião, apoiou historicamente a linha ultraliberal.

> Segundo uma pesquisa recente da Youth Intelligence, uma empresa de pesquisa de mercado e de tendências de Nova York, 68% das 3.000 mulheres casadas e solteiras afirmaram que deixariam de trabalhar se pudessem. Uma pesquisa da *Cosmopolitan* de 800 mulheres revelou a mesma estatística surpreendente: duas em cada três entrevistadas preferiam ficar *em casa* a subir a escada empresarial. "Não é uma fantasia passageira — essas mulheres sinceramente aspiram pela vida doméstica, e muitas conseguem concretizar seu sonho", diz Jane Buckingham, presidente da Youth Intelligence.

Neste caso, descobrimos a outra ponta do universo com os pontos de vista defendidos pela dra. Chesler e os editores da *Vogue*. Que diferença faz vinte anos!

O contraste entre a rejeição da maternidade pela dra. Chesler em 1981 e a fantasia da *Cosmo* sobre ficar em casa em 2000 é cômico para mim. O teto de uma mulher é o chão de outra, como dizem. O artigo da *Cosmo* era assumidamente mais sobre uma vida fácil do que dedicar-se desprendidamente aos filhos e ao marido. Mas a sedução da maternidade de tempo integral estava insinuada em todo ele. Helen Gurley Brown, editora há muito tempo da *Cosmopolitan* e feminista *avant-garde*, escreveu em 1982 um livro intitulado *Having It All*. Como todas as suas outras excêntricas noções, esta foi bastante esquisita. Ela afirmava que as mulheres podem fazer tudo ao mesmo tempo sem precisar fazer escolhas difíceis. Como é interessante notar que as sucessoras de Brown no novo milênio estão pensando: *Talvez tenhamos mordido mais do que queremos mastigar.*

Houve outras indicações em meados da década de 1990 de que estava ocorrendo uma volta gradual do pêndulo na direção da família tradicional. Segundo um estudo conduzido nessa época pelos sociólogos da Universidade Cornell, quase três quartos dos 117 casais com renda média no interior de Nova York estavam reformulando seu trabalho por causa dos filhos. Tiravam mais tempo de folga e, quando necessário, baixavam seu padrão de vida para acomodar a perda da renda. Um número duas vezes maior de mulheres no estudo disse que havia deixado o trabalho depois do nascimento de seu primeiro filho, fazendo da carreira do marido a fonte de renda principal. Os homens tendiam a avançar em seus compromissos profissionais até ter alcançado um "nível aceitável de flexibilidade e autonomia em suas carreiras".[12] Muitas famílias pareciam reconhecer que algo estava quebrado e precisava de conserto.

As mulheres relataram estar cansadas do estilo de vida atormentado, exaustivo e caótico que caracterizava a família com dois ordenados. Algumas delas perceberam que sobrava pouco dinheiro depois dos impostos, mensalidades das creches e despesas afins. Um artigo no *Barron's* calculava que 80% do salário da mulher é gasto com esses custos relacionados ao trabalho e concluiu: "Depois de ter pagado tudo, desde *lingerie* até transporte — algumas vezes na forma de um segundo carro —, o trabalho poderia tornar-se um passatempo dispendioso". Portanto, disse *Barron's*, "[homens e mulheres estão] refinanciando suas obrigações mensais mais elevadas [suas casas], não para consumir mais, mas para 'fazer uma mudança no estilo de vida em longo prazo'".[13]

Este era o título de um artigo na publicação *Working Women*: "As Filhas da Supermulher: elas não querem seu emprego. Não querem sua vida. Tudo o que as mulheres de 20 anos para cima querem é mudar a maneira como a América trabalha". Foi dito que as mulheres que estão deixando o emprego não podem ser compreendidas sem considerar como foram criadas. "As gerações são impelidas por aquilo de que foram privadas quando crianças. As com menos de 30 anos tiveram muito pouco tempo com os pais. Assim sendo, as mulheres mais jovens parecem determinadas a não cometer esse mesmo erro com seus filhos." Continuando: "Enquanto as mulheres da época dos Boomers (bebês nascidos logo depois da Segunda Guerra Mundial) consideravam suas mães de 50 anos como prisioneiras da rotina doméstica, os Busters (os nascidos logo após a guerra do Vietnã, em 1960) consideram a si mesmos (ou a seus amigos) como vítimas da negligência dos pais; 40% destes foram criados por pais divorciados ou separados. Embora a sabedoria convencional da época tenha sido a de que se os pais ficassem mais felizes, as crianças também o seriam, os filhos dizem outra coisa. 'Não senti que tinha realmente uma família enquanto crescia', diz Cindy Peters, uma babá de 25 anos de São Francisco. 'Meus pais se divorciaram quando eu tinha 2 anos e só via meu pai talvez uma ou duas vezes por ano'".[14]

Essas eram tendências fascinantes quando entraram em cena na década de 1990. Infelizmente, elas parecem ter agora estagnado. A prosperidade sem precedentes e as oportunidades de emprego gozadas nos países ocidentais podem ter sido difíceis de ser ignoradas pelas mulheres. Qualquer que seja a razão, a volta à posição de dona de casa e maternidade de tempo integral não se desenvolveu em grande escala até hoje. Nem a instituição da família encenou uma volta. Vamos discutir as descobertas mais recentes no próximo capítulo.

O sistema de valores materialista da América do Norte está profundamente arraigado na cultura. Se a volta vier a transformar-se em um movimento, porém, esse será um bom presságio para o futuro da família! Ele deveria resultar em menos divórcios e mais harmonia doméstica. Os filhos recuperarão a posição que merecem e seu bem-estar será intensificado em todas as frentes. Não alcançamos ainda todas essas metas, mas oro para que isso aconteça. Estou convencido do seguinte: a maioria das mães contemporâneas se importa mais com suas famílias do que com suas carreiras. O casamento, a paternidade e a maternidade ainda superam tudo o mais, especialmente para a geração que cresce em lares ocupados, disfuncionais, orientados para a carreira. Eles querem algo melhor para si mesmos e para aqueles a quem amam.

Ao encerrar, permita que eu enfatize novamente que os problemas que estamos tendo com nossos filhos estão ligados diretamente à rotina do pânico e ao crescente isolamento e distanciamento de vocês, pais. Além disso, os meninos sofrem tipicamente mais sob essas condições do que as meninas. Por quê? Porque é mais provável que os meninos se desviem quando não são guiados e supervisionados cuidadosamente. Eles são mais volúveis e menos estáveis emocionalmente. Afundam em circunstâncias caóticas, não supervisionadas e indisciplinadas. Os meninos são como os automóveis que precisam de motorista ao volante a cada passo da jornada, movendo delicadamente meia polegada aqui e um quarto de polegada ali. Necessitarão desta orientação pelo menos durante 16 ou 18 anos, ou até mais. Quando deixados por conta própria, tendem a desviar-se, comportando-se mal ou correndo riscos. Ainda, 59% das crianças vão hoje para uma casa vazia. É um convite para travessuras, ou desastre para os meninos turbulentos, e quanto mais velhos ficam, tanto maiores as oportunidades para se envolverem em problemas. Hoje, quando a cultura está numa luta decisiva com as famílias para o controle de nossos filhos, não podemos nos descuidar quanto ao cuidado e treinamento deles.

Sua tarefa, como mãe, em conjunto com seu marido, é construir um homem com as matérias-primas disponíveis nesse menino encantador, pedra após pedra. Não suponha nem por um momento que você pode "fazer o que quiser" sem sérias consequências para ele e sua irmã. Creio que esta tarefa deve ser sua prioridade máxima durante certo tempo. Ela não vai durar para sempre. Antes que perceba, essa criança a seus pés vai tornar-se um jovem que fará as malas e dará seus primeiros passos vacilantes para entrar no mundo adulto. Daí, então, é a sua vez. Segundo as expectativas, você deverá ter décadas de saúde e vigor para investir no que Deus a chamar para fazer. Por enquanto, porém, há um chamado maior. Sinto-me obrigado a dizer-lhe isto, quer minhas palavras sejam ou não populares. Criar os filhos que nos foram emprestados por breve momento supera qualquer outra responsabilidade. Além disso, viver de acordo com essa prioridade quando os filhos são pequenos vai produzir as maiores recompensas na maturidade.

Espero que saiba que não estou tentando dizer-lhe como dirigir sua vida. Você e seu esposo podem discernir o que é melhor para a sua família. Ninguém pode dizer-lhe que estrada seguir. Algumas mulheres são emocionalmente ajustadas para fazer carreira e não desejariam ser mães que ficam em casa, mesmo que tenham os recursos para isso. Elas se ressentem de críticas à sua opção de fazer carreira, e não as culpo. É uma decisão pessoal, e ninguém deve interferir. Penso, entretanto, que deve haver um meio de evitar viver em perpétuo caos. É difícil para os adultos, mas destrói as crianças. Da minha perspectiva, praticamente qualquer coisa é melhor do que perseguir a primeira lagarta da fila, interminavelmente, ao redor do vaso de flores.

Perguntas e respostas

Sou uma daquelas mulheres que gostariam de ficar em casa com meus filhos, mas é absolutamente impossível viver com o salário de meu marido. O senhor pode oferecer algumas sugestões sobre como eu poderia "descer do trem", como o chamou, sem enfrentar a falência?

Há um meio de fazer isso. Donna Partow, autora do livro *Homemade Business*, ofereceu conselhos específicos sobre começar seu próprio negócio, que poderia envolver editoração eletrônica, cuidados de bichos de estimação, costura, consultoria, transcrição de documentos legais ou até vendas por reembolso postal. Escolher o negócio certo é a primeira de três etapas preparatórias. Considere preparar uma lista de aptidões e interesses pessoais para identificar suas habilidades e descobrir o que você gostaria de fazer. O segundo passo é pôr-se em campo. Pesquise a área escolhida. Examine livros, revistas e artigos de jornal. Converse com outras pessoas que tenham feito o que está considerando. Participe de uma organização deste segmento. Assine publicações especializadas. Segundo a sra. Partow, o terceiro passo é conseguir o máximo de apoio que puder. Faça seus filhos, seu marido e seus amigos ficarem do seu lado. Estabelecer um pequeno negócio pode ser estressante, e você vai precisar de todo encorajamento possível. Depois, reúna os seus recursos e vá em frente.[15] Um negócio em casa pode vir a oferecer o melhor dos dois mundos.

Em minha opinião, estamos fazendo nossos filhos crescerem depressa demais. Parece que os pais dos amigos de meus filhos estão com muita pressa de fazer com que as crianças se tornem adolescentes. Eles chegam a arranjar "encontros" para os filhos de 10 ou 12 anos e dão a eles materiais de leitura para adultos. Estou certa em resistir a esta tendência de apressar meus filhos para saírem da infância?

Concordo totalmente com você. Os pais no passado tinham uma compreensão melhor da necessidade de progressão ordeira ao longo da infância. As crianças nessa época tinham tempo suficiente para brincar, rir e ser elas mesmas. Havia "marcadores" culturais que determinavam as idades em que certos comportamentos eram apropriados. Os meninos, por exemplo, usavam calças curtas até os 12 ou 13 anos. Esses marcadores agora desapareceram ou foram rebaixados. As crianças são retratadas na TV como tendo mais discernimento e maturidade do que os mais velhos. Elas são atiradas, prontas ou não, do útero para a creche e para o mundo adulto a uma velocidade arriscada. Esta corrida para a maturidade deixa a criança sem base forte sobre a qual construir, porque leva tempo construir um ser humano sadio. Quando você apressa o processo, seus filhos têm de lidar com pressões sexuais dos amigos para as quais eles ainda não estão preparados. Há outro problema com a ideia de fazer as crianças crescerem depressa demais. Quando você as trata como se fossem adultos, torna-se mais difícil estabelecer limites para o seu comportamento de adolescente mais tarde. Como você pode marcar a hora de dormir para um rebelde de 12 anos que foi ensinado a pensar em si mesmo como seu igual?

Além disso, qual é na verdade a pressa? Acho que está certa em saborear esses anos da adolescência e permitir que o processo de desenvolvimento marche ao toque do seu tambor interno.

Meu filho de 16 anos quer ir a uma excursão supervisionada, durante três semanas. Os meninos vão comer o que encontrarem na medida do possível e

aprender como lidar com a natureza em seus próprios termos. Estou relutante em deixá-lo ir. Fico com medo ao pensar nele lá longe, fora do meu alcance no sentido de poder ajudar se encontrar dificuldades. Parece mais seguro mantê-lo em casa. Estou certa em recusar?

Estou certo de que você sabe que, dentro de alguns anos, seu filho vai para a faculdade ou alguma outra ocupação, talvez o serviço militar, e ficará completamente fora do seu alcance. Por que não dar a ele uma pitada dessa independência agora, enquanto ele está ainda sob os seus cuidados? Será melhor que ele vá deixando devagar a sua influência do que chegar ao fim de súbito.

Houve uma época, durante minha adolescência, em que minha mãe e eu vivemos um conflito similar. Eu tinha 16 anos e fora convidado para trabalhar num barco de pesca de camarão durante o verão. O capitão e os tripulantes eram pessoas rudes que não admitiam besteiras. Era um mundo masculino, e senti-me atraído por ele. Minha mãe relutou muito em permitir porque achava que haveria riscos no Golfo do México durante quatro dias. Ela estava prestes a dizer "não" quando eu disse: — Por quanto tempo a sra. vai me tratar como o seu garotinho? Estou crescendo e quero ir. — Ela cedeu então. Acabou sendo uma boa experiência, durante a qual aprendi o que é trabalhar com ou sem disposição, e comecei a compreender melhor como o mundo adulto trabalha. Voltei sujo e cansado, mas sentindo-me muito bem comigo mesmo. Minha mãe reconheceu mais tarde que fizera a coisa certa, embora tenha ficado preocupada o tempo inteiro.

Acho que deve deixar que seu filho vá à essa excursão, especialmente por ser uma viagem supervisionada. "Soltar as rédeas" funciona melhor como processo gradual. Está na hora de começar.

Sua descrição da lagarta se ajusta perfeitamente à minha família. Vivemos num ritmo alucinado, mas não conseguimos encontrar meio de parar. Fico até deprimida, às vezes, por ver como trabalhamos demais e quão pouco tempo temos para nós mesmos. O senhor tem alguma última palavra de conselho para nós?

Vou compartilhar algo que pode ajudar você e seu marido a tomar decisões difíceis das quais um estilo de vida mais moderado poderia depender. Você se lembra de Vince Foster, que cometeu suicídio no início da administração Clinton? Ele era conselheiro do presidente antes da trágica noite da sua morte em 20 de julho de 1993. Oito semanas antes dessa data, Foster tinha sido convidado para falar na formatura dos alunos da Faculdade de Direito da Universidade de Arkansas. Foi isto o que disse aos estudantes naquela ocasião:

> Uma palavra sobre a família. Vocês já demonstraram amplamente que são empreendedores, dispostos a trabalhar arduamente durante longas horas e deixar de lado sua vida pessoal. Isso me faz lembrar daquela observação de que ninguém jamais foi ouvido dizer num leito de morte: "Gostaria de ter passado mais tempo no escritório". Equilibrem sabiamente sua vida profissional e sua vida familiar. Se tiverem a felicidade de ter filhos, seus pais vão adverti-los de que seus filhos vão crescer e partir antes que percebam. Posso comprovar que isso é verdade. Deus só permite um determinado número de oportunidades com nossos filhos para ler uma história, sair para pescar, jogar bola e orar juntos. Tentem não perder nenhuma delas.[16]

As palavras de Vince Foster ecoam agora até nós da eternidade. Enquanto estiver subindo a escada do sucesso, não se esqueça de sua família. Esses anos com seus filhos em casa desaparecerão num segundo. Faça tudo o que for necessário para agarrar esses momentos preciosos, quer exijam mudança de emprego, morar numa casa menor ou desistir de oportunidades lucrativas e fascinantes. Nada vale a perda de seus filhos. Nada!

9 As origens da homossexualidade

RECEBI, HÁ ALGUNS ANOS, uma nota escrita por um jovem bastante perturbado. Ele escreveu:

Querido dr. Dobson:

Tenho adiado isto por muito tempo, mas finalmente estou lhe escrevendo uma carta.

Sou um menino de 13 anos. Ouvi suas fitas [Preparando-se para a Adolescência], mas não a série completa. Ouvi, porém, a que fala sobre sexo.

Para ir direto ao assunto, não sei se tenho um problema sério ou transitório. (Não sei o termo para isso.)

Durante toda a minha vida (bem curta), tenho agido e me pareço muito mais com uma garota do que com um menino. Quando era pequeno, sempre usava esmalte nas unhas, vestidos e coisas assim. Tinha também um primo mais velho que nos levava (os primos mais moços) ao seu quarto e nos mostrava seus genitais.

Estou com medo de ter uma tendência para a sodomia. Foi difícil para eu escrever essas coisas. Não quero ser homossexual, mas estou com medo, muito medo. Isso foi também difícil de escrever. Vou explicar melhor.

Por causa de minhas notas altas na escola (estou na sétima série), os colegas sempre me chamaram de nomes (gay, bicha etc.) e caçoavam de mim. É duro. Eu me masturbei (acho que sim), mas fui longe demais. Quando era pequeno (não tão pequeno assim) tentei chupar meu pênis (para ser franco). Isso soa muito mal e parece ainda pior para ler. Oro para que eu não tenha nada errado.

Bem recentemente cometi atos tais como olhar (talvez cobiçar, oro muito para que não estivesse fazendo isso) para mim mesmo de cueca, quase uma tanga. Quando uso isso sinto como uma sensação sexual.

Ontem, no banheiro (na frente do espelho), sacudi o corpo rapidamente, fazendo meus genitais sacudirem para cima e para baixo. Consegui assim um sentimento parecido com o que mencionei ao escrever isto. Depois, pedi imediatamente perdão a Deus, entrei no chuveiro, mas fiz aquilo novamente ali. Orei mais e me senti muito mal.

Conversei com um de meus pastores e contei a ele que eu provavelmente preferia ter o corpo de um homem sobre o de uma mulher. Isso foi também difícil de dizer!

Ele afirmou que não achava haver nada de errado comigo (não sei outra maneira de dizer. Aparentemente ele pensava que era passageiro), mas me sinto muito mal e quero saber o porquê.

O pastor que mencionei é aquele que costumo consultar com frequência. Sobre a minha vida espiritual, conheci Cristo há um ano, mas cresci muito.

Tenho também feito muitas coisas erradas. Sou menonita. Qual a sua denominação? Fui batizado, e todos gostam de mim na igreja (eu acho).

Tenho medo de, se não for hetero (isso é muito mais fácil de escrever), ir para o inferno.

Não quero não ser hetero.

Não tento não ser hetero.

Amo a Deus e quero ir para o céu. Se há alguma coisa errada comigo, quero livrar-me dela.

Por favor, me ajude.

Mark

Fiquei profundamente comovido com a carta de Mark. Ele representa muitos outros pré-adolescentes e adolescentes em todo o mundo que despertaram para algo aterrador dentro de si — algo que não entendem —, algo que cria enorme confusão e dúvida. Esses jovenzinhos no geral reconhecem bem cedo na vida que são "diferentes" dos outros meninos. Choram com facilidade, são menos atléticos, têm temperamento artístico e não gostam das brincadeiras brutas que os amigos apreciam. Alguns preferem a companhia de meninas e andam, falam, vestem e até "pensam" de modo feminino. Isto, é claro, desperta rejeição e ridículo dos "verdadeiros meninos", que caçoam cruelmente deles e os chamam de "esquisitos", "bicha" e *"gay"*. Mesmo quando os pais percebem a situação, eles tipicamente não têm ideia de como ajudar. Na ocasião em que os hormônios começam a funcionar no começo da adolescência, uma crise de identidade genérica ameaça destruir o adolescente. É isto que Mark estava experimentando quando escreveu. Ilustra também por que até os meninos com tendências heterossexuais normais ficam muitas vezes aterrorizados de virarem de alguma forma "gays".[1]

Há uma dimensão extra de sofrimento para os que crescem num lar cristão sólido. Seus pensamentos e sentimentos sexuais produzem grandes ondas de culpa, acompanhadas de temores secretos de retribuição divina. Eles se perguntam: *Como Deus poderia amar alguém tão vil quanto eu?*. Mark sentiu-se até condenado por pular para cima e para baixo no chuveiro e por sentir a excitação que isso criava. (Essa titilação ao ver o próprio corpo é um sintoma clássico de narcisismo, ou uma "introversão" para cumprir suas necessidades genéricas não satisfeitas.) Ele tinha de descobrir como controlar esse monstro interior ou, segundo entendia, enfrentar a eternidade no inferno. Não há tormento interno maior para um menino ou menina cristãos do que este. No alto da carta de Mark ele escreveu: "Posso parecer muito mau. Espero não ser assim tão mau".

Pobre criança! Mark precisa desesperadamente de ajuda profissional, mas não vai provavelmente obtê-la. Seus pais, aparentemente, desconhecem seus problemas, e o pastor em quem confia disse que vai passar. É provável que não! Mark parece ter uma condição que chamaríamos de "pré-homossexualidade" e, a não ser que a família inteira seja guiada por alguém que saiba como ajudar, as probabilidades são grandes de que ele venha a experimentar um estilo de vida homossexual.

O que sabemos sobre este distúrbio? Em primeiro lugar, *é* um distúrbio, apesar das negativas da Associação Americana de Psiquiatria. Grande pressão política foi exercida sobre esta organização profissional pelos *gays* e pelas lésbicas (alguns dos quais são psiquiatras), a fim de declararem que a homossexualidade é "normal". O debate durou anos. Finalmente, foi tomada uma decisão em 1973 para remover esta condição do seu *Manual de Diagnóstico e Estatísticas*. Ela não teve como base a ciência, sendo fortemente influenciada por um grupo de membros da APA, iniciado e financiado pela Força-Tarefa Nacional de Gays e

Lésbicas. A votação foi de 5.834 para 3.810.[2] A Associação Americana de Psicologia, em pouco tempo, seguiu o seu exemplo.[3] Atualmente, os psicólogos ou psiquiatras que discordam desta interpretação politicamente correta, ou até os que tentam ajudar os homossexuais a mudarem, ficam sujeitos a aborrecimentos contínuos e acusações de prática errada.

A segunda coisa que sabemos é que o distúrbio não é tipicamente "escolhido". Os homossexuais se ressentem profundamente ao ouvir que foram eles que escolheram essa inclinação para o mesmo sexo em busca de excitação sexual ou por qualquer outro motivo. É injusto, e não os culpo por ficarem irritados com essa suposição. Quem dentre nós iria escolher deliberadamente um caminho que resultaria em afastamento da família, rejeição dos amigos, desdém do mundo heterossexual, exposição a moléstias sexualmente transmissíveis, tais como aids e tuberculose, e até um período mais curto de vida?[4] Não, o homossexualismo não é "escolhido", exceto em raras circunstâncias. Em vez disso, crianças e adolescentes confusos, como Mark, se descobrem lidando com algo que nem sequer compreendem.

Terceiro, não há evidência de que a homossexualidade seja herdada, apesar de tudo que possamos ter ouvido ou lido em sentido contrário. Não existem geneticistas respeitados no mundo hoje que afirmem ter encontrado um chamado "gene *gay*" ou outros indicadores da transmissão genética. Isto não é para dizer que talvez haja algum tipo de predisposição biológica ou um temperamento herdado que torne o indivíduo sensível às influências ambientais. Os esforços para identificar tais fatores foram, entretanto, inconclusivos. Apesar desta falta de evidência, as organizações de *gays* e de lésbicas e seus simpatizantes na mídia tradicional continuam dizendo ao público que o assunto está encerrado — que os *gays* "nascem assim". As revistas *Time* e *Newsweek* alardearam em suas capas "descobertas promissoras" nesse sentido. A *Time* intitulou sua história: "Procure o Gene *Gay*",[5] e a *Newsweek* proclamou: "O DNA Torna Alguns Homens *Gays?*"[6] A entrevistadora *Oprah* dedicou vários programas televisivos ao assunto e Barbara Walters disse recentemente: "As opiniões se avolumam no sentido de que as pessoas nascem homossexuais".[7] Embora inteiramente falsa, esta informação politicamente motivada (ou desinformação) cumpriu o seu

142 Educando meninos

papel. Segundo uma pesquisa, em fevereiro de 2000, 35% das pessoas pesquisadas acreditavam que a homossexualidade era "genética".[8]

Há ainda mais evidência convincente de que não é. Por exemplo, desde que gêmeos idênticos compartilham o mesmo padrão cromossômico, ou DNA, as contribuições genéticas são exatamente as mesmas em cada um dos pares. Portanto, se um gêmeo "nasce" homossexual, o outro teria então, inevitavelmente, essa característica. Mas não é esse o caso. Quando um gêmeo é homossexual, a probabilidade é apenas 50% de que o outro tenha a mesma condição.[9] Alguma outra coisa deve estar em operação.

Além disso, se a homossexualidade fosse especificamente herdada, ela tenderia a ser eliminada do gene humano, porque os que a possuem não tendem a se reproduzir. Qualquer característica que não seja transmitida à geração seguinte finalmente morre com o indivíduo que a possui. A homossexualidade não só continua a existir em países ao redor do mundo, como floresce em algumas culturas. Se a condição resultasse de características herdadas, ela seria uma "constante" ao longo do tempo. Em lugar disso, tem havido sociedades no decorrer dos séculos, tais como Sodoma e Gomorra e os Impérios grego e romano, em que o homossexualismo alcançou proporções epidêmicas. O registro histórico nos conta que essas culturas e muitas outras passaram gradualmente à depravação, como descrito pelo apóstolo Paulo em Romanos 1, resultando em perversão sexual em todas as suas variedades. Essas idas e vindas com o ciclo da vida das culturas não são a maneira como as características herdadas são expressas na família humana.

Finalmente, se a homossexualidade fosse geneticamente transmitida, ela seria inevitável, imutável, irresistível e impossível de ser tratada. Felizmente, não é assim. A prevenção é eficaz. A mudança é possível. A esperança está à nossa disposição. E Cristo cura. Aqui também, as organizações *gays* e lésbicas e a mídia convenceram o público que ser homossexual é tão predeterminado quanto a raça do indivíduo, e nada pode ser feito. Isso não é verdade. Existem oitocentos *ex-gays* e lésbicas que deixaram o estilo de vida homossexual e encontraram inteireza em sua recém-descoberta heterossexualidade.

Um desses indivíduos é meu colaborador no programa Foco na Família, John Paulk, que dedicou sua vida para cuidar dos que querem uma mudança e ajudá-los. Em certa época, ele estava muito envolvido na comunidade *gay*, marchou nas paradas "orgulho *gay*" e era um travesti. John encontrou finalmente perdão e cura num relacionamento pessoal com Jesus Cristo e passou a andar corretamente desde 1987. É casado com Anne, uma ex-lésbica, e têm dois lindos filhos. Apesar de um retrocesso momentâneo, em que foi descoberto num bar homossexual, o que alegrou seus críticos, John não voltou à antiga vida. Há centenas de histórias como essa que oferecem encorajamento aos que desejam sair do estilo de vida *gay*, mas não sabem como lidar com as forças em seu íntimo. Eu seria menos do que honesto se não admitisse que a homossexualidade não é facilmente vencida e que os que tentam, no geral, lutam ferozmente. Seria também desonesto dizer que não há esperança para os que querem mudar. A pesquisa confiável indica o contrário.

O psicólogo George Rekers afirma que há considerável evidência de que a mudança de orientação sexual é possível — com ou sem intervenção psiquiátrica. Ele escreveu: "Num número considerável de casos... o distúrbio de identidade genérica é completamente resolvido".[10]

O dr. Robert L. Spitzer, professor de psiquiatria da Universidade de Colúmbia, criou um verdadeiro incêndio em maio de 2001 quando revelou os resultados de sua pesquisa numa reunião da Associação Americana de Psiquiatria. Spitzer, que havia liderado a decisão da APA em 1973, a fim de desclassificar a homossexualidade como distúrbio da saúde mental, diz que suas descobertas "mostram que algumas pessoas podem mudar de *gay* para hetero, e devemos reconhecer isso".[11] Não era isto que seus críticos queriam ouvir. Aplaudimos o dr. Spitzer por ter a coragem de examinar e depois expor o mito da inevitabilidade.

Com isso, vamos voltar à história de Mark e examinar o que está acontecendo dentro dele e de outros meninos que estão experimentando impulsos pré-homossexuais. Queremos também considerar o que causa o seu distúrbio de identidade sexual e o que pode ser feito para ajudar. A fim de entrar nesses assuntos, vamos nos voltar para o melhor recurso que encontrei para os pais e os professores. Ele é provido num livro notável, intitulado *Preventing Homosexuality: A Parent's Guide,* escrito pelo psicólogo-clínico Joseph Nicolosi, Ph.D. O dr. Nicolosi é, segundo creio, a mais destacada autoridade na prevenção e

144 Educando meninos

tratamento da homossexualidade hoje. Seu livro oferece conselhos práticos e a perspectiva clara sobre os antecedentes da homossexualidade. Gostaria que cada pai o lesse, especialmente os que têm razão para preocupar-se com seus filhos. Seu propósito não é condenar, mas educar e encorajar as mães e os pais.

O dr. Nicolosi me permitiu compartilhar certas citações de seu livro que vão responder a muitas perguntas. Estas são algumas das suas palavras:

Há certos sinais de pré-homossexualismo fáceis de reconhecer, e os sinais surgem bem cedo na vida da criança. A maioria se ajusta ao título "comportamento contrário ao gênero". São eles:

1. Declarações repetidas do desejo de ser, ou insistência de que ele ou ela é do outro sexo.
2. Nos meninos, preferência para vestir-se como menina, ou simular roupas femininas. Nas meninas, insistência em usar apenas roupas masculinas estereotipadas.
3. Preferência forte e insistente para fazer papéis do outro sexo nas brincadeiras, ou fantasias persistentes de ser do outro sexo.
4. Desejo intenso de participar de jogos e passatempos do outro sexo.
5. Forte preferência por companheiros de recreação do outro sexo.

O início do comportamento homossexual em sua maioria ocorre durante os anos pré-escolares, entre as idades de 2 e 4 anos. Você não precisa se preocupar com a troca eventual de roupas. Deve preocupar-se, entretanto, quando seu menininho continua fazendo isso e, ao mesmo tempo, começa a adquirir alguns hábitos alarmantes. Ele pode começar a usar a maquilagem da mãe, evitar outros meninos da vizinhança e suas atividades brutas, preferindo ficar com as irmãs que brincam com bonecas e casas de boneca. Mais tarde, ele pode começar a falar com voz fina. Pode usar os gestos exagerados e até o andar de uma menina, ou ficar fascinado por cabelo comprido, brincos e lenços de pescoço.[12] Em um estudo de 60 meninos efeminados entre 4 e 11 anos, 98% deles usavam roupas do outro sexo e 83% disseram que desejavam ter nascido menina.[13]

O fato é que existe alta correlação entre o comportamento feminino na infância e a homossexualidade adulta. Há sinais evidentes de desconforto nos...

meninos e sentimentos profundos e perturbadores de que [são] diferentes e de algum modo inferiores. Todavia, os pais muitas vezes não percebem os sinais de advertência e esperam tempo demais para buscar ajuda para seus filhos. Uma razão para isto é que não estão sabendo a verdade sobre a confusão sexual dos filhos e não têm ideia do que fazer a respeito.

Você talvez esteja preocupado com o "desenvolvimento sexual" de seu filho ou filha. É possível que seu filho ou filha esteja dizendo coisas como "devo ser *gay*" ou "sou bissexual". Você encontrou pornografia do mesmo sexo no quarto dele ou evidência de que acessou esse material na internet. Você encontrou entradas íntimas no diário dela sobre outra menina. A mensagem mais importante que posso oferecer é que não existe uma "criança *gay*" ou um "adolescente *gay*". [Mas,] se não forem tratados, os estudos mostraram que esses meninos têm 75% de possibilidade de se tornarem homossexuais ou bissexuais.[14]

É importante compreender, porém, que a maioria de meus clientes homossexuais não eram explicitamente femininos quando crianças. Na maior parte das vezes, eles mostravam certa "falta de masculinidade" que os colocava penosamente à parte dos outros meninos: não atlético — algo passivo, não agressivo e desinteressado em brincadeiras violentas. Vários deles tinham traços que podiam ser considerados dons: inteligentes, precoces, sociáveis e com veia artística. Essas características tinham uma tendência comum: isolava-os dos amigos do sexo masculino e contribuíam para certa distorção no desenvolvimento de sua identidade genérica normal.

Em vista de todos esses homens não terem sido meninos explicitamente femininos, os pais não haviam suspeitado de que havia alguma coisa errada e não fizeram esforços para buscar terapia. Muitos clientes me disseram: "Se ao menos, naquela época em que eu era criança, alguém tivesse compreendido as dúvidas, o sentimento de não fazer parte — e tentado me ajudar".

Não se engane, porém. Um menino pode ser sensível, bondoso, sociável, artístico, amável e ser heterossexual. Ele pode ser artista, ator, dançarino, cozinheiro, músico — e heterossexual. Essas habilidades artísticas inatas são "quem ele é", parte da maravilhosa escala de habilidades humanas, e não há razão para desencorajá-las. Mas todas podem ser desenvolvidas no contexto da masculinidade heterossexual normal.

Em minha opinião (na opinião de um número cada vez maior de pesquisadores), o pai desempenha um papel essencial no desenvolvimento normal do menino como homem. Na verdade, o pai é mais importante do que a mãe. As mães fazem os meninos. Os pais fazem os homens. Na infância, tanto os meninos como as meninas são emocionalmente ligados à mãe. Na linguagem psicanalítica, a mãe é o primeiro objeto de amor. Ela satisfaz todas as necessidades primárias da criança.[15]

As meninas continuam a crescer na sua identificação com as mães. Por outro lado, o menino tem uma tarefa adicional no desenvolvimento: perder a identidade com a mãe e identificar-se com o pai. Neste ponto [começando com cerca de 18 meses], o menininho não só começa a observar a diferença, ele deve agora decidir: — Qual deles vou ser? — Ao fazer esta mudança na identidade, o menino começa a tomar o pai como modelo de masculinidade. Neste estágio inicial, geralmente antes dos 3 anos, Ralph Greenson observou que o menino decide que gostaria de crescer como o pai.[16] Esta é uma escolha. Implícita nessa escolha está a decisão de que ele não gostaria de crescer como a mãe. Segundo Robert Stoller, "A primeira ordem em ser homem é: não seja uma mulher".[17]

Enquanto isso, o pai do menino tem de fazer a sua parte. Ele precisa espelhar e afirmar a masculinidade do filho. Pode brincar com o filho de modo decididamente diferente do que brincaria com a menina. Pode ajudar o filho a aprender a jogar e "bater" uma bola. Pode até levar o filho com ele para o chuveiro, onde o menino não poderá deixar de notar que o papai tem pênis, igual ao seu, só que maior.

Baseado em meu trabalho com homossexuais adultos, tento evitar a necessidade de uma terapia, algumas vezes penosa, encorajando os pais, especialmente o pai, no sentido de afirmar a masculinidade do filho. A educação por parte dos pais nesta área e em todas as outras pode evitar uma vida inteira de infelicidade e sentimento de rejeição. Quando os meninos começam a identificar-se com os pais e a compreender o que é excitante, divertido e energizante sobre seus pais, eles aprenderão a aceitar sua própria masculinidade. Vão descobrir um sentimento de liberdade — de poder — por serem diferentes das mães, superando-as enquanto se movem para um mundo masculino. Se os pais encorajarem os filhos dessa forma, eles os ajudarão a desenvolver identidades masculinas e terão andado bastante em direção à heterossexualidade. Em cinco anos, falei com centenas de homossexuais do sexo masculino. Jamais encontrei algum que dissesse que tinha um relacionamento amoroso, respeitoso com o pai.[18]

Muitos desses pais amavam seus filhos e queriam o melhor para eles, mas por alguma razão (talvez houvesse uma discordância entre o temperamento do pai e

As origens da homossexualidade   147

do filho) o menino percebia o pai como modelo negativo ou inadequado. O pai não era "quem eu sou" ou "não é quem eu quero ser". O menino precisa ver o pai como confiante, afirmativo e decidido. Precisa também dar apoio, ser sensível e amoroso. A mãe precisa recuar um pouco. O que quero dizer é: não o sufoque. Deixe que faça mais coisas por si mesmo. Não tente ser pai e mãe para ele. Se tiver perguntas, diga-lhe que procure o pai. Ela deve deixar para o marido tudo que lhe dê oportunidade para demonstrar que está interessado no filho — que não o está rejeitando.

Este processo natural de identificação do gênero pode algumas vezes falhar. O falecido Irving Bieber, um proeminente pesquisador, observou que meninos pré-homossexuais são algumas vezes vítimas do relacionamento conjugal infeliz dos pais.[19] Num cenário em que os pais estão batalhando, um meio de o pai "vingar-se" da mãe é abandonando emocionalmente o filho.

Alguns pais acham meios de envolver-se em tudo, menos com os filhos. Eles se afundam em suas carreiras, viagens, esportes, ou em várias atividades que se tornam tão importantes para eles que não têm tempo para os seus meninos — ou para aquele "filho especial" com quem é mais difícil se relacionar porque não compartilha os interesses do pai. É possível que as atividades que este filho aprecia sejam mais sociais e menos tipicamente masculinas.

Conheci pais que não tinham necessariamente outros interesses, mas permaneciam emocionalmente afastados da família. Vi um pai — um homem imaturo e inadequado que declarou enfaticamente à mulher, antes do nascimento do filho, que não queria um menino — que rejeitou completamente o filho e é doido pela filha. Aparentemente ameaçado pela ideia de ter outro "homem na casa", este pai tornou seu desgosto tão claro que, aos 2 anos, seu filho estava (sem nenhuma surpresa) usando vestidos e brincando com uma coleção de bonecas.

Por várias razões, algumas mães tendem também a prolongar a infância dos filhos. A intimidade da mãe com o filho é primordial, completa, exclusiva; o laço entre eles pode aprofundar-se no que o psiquiatra Robert Stoller chama de "simbiose bem-aventurada". A mãe, porém, pode inclinar-se a prender o filho no que se transforma numa dependência mútua pouco saudável, especialmente se não tiver um relacionamento íntimo satisfatório com o pai da criança. Ela talvez coloque no filho demasiada energia, usando-o para satisfazer suas próprias necessidades de modo que não é bom para ele. Na terapia reparadora [nome dado pelos psicólogos para o tratamento de homossexuais], os meninos efeminados anseiam pelo que é chamado de "os três A", ou seja: afeto, atenção e aprovação do pai.

Se [um pai] quiser que o filho cresça heterossexual, ele tem de quebrar a ligação mãe-filho adequada na infância, mas não para o menino depois dos 3 anos de idade. Desta forma, o pai tem de ser modelo, demonstrando ao filho que ele pode manter um relacionamento amoroso com essa mulher, sua mãe, embora mantendo a sua independência. Desta forma, o pai é um amortecedor saudável entre mãe e filho.

Nas palavras do psicólogo Robert Stoller, "A masculinidade é um empreendimento".[20] Ele queria dizer que crescer heterossexual não é algo que acontece. Exige cuidados por parte dos pais. Requer apoio da sociedade. E requer tempo. Os anos cruciais são de 1 ano e meio até 3, mas o momento ótimo é antes dos 12. Uma vez que os pais reconheçam os problemas enfrentados pelos filhos, concordem em trabalhar juntos para resolvê-los e busquem a orientação e a habilidade de um psicoterapeuta que acredite que a mudança é possível, há muita esperança.[21]

Esta curta sinopse do livro do dr. Nicolosi é o material mais criterioso disponível no assunto. A conclusão é que a sexualidade não trata principalmente de sexo. Ela envolve tudo, inclusive solidão, rejeição, afirmação, intimidade, identidade, relacionamentos, a arte de ser pais, ódio contra si mesmo, confusão de gêneros e busca para pertencer. Isto explica por que a experiência homossexual é tão intensa e por que há tanta ira contra os que parecem estar desrespeitando os *gays* e as lésbicas, ou tornando a experiência deles mais penosa. Suponho que se nós que somos hetero tivéssemos andado nos sapatos daqueles que estão nesse "outro mundo", também ficaríamos irados.

Se você, como pai, tiver um menino efeminado ou uma menina masculinizada, tenha muito cuidado com quem vai consultar. Receber conselhos errados neste estágio poderia ser uma tragédia, solidificando as tendências que estão se desenvolvendo. Em vista da direção que a maioria dos profissionais de saúde mental tomou, quase todos os psiquiatras, psicólogos e conselheiros iriam, acredito, usar a abordagem errada — dizendo a seu filho que ele é homossexual e precisa aceitar esse fato. Vocês, como pais, seriam então aconselhados a aceitar o comportamento afeminado como saudável e normal. Isso é exatamente o

As origens da homossexualidade   149

que você e seu filho não precisam! Você *precisa* aceitar a criança e afirmar o seu valor sem levar em conta as características que observa, mas também trabalhar pacientemente com um terapeuta para redirecionar essas tendências. Quando decidir buscar ajuda, porém, deve saber que para muitos meninos pré-homossexuais os sinais podem ser mais sutis, tal como incapacidade de ligar-se com outros iguais do mesmo sexo, sentir-se diferente e inferior, ou desconforto com o seu gênero. Algumas vezes uma visita a um profissional é necessária para determinar se a criança corre ou não risco.

Há ainda outra causa de distúrbio de identidade de gênero que devemos examinar. Ela resulta do abuso sexual na tenra infância. Um estudo indicou que cerca de 30% de homossexuais dizem ter sido explorados sexualmente quando crianças, muitos deles repetidamente. Essa experiência pode ser devastadora e, dependendo de quando ocorre, pode mudar a vida da vítima. Apesar do mal do abuso, está havendo um esforço vigoroso hoje para acabar com o tabu contra o sexo entre homens e meninos. Esta campanha para mudar as atitudes sociais está sendo tratada na literatura *gay* e lésbica e está até começando a aparecer na imprensa tradicional. Por exemplo, a revista *Weekly Standard* (1º de janeiro de 2001) publicou um artigo de fundo sob o título: "A Pedofilia Chique Reconsiderada". Esta é uma citação do artigo, muito importante e bem documentado, escrito por Mary Eberstadt:

> Este consenso da sociedade contra a exploração sexual de crianças e adolescentes está sendo aparentemente erodido. A defesa do sexo entre adulto e criança — mais acurada mente, sexo homem-menino — está sendo agora tratada publicamente. Mais ainda, está desfilando em vários lugares — círculos terapêuticos, literários e acadêmicos; editoras tradicionais, periódicos, revistas e livrarias — onde a simples aparição dessas ideias seria até pouco tempo não só inconcebível, como, em muitos casos, sujeita à instauração de processos.

O artigo terminou com esta declaração: "Se o abuso sexual de menores não é errado, então nada mais o é".[22]

Existe também um esforço vigoroso dos *gays* para se infiltrarem no Grupo de Escoteiros dos meninos como as lésbicas fizeram com tanto sucesso nas

Escoteiras, onde dizem que 33% dos membros são lésbicas.[23] O propósito desta campanha dos Escoteiros é não permitir o abuso sexual de crianças na maioria dos casos, mas usar o escotismo para ensiná-las e doutriná-las. Isto explica a intensidade do debate e um processo que chegou até o Supremo Tribunal norte--americano. O caso foi decidido por uma pequena margem, cinco para quatro, contra os interesses homossexuais.[24] Apesar da perda, as empresas passaram a recusar verbas para os escoteiros.[25] Até alguns capítulos da United Way estão retendo os fundos desta excelente e desesperadamente necessária organização.[26]

Existe outra evidência do desejo de ganhar acesso aos meninos. Ela é vista no esforço mundial de abaixar a idade em que a criança pode dar legalmente seu consentimento para intercurso com um adulto. Este esforço resultou em vários e intensos conflitos nos países ocidentais. Recebi recentemente uma carta de Lyndon Bowring, um colega do Reino Unido que chefia uma organização pró--família chamada *Care Trust*. Ele escreveu: "Aqui em Londres estamos decidida-mente contrariados com os avanços do *lobby gay* militante. Nosso Parlamento está planejando reduzir a idade de consentimento para o intercurso homosse-xual entre homens adultos de 18 para 16. Se não houver um milagre soberano da graça, não teremos sucesso em persuadi-los a não aceitar isso. Estamos fa-zendo todo o possível para evitar tal coisa e suplicando ao seu poder divino que interfira a favor de nossos jovenzinhos. É difícil encontrar um lugar no mundo onde conflitos similares não estejam ocorrendo, exceto onde não restam mais forças aos cristãos desanimados e em minoria".

O sr. Bowring e seus colaboradores infelizmente perderam essa luta. A idade de consentimento no Reino Unido baixou para 16 anos.[27] Ela é 14 no Canadá,[28] 15 na Suécia, 15 na França, 14 na Alemanha, Groenlândia, Itália, San Marino e Slovênia, e 12 na Espanha, Holanda, Malta e Portugal.[29] Não é espantoso que meninos de 12 anos nesses últimos países, a maioria dos quais ainda não chegou à puberdade, possam dar consentimento para homens mais velhos que querem abusar deles sexualmente? Além do mais, seus pais não podem impedir legal-mente essa exploração. A pergunta que nos assalta é: Por que as organizações *gays* e lésbicas trabalharam tão febrilmente para baixar a idade de responsabili-dade? Só pode haver uma resposta.

As origens da homossexualidade   151

A evidência mais chocante deste assédio às crianças apareceu no seguinte artigo escrito por Michael Swift, que trabalhou para uma publicação chamada *Gay Community News*. Ele foi lido durante um debate no Congresso pelo congressista William Dannemeyer, que também o incluiu no Registro do Congresso. Este é um pequeno trecho dessa declaração revoltante:

> Vamos sodomizar seus filhos, emblemas de sua frágil masculinidade, de seus sonhos superficiais e mentiras vulgares. Vamos seduzi-los nas escolas, nos dormitórios, nos ginásios, nos vestiários, nas quadras de esporte, nos seminários, nos grupos de juventude, nos banheiros dos cinemas, nas casernas do Exército, nas paradas de caminhões, nos clubes masculinos, nas casas do Congresso, onde quer que homens fiquem juntos com homens. Seus filhos se tornarão nossos subordinados e cumprirão nossas ordens. Serão refeitos à nossa imagem. Vão ansiar por nós e adorar-nos.
>
> Todas as leis proibindo a atividade homossexual serão revogadas. Em vez disso, serão expedidas leis que produzam o amor entre homens. Todos os homossexuais devem unir-se como irmãos; devemos nos unir artística, filosófica, social, política e financeiramente. Só triunfaremos quando apresentarmos uma face comum para o odioso inimigo heterossexual.
>
> A unidade familiar — campo crescente de mentiras, traições, mediocridade, hipocrisia e violência — será abolida. A unidade familiar, que só refreia a imaginação e reprime o livre-arbítrio, deve ser eliminada. Meninos perfeitos serão concebidos e criados no laboratório genético. Vão unir-se num ambiente comunitário, sob o controle e instrução de cientistas homossexuais.
>
> Todas as igrejas que nos condenam serão fechadas. Nossos únicos deuses são jovens bonitos. Aderimos a um culto de beleza, moral e estética. Tudo que é feio, vulgar e banal será aniquilado. Desde que estamos afastados das convenções heterossexuais da classe média, temos liberdade para viver de acordo com os ditames da pura imaginação. Para nós demais não é suficiente.
>
> Seremos vitoriosos porque estamos cheios da amargura feroz dos oprimidos, forçados a desempenhar partes aparentemente diminutas em seus tolos espetáculos heterossexuais por meio das idades. Nós também somos capazes de disparar armas e guarnecer as trincheiras da revolução final.
>
> Trema, porco hetero, quando aparecermos diante de você sem máscaras.[30]

152   Educando meninos

Este artigo, que chocou os cristãos conservadores e muitos outros americanos, foi recebido com desdém pelo público em geral e pelos membros do Congresso. Essas palavras representavam o ponto de vista particular de um indivíduo ou representam uma comunidade maior? Não sei. Certamente nem todos os ativistas homossexuais as endossariam. Fica claro, porém, que nossos meninos precisam ser protegidos do abuso sexual, quer seja homo ou heterossexual. Vigie seus filhos noite e dia enquanto são pequenos. Não deixe que sigam sozinhos ao banheiro público. Tenha cuidado ao confiá-los a um acampamento de verão, escola dominical, ou à vizinhança. Qualquer abuso de criança, quer por membro da família ou pelo vizinho, quer seja *gay* ou hetero, tem o mesmo efeito deletério.

Vou avançar um pouco mais para fazer uma recomendação controversa aos pais. Não acho que seja boa ideia deixar seus filhos de qualquer sexo aos cuidados de meninos adolescentes. Eu também não permitiria que meu filho adolescente tomasse conta de alguém. Por que não? Porque há muita coisa acontecendo com os adolescentes do sexo masculino. É uma preocupação que invade todos os aspectos da vida. O impulso sexual nos meninos atinge o seu pico entre as idades de 16 e 18 anos. Sob essa influência, crianças têm sido prejudicadas por "bons meninos" que não pretendiam nada de mal, mas que foram seduzidos pela curiosidade de experimentar e explorar. Estou certo de que muitos de meus leitores vão discordar de mim neste ponto e podem até ficar chocados com minhas palavras. Na vasta maioria dos casos seria seguro ignorar a minha advertência. Mas eu simplesmente não arriscaria durante os anos vulneráveis. Há muita coisa em jogo. Já conversei com grande número de pais que se arrependeram de ter entregado o filho a alguém que julgavam confiável. Faço esta recomendação sabendo que ela vai confundir e talvez até irritar alguns de vocês. Trata-se simplesmente da minha opinião baseada em incidentes desastrosos que testemunhei ao longo dos anos.

Voltando ao tema da homossexualidade, fico preocupado não só quanto ao abuso sexual de meninos (e meninas), mas também com o que eles estão aprendendo com a cultura em geral. De repente, todo mundo parece estar falando de um assunto que eu não conhecia até cerca de 11 anos de idade. Parecemos agora

As origens da homossexualidade   153

determinados a contar a toda criança de 5 anos sobre este aspecto da sexualidade adulta. Nossas escolas públicas parecem estar se movimentando inexoravelmente nessa direção.

Em vista do que discutimos neste capítulo, você percebe como estes ensinamentos difundidos podem criar uma terrível confusão para os meninos pequenos que estão passando por crise de identidade quanto ao gênero? E as outras influências culturais, inclusive a televisão e o cinema, que estão insistindo que os meninos e meninas "pensem como *gays*" e experimentem comportamentos de inversão de papéis? Quando combinadas com a ausência ou displicência dos pais, podemos começar a entender por que a incidência da homossexualidade parece estar crescendo e por que mais e mais crianças e adolescentes estão afirmando que acham que são homossexuais.[31] À medida que a instituição familiar continua a se desfazer, estamos colocando os fundamentos para outra epidemia como as que ocorreram historicamente.

Mães e pais, estão me ouvindo? Este movimento é *a* maior ameaça para seus filhos. É de especial perigo para seus meninos de olhos arregalados, que não têm ideia da desmoralização planejada para eles. Eu pergunto: Há algo mais importante do que tomar tempo para proteger seus filhos e estar presente quando eles mais precisam de você? Penso que não.

Vou terminar referindo-me novamente a Mark e outros meninos que parecem efeminados, confusos quanto ao seu gênero ou cronicamente desconfortáveis com os iguais do mesmo sexo. Pais, vocês não têm tempo a perder. Procurem ajuda profissional para aqueles que parecem estar em dificuldades e orem por eles todos os dias. Pais, comecem a aplicar os princípios descritos pelo dr. Nicolosi e, de todas as maneiras, deem aos seus meninos o que eles precisam mais urgentemente: VOCÊ.

Perguntas e respostas

Minha igreja tende a mostrar-se liberal com respeito à maioria das questões sociais; ela ensina que desde que a homossexualidade é herdada e, portanto, involuntária, deve ser afirmada e aceita pelos cristãos. Isto é importante para mim porque meu filho tem 17 anos e anunciou que é *gay*. O senhor

poderia comentar sobre a posição tomada por minha igreja e como eu posso explicar essa situação em nossa família?

Primeiro, a única maneira de sua igreja poder validar a posição é ignorando as passagens bíblicas que condenam o estilo de vida homossexual. Mas vou responder à sua pergunta em outro nível, fazendo duas outras perguntas. Elas são: "E se?" e "E daí?".

"E se" pudesse ser demonstrado sem sombra de dúvida que a homossexualidade é, como afirmam os ativistas, genética, bioquímica e neurológica em sua origem? Continuaríamos querendo saber: "E daí?". Como você disse, a comunidade homossexual ativista quer que creiamos que pelo faro de seu comportamento ser geneticamente programado e fora do seu controle, é moralmente defensável. Isto não pode ser sustentado. A maioria dos homens herdou o desejo pelas mulheres. Sua tendência natural é fazer sexo com tantas moças bonitas quanto puderem, tanto antes como depois do casamento. A abstinência antes do casamento e a monogamia depois dele são alcançadas pela disciplina e pelo compromisso. Se os homens fizessem o que são geneticamente programados para fazer, a maioria seria sexualmente promíscua desde os 14 anos. Isso tornaria tal comportamento menos imoral? É claro que não.

"E se" um pedófilo (abusador de crianças) pudesse afirmar que havia herdado seu desejo por crianças? Poderia ter um bom caso. Seu aparelho sexual e a testosterona que o domina são certamente criações da genética. Mesmo que sua perversão resultasse de experiências anteriores, ele poderia afirmar com razão que não escolhera ser quem é. Mas "e daí?", isso torna seu abuso de crianças menos ofensivo? A Sociedade deveria aceitar, proteger e conferir direitos civis especiais aos pedófilos? Será uma discriminação ostensiva processá-los, condená-los e colocá-los na prisão por fazerem o que são "programados" para fazer? Não! A fonte de sua preferência sexual é irrelevante em relação ao comportamento em si, que é considerado imoral e repreensível pela sociedade.

"E se" pudesse ser demonstrado conclusivamente que os alcoólatras herdaram vulnerabilidade química ao álcool? Esse é provavelmente o caso, desde que algumas raças têm incidência muito maior de alcoolismo do que outras. Mas "e daí?" Isso significa que o alcoolismo seja um problema menor para essas famílias e a sociedade em geral? Dificilmente!

As origens da homossexualidade   155

Espero que o ponto fique claro. O fato de serem geneticamente inclinados a fazerem coisas imorais não os torna certos. Há muitas influências agindo dentro de nós, mas elas são irrelevantes. Não conheço nenhum caso nas Escrituras em que Deus fechasse os olhos aos malfeitores por causa da sua herança defeituosa ou de suas primeiras experiências. De fato, o oposto fica implícito. No Livro de Gênesis lemos que um anjo informou à mãe de Ismael que o filho que carregava seria, "entre os homens, como um jumento selvagem; a sua mão será contra todos, e a mão de todos, contra ele; e habitará fronteiro a todos os seus irmãos" (Gn 16.12).

10 Pais solteiros e avós

HÁ MUITOS ANOS, QUANDO Shirley e eu éramos recém-casados, ela estava sozinha em casa certa tarde. A campainha tocou inesperadamente e minha mulher foi atender. Na porta se encontrava uma jovem malvestida, no fim da adolescência. Ela imediatamente se pôs a falar de memória uma porção de coisas sobre as escovas domésticas que vendia.

Shirley ouviu por alguns minutos e depois disse amavelmente:

— Sinto muito, mas não precisamos de mais escovas. Obrigada por ter vindo.

A mocinha abaixou a cabeça e disse:

— Eu sei. Ninguém mais as quer.

Grandes lágrimas começaram a brotar em seus olhos enquanto se voltava para ir embora.

— Espere um pouco — disse Shirley. — Diga-me quem você é.

— Meu nome é Sally — replicou ela. — Tenho um filhinho e estou tentando ganhar dinheiro para sustentá-lo. Mas está sendo muito difícil.

Shirley convidou a jovem para entrar, a fim de conhecê-la melhor. Serviu-lhe café, e Sally começou a falar. Ela era uma mãe solteira que saíra da escola aos 16 anos. Ficara grávida e se casara apressadamente com um jovem imaturo. Ele logo a abandonou, deixando-a com um bebê e sem qualquer meio visível de sustento. Por estar desesperada e não ter outras habilidades, aceitara o emprego de vendedora de escovas de porta em porta.

Quando voltei para casa naquela tarde, Shirley me contou a história e demonstrou seu interesse pela nova amiga. Entramos no carro e fomos até o endereço que Sally dera. Ela morava num prédio de apartamentos numa rua movimentada. Subimos um lance de escadas e batemos à porta. Sally apareceu, carregando o filho, Sammy, e nos convidou para entrar. Depois de conversar um pouco, perguntei o que eles haviam comido no jantar. Ela me levou à cozinha e mostrou uma lata de macarrão vazia. Aquilo era tudo. Abri os armários e a geladeira, não havia qualquer tipo de alimento neles.

Pusemos Sally e Sammy no carro e fomos até um supermercado próximo. Compramos vários tipos de mercadorias e depois voltamos com eles para o prédio. Durante as semanas seguintes envolvemos Sally nas atividades da nossa igreja, e eu a ajudei a encontrar um emprego no Hospital Infantil onde eu trabalhava na equipe de pediatria. Ela foi gradualmente se aprumando e mais tarde mudou-se para a região de Los Angeles.

Faz muitos anos que não vejo Sally e Sammy, mas penso neles com frequência. O que me lembro de ter pensado quando os encontrei pela primeira vez foi como é incrivelmente difícil ser pobre, solitário e estressado ao máximo pelas responsabilidades de criar um filho — ou vários. Mal posso imaginar como mães muito jovens nessa situação têm condições de enfrentar os desafios da vida diária. Elas têm de encontrar vagas numa creche, trabalhar oito horas ou mais por dia, pegar as crianças, parar na mercearia, depois ir para casa preparar o jantar, lavar os pratos, trocar as fraldas, ajudar na lição de casa, dar banho nos mais novos, ler história, enxugar lágrima, fazer oração e pôr os filhos na cama. Depois de dezesseis horas de trabalho e responsabilidades maternas, o serviço de casa ainda tem de ser feito.

Os fins de semana são um atropelo de atividades. Lavar, passar, varrer e planejar serviços, tais como limpar o fogão, devem ser feitos durante essas horas "de folga". Quem está lá para ajudar quando o carro não funciona, o motor da geladeira queima e a infiltração no teto começa a vazar? Finalmente, a mãe precisa pensar em suas próprias necessidades de ser amada, cuidada e intelectualmente desafiada. Afinal de contas, ela não é uma máquina. Vou dizer-lhe francamente que a tarefa de mãe solteira, especialmente das jovens e pobres, é o trabalho mais duro em todo o universo, e meu maior respeito e admiração estão reservados para aquelas que fazem isso com excelência. Os pais solteiros também merecem nossos elogios, tentando desesperadamente ser "mães" de seus filhos necessitados. Nosso foco neste capítulo, porém, serão as mães por causa dos problemas especiais que elas enfrentam ao tentar criar meninos.

158 Educando meninos

Recebemos cerca de 250.000 cartas, telefonemas e respostas por e-mail em nosso programa Foco na Família todos os meses, alguns de mães solteiras. Este é um desses bilhetes comoventes:

Fui casada por trinta anos, mas meu marido morreu recentemente. Preciso agora de sua ajuda. Diga-me como devo comportar-me no papel de solteira. Preciso aprender a divertir-me sozinha; saber o que dizer, o que fazer e não fazer. Diga-me como voltar para uma casa vazia, não sendo necessitada, não tendo ninguém para cuidar e ninguém com quem compartilhar a minha vida. Como aprendo a ter novamente alegria de viver? Casei-me com meu segundo namorado e foi meu melhor amigo, meu amante, meu companheiro. Como encontrar novamente o amor? Qualquer namorado que tivesse não ia querer falar sobre meu marido, mas não vou conseguir esquecer os últimos trinta anos e negar que eles aconteceram. Diga-me, onde procurar respostas, e será que essas respostas existem?

Sinceramente,

Kelly

Esta mulher viverá novamente, mas vai levar algum tempo antes que suas feridas sarem e seu coração se cure. Reproduzi esta carta e as outras afirmações anteriores para aumentar a sensibilidade de todos nós para as dificuldades dos que sofreram a perda de um ente querido por morte, abandono ou divórcio. É uma das experiências mais traumáticas da vida.

O que estamos descrevendo aqui envolve um grande número de pessoas em meu país e no resto do mundo, e suas fileiras estão crescendo exponencialmente. Segundo os números do censo publicados em maio de 2001, a família continuou sua espiral descendente que começou no início da década de 1970. De fato, a queda é agora livre e desimpedida. Nosso jornal local em Colorado Springs, *The Gazette*, gritou a notícia em sua manchete: "A Família Está Desaparecendo".[1] Numa coluna escrita por Don Feder no jornal *The Boston Herald*, o título principal era: "A Família Nuclear em Dissolução".[2] Allan Carlson, do Centro Howard para a família, disse: "Estamos avançando para uma sociedade pós-família.[3] É lamentável e preocupante que essas avaliações sejam verdadeiras. Esta instituição ordenada por Deus, que prevaleceu em quase todas as culturas da terra durante mais de 5.000 anos, está se dissolvendo diante de nossos olhos.

Estas são algumas das mais perturbadoras descobertas do relatório: as casas chefiadas por parceiros sozinhos cresceram quase 72% durante a última década, a maioria delas envolvendo pessoas que vivem juntas sem casamento. As casas chefiadas por mães solteiras aumentaram mais de 25% e as chefiadas por pais solteiros cresceram quase 62%.[4] Pela primeira vez, as famílias nucleares caíram abaixo de 25% dos lares.[5] Um terço das crianças nasceram de mães solteiras (33%), em comparação com apenas 3,8% em 1940.[6] Mediante outros estudos ficamos sabendo que a coabitação aumentou cerca de 1.000% desde 1960.[7] Estamos também vendo um número crescente de mulheres solteiras, na casa dos 20 ou 30 anos, que, como a atriz Jodie Foster, decidiram ter e criar filhos sozinhas.[8]

Em essência, as velhas proibições contra o divórcio e a coabitação estão desaparecendo, e a cultura está abandonando seu compromisso com o casamento por toda a vida. De fato, duvido que a maioria dos jovens adultos tenha qualquer compreensão mais aprofundada da razão pela qual as gerações anteriores defendiam tão vigorosamente a família ou por que desprezavam tão claramente os que se "juntavam". Era por violarem os princípios da moral bíblica profundamente arraigados na cultura. Esse sistema de crenças quase desapareceu. Agora, o índice de divórcios é na verdade maior, por uma pequena margem, entre os cristãos do que entre os que não professam qualquer fé.[9] Essas mudanças sociais representam uma decadência crescente com implicações em longo prazo para o futuro.

Está previsto atualmente, com base nessas tendências, que mais da metade das crianças nascidas na década de 1990 vai passar pelo menos parte de sua infância em casa de pais sozinhos.[10] Os Estados Unidos já são o líder mundial na porcentagem de pais solteiros,[11] e esse número está subindo vertiginosamente. O que acontecerá se o casamento tornar-se realmente obsoleto ou em grande parte irrelevante de agora em diante? Ele projeta um mundo em que cada criança terá várias "mães" e "pais", talvez seis ou oito "avós" e dezenas de meios-irmãos. Será um mundo em que os meninos e meninas vão ser empurrados de um lugar para o outro, num padrão de arranjos domésticos sempre em mudança — onde grande número deles será criado em lares adotivos ou vai viver nas ruas (como milhares já fazem na América Latina nos dias atuais). Imagine um mundo onde nada é estável e as pessoas pensam principalmente em si mesmas e na sua autopreservação. Em suma, a morte das famílias produzirá um mundo caótico que será devastador para as crianças.

Em vista da crise nacional que parece estar surgindo no horizonte, poderíamos pensar que o governo americano estaria tentando desesperadamente apoiar a instituição do casamento e fazer todo o possível para restaurá-la a uma posição de saúde e vitalidade. O oposto é verdade. Nossos líderes políticos têm sido despudorados em sua desconsideração pela instituição familiar. Quando Margaret La Montagne, conselheira da política interna da Casa Branca para o presidente George W. Busch, foi perguntada durante uma entrevista sobre a sua reação ao relatório do censo, ela replicou: — Penso que eu responderia a isso: "E daí?"[12] Seu comentário estabelece um tipo de recorde por sua ignorância. As famílias americanas estão se desintegrando; todavia, La Montagne disse, com efeito: — Quem se importa? — O ponto perturbador é que esta mulher está sentada no nível mais alto do governo, oferecendo conselhos todos os dias ao homem mais poderoso da terra. Senhor, tenha pena de nós! Infelizmente, a resposta petulante dela reflete a atitude desdenhosa em relação às famílias que está sendo geralmente expressa entre os funcionários em Washington. Quanto tempo faz desde que você ouviu um de nossos líderes proeminentes falar a respeito das pressões sobre o casamento e da necessidade desesperada de nosso governo ajudar?

Na ausência de auxílio de nossos líderes ou de qualquer outro, a família continua a dividir-se. Enquanto isso acontece, nossos filhos são os que mais sofrem. Barbara Dafoe Whitehead, escrevendo em seu aplaudido artigo "Dan Quayle Tinha Razão", disse a respeito dos estresses experimentados por meninos e meninas quando suas famílias se separam:

> Toda esta incerteza [num lar de um só dos pais] pode ser terrível para os filhos. Quem quer que conheça crianças sabe que elas são criaturas profundamente conservadoras. Gostam que as coisas continuem como estão. Esta tendência é tão pronunciada que certas crianças chegam a pedir o mesmo sanduíche de creme de amendoim e geleia durante anos a fio. As crianças são especialmente firmes em suas ideias quando se trata de família, amigos, vizinhos e escolas. Todavia, quando uma família se separa, todas essas coisas podem mudar. O romancista

Pat Conroy observou que "cada divórcio é a morte de uma pequena civilização". Ninguém sente isto mais agudamente do que os filhos.[13]

Cynthia Harper, da Universidade da Califórnia, São Francisco, e Sara McLanahan, de Princeton, estudaram o fenômeno da ausência do pai, levando ao que veio a ser chamado de "Pesquisa Nacional da Juventude". Os pesquisadores identificaram 6.403 meninos entre 14 e 22 anos e depois os seguiram até o início da casa dos 30. Estas são algumas das suas principais descobertas:

1. Os filhos das mães sozinhas correm maior risco de uma tendência para a violência, aparentemente porque passaram menos tempo com os pais. A criança nascida fora do casamento tem duas vezes e meia mais probabilidade de passar tempo na prisão.

2. O sustento da criança não faz diferença no que diz respeito a um menino crescer para tornar-se criminoso. Ao que parece, a situação econômica da mãe solteira não é o fator principal, mas a ausência do "pai".

3. A terceira conclusão é ainda mais surpreendente. O número muito pequeno de meninos adolescentes no estudo, que viviam só com o pai, não tinha mais probabilidade de cometer crimes do que os meninos de famílias intactas. Por quê? Talvez porque os homens que não se casam, mas cuidam sozinhos dos filhos, são pais especialmente dedicados.[14]

Sei que essas são notícias desagradáveis para as mães sozinhas. Gostaria de poder dizer que encontrar outro marido oferecerá uma solução. Infelizmente, a pesquisa confirma que o novo casamento de um dos pais, no geral, piora as coisas para os meninos. Segundo o estudo, os meninos que vivem nas casas de padrastos tinham quase três vezes mais probabilidade de terem problemas com a polícia do que os de famílias intactas.[15] As desvantagens para os jovens nessas novas famílias são similares às dos que não vivem com qualquer dos pais. Ao que parece, os padrastos e os filhos quase sempre competem pelo tempo, atenção e recursos da mãe biológica, criando conflito e amargura.

Unir duas famílias também apresenta alguns desafios únicos e perturbadores. Posso dizer-lhe que a noção de que uma mãe e um pai, ambos com três filhos, podem criar uma família grande e feliz sem conflitos ou rivalidades é um mito. As coisas não acontecem assim, embora muitas famílias combinadas eventualmente se ajustem às suas novas circunstâncias. Durante os primeiros anos, pelo menos, é típico que um ou mais filhos vejam o novo padrasto ou madrasta como usurpador. Sua lealdade à memória do pai ou mãe que se afastaram pode ser intensa. Para eles, acolher um recém-chegado de braços abertos seria uma traição. Isto coloca o padrasto ou a madrasta numa situação impossível.

Além do mais, é comum que um dos filhos ocupe o vácuo de poder deixado por um dos pais. Esse jovenzinho se torna o esposo substituto. Não estou falando de questões sexuais. Pelo contrário, o menino ou a menina começa a relacionar-se com o pai que ficou mais como um igual. A posição que acompanha esse papel de apoio é muito sedutora, e o jovem não quer geralmente desistir dela.

Há um problema ainda mais sério que ocorre nas famílias reconstituídas. Ele está ligado aos sentimentos do novo marido e da esposa em relação aos filhos. Cada um é irracionalmente dedicado à sua própria carne e sangue, enquanto ele ou ela apenas conhecem os outros. Quando ocorrem brigas ou insultos entre os dois grupos de crianças, os pais são quase sempre parciais com aqueles que trouxeram ao mundo. A tendência natural é que os membros da família combinada se agrupem em campos armados: nós contra eles. Se os filhos sentirem a tensão entre os pais, vão explorá-la para ganhar poder sobre os irmãos. A não ser que essas questões sejam esclarecidas e trabalhadas, batalhas terríveis podem ocorrer. Em vista desses desafios, fica aparente por que as probabilidades de um segundo e terceiro casamentos serem bem-sucedidos são, consideravelmente, menores do que as do primeiro. É possível combinar famílias com sucesso, e milhares fizeram isso. Mas a tarefa é difícil, e se você escolher esse caminho, pode necessitar de ajuda para conseguir bom resultado. É por tudo isso que insisto com os que estão planejando casar-se de novo que busquem aconselhamento profissional o mais cedo possível. É dispendioso, mas outro divórcio custaria ainda mais caro.

Existe outro problema que reluto em mencionar para as mães sozinhas, que já estão provavelmente desanimadas com a perspectiva que descrevi. Mas devo fazê-lo. Segundo um estudo dos pesquisadores canadenses Martin Day e Margo

Wilson, as crianças em idade pré-escolar nas famílias com padrastos ou madrastas têm quarenta vezes mais probabilidade de sofrer abuso físico ou sexual do que nas famílias intactas.[16] Whitehead indicou que a maior parte do abuso sexual é cometido por uma terceira pessoa, tal como um vizinho, um amigo do padrasto ou alguém que não é parente, mas os padrastos têm mais probabilidade de abusar dos filhos não biológicos do que de seus filhos naturais.[17]

Desde que o novo casamento pode ou não resolver o problema de encontrar influência masculina para seus filhos, a mãe sozinha tem de descobrir outras maneiras de enfrentar o desafio. Como ela pode ensiná-los a barbear-se, colocar a gravata ou pensar como homem? O que ela pode dizer-lhes sobre a sexualidade masculina e o que pode fazer para prepará-los para chefiar suas futuras famílias? Como pode encontrar modelos que substituam o pai que falta? Estas são perguntas de importância monumental, mas há algumas abordagens que podem ser úteis.

Para cada mãe sozinha que está buscando resposta neste sentido, quero enfatizar primeiro que você tem um recurso inigualável em seu Pai celestial. Ele criou seus filhos, e eles são preciosos para ele. Como sei isso? Porque disse repetidamente na sua Palavra que tem ternura especial pelas crianças sem pai e suas mães. Há muitas referências nas Escrituras às dificuldades que elas enfrentam. Por exemplo:

- Deuteronômio 10.17-18: O Senhor, vosso Deus [...] faz justiça ao órfão e à viúva e ama o estrangeiro, dando-lhe pão e vestes.
- Deuteronômio 27.19: Maldito aquele que perverter o direito do estrangeiro, do órfão e da viúva.
- Salmo 68.5: Pai dos órfãos e juiz das viúvas é Deus em sua santa morada.
- Zacarias 7.10: Não oprimas a viúva, nem o órfão, nem o estrangeiro, nem o pobre.

A mensagem é muito clara. O Senhor está vigiando os oprimidos, os pobres, os tiranizados e o órfão de pai. Ele também se preocupa com os seus filhos. Está esperando que você peça sua ajuda. Vi respostas milagrosas à oração em favor dos que buscaram seu auxílio, no que pareciam situações impossíveis. Minha esposa, Shirley, foi produto de um lar destruído. Seu pai era alcoólatra, abusava da família e gastou seus magros recursos num bar local. O casamento acabou em divórcio. Nesse momento crítico, a mãe de Shirley percebeu que precisava de ajuda para criar seus dois filhos sozinha e enviou-os, então, a uma igreja evangélica na vizinhança. Eles encontraram ali Jesus Cristo e a estabilidade que lhes faltava em casa. Shirley começou a orar no silêncio de seu pequeno quarto para que o Senhor enviasse um pai que os amasse e cuidasse deles. Ele fez precisamente isso. Surgiu um homem maravilhoso de 37 anos chamado Joe, que nunca se casara. Ele tornou-se cristão e pai magnífico para as duas crianças. Joe lhes deu estabilidade durante o resto da sua infância e adolescência. Ele tem sido meu sogro há quarenta anos, e eu o amo como se fosse meu pai. Veja então, mesmo que as probabilidades e predições sejam que um novo casamento é arriscado, tudo é possível quando você depende de Deus e pede a ele forças. Vou deixar para você e seu pastor determinarem se você tem base bíblica para voltar a casar-se, o que pode vir a ser outra questão espinhosa para decidir.

Até que um bom homem como Joe apareça, você, como mãe sozinha, deve esforçar-se ao máximo para encontrar um pai-substituto para seus meninos. Um tio, um vizinho, um treinador, um diretor de música ou um professor da escola dominical podem ajudar. Colocar seus filhos sob a influência de um homem assim, mesmo que seja uma única hora por semana, pode fazer grande diferença. Faça com que participem do grupo de escoteiros ou da equipe de futebol. Dê biografias para seus filhos lerem e leve-os ao cinema ou alugue filmes que enfoquem heróis fortes e masculinos (mas com boa moral). Qualquer que seja a maneira que escolha resolver o problema, não deixe que os anos passem sem a influência de um homem sobre a vida de seus meninos. Se não tiverem modelos masculinos para imitar, vão voltar-se para quem estiver disponível, tais como membros de gangues ou, talvez, para você, a mãe. Como sabemos, não é saudável para os meninos imitarem exclusivamente o modelo da mãe.

Quero oferecer agora ajuda adicional e conselhos para as mães sozinhas. Embora os estudos indiquem que uma porcentagem mais alta de crianças de famílias com um só dos pais tenha problemas, a grande maioria acaba se saindo bem. Se você é uma mãe dedicada, que dá prioridade a seus filhos, eles também crescerão como devem.

Vamos falar brevemente sobre disciplinar seus meninos, o que será discutido com mais detalhes no capítulo 16. Você deve treinar e guiar seus filhos da mesma forma que o faria se o seu casamento estivesse intacto. Algumas vezes, a mãe sozinha sente-se culpada por não dar provisão adequada para os filhos e para as filhas, em razão de circunstâncias penosas que acompanharam o divórcio. Portanto, ela se torna permissiva e demasiadamente indulgente. Isso não é o melhor para seus filhos. É especialmente arriscado para os meninos. Eles precisam de limites mais ainda do que os de famílias intactas. A mãe autoritária, mas amorosa, dá segurança ao filho para quem tudo parece inseguro. Não tenha medo, lidere! Castigue quando for necessário. Abrace-os quando precisarem de afirmação. E faça com que pensem que você sabe o que está fazendo e para onde vai, mesmo quando não tenha uma diretriz.

Antes, referi-me ao filho que tem a tendência de ocupar o vácuo de poder deixado pela perda do pai e tornar-se o "cônjuge substituto" da mãe. Não deixe que isso aconteça. O menino que está tentando tornar-se adulto instantâneo é ainda criança e não deve ser sobrecarregado com as responsabilidades e cuidados de adulto. Não conte a ele todos os seus temores íntimos e suas ansiedades, mesmo que ele pareça capaz de lidar com isso. Mais cedo ou mais tarde, sua abdicação do papel de autoridade voltará para atormentá-la quando, talvez na adolescência, tenha de dizer não a ele ou confrontá-lo quando estiver se desviando. Este cônjuge substituto pode ser uma filha. Não é comum para as meninas também aspirarem a esse papel. Todavia, essa atitude não é boa para o filho de qualquer sexo. Faça com que eles cresçam como Deus pretendeu — um dia de cada vez.

E agora, algumas ideias para as mães sozinhas que buscam desenvolver características masculinas nos filhos. Debra Gordon escreveu no *The Virginian Pilot* (Norfolk, VA) um artigo interessante sobre "agressão natural", chamado "O Filhinho da Mamãe". Você pode achá-lo útil. Segue-se um trecho:

> Neste Natal, Suzanne Rhodes fez uma coisa que jurara não fazer — colocou armas de brinquedo debaixo da árvore.

Com quatro filhos de 9 a 15 anos, Suzanne decidira anteriormente que nunca compraria armas para eles, nem permitiria que entrassem em sua casa.

Em vez disso, ela seguiu o programa politicamente correto, não sexista para criar meninos nas décadas de 1980 e 1990: comprar para eles brinquedos do gênero neutro, como blocos e quebra-cabeças. Quando os amigos chegavam para brincar levando pistolas de brinquedo, ela os fazia deixar as armas na porta.

— Não tinha jeito. Havia uma porção de dedos fumegando lá — diz a mãe de Chesapeake.

Mas, este ano, depois de passear pelos campos de batalha da Guerra Civil, ler livros e assistir a filmes com os filhos sobre as muitas guerras deste país, Suzanne mudou de ideia.

— Pensei muito a respeito — disse ela, que tem também uma filha de 6 anos e cujo marido é oficial da marinha. — Eles estão lá brincando de jogos de guerra; não estão matando por matar. Estão mostrando a sua agressividade como meninos. Há uma ligação entre jogos de guerra e guerra para os homens. E acho que nunca poderemos extirpar deles, porque homens e mulheres são maçãs e laranjas.

Aí está o xis do problema quando você fala com mães criando filhos. Será que aspiramos ao máximo infâncias não sexistas, do gênero neutro, seguindo a teoria de que podemos moldar a criança principalmente por meio do ambiente e exemplo, ou aceitamos que os meninos e as meninas são inerentemente diferentes e ensinamos nossos filhos a canalizar e administrar construtivamente sua agressão nata, "seu gene belicoso", como diz uma mãe?[18]

A melhor resposta, em minha opinião, é a última.

Avós

Vou mencionar agora as pessoas que vão, mais provavelmente, dar-lhe a ajuda de que você precisa. Estou me referindo aos avós maternos ou paternos. Eles têm a responsabilidade, dada por Deus, de influenciar seus netos, e a maioria deles está mais do que disposta a isso. Nossa organização acabou de publicar um livro útil que pode estimular algumas ideias. É chamado *The Gift of Grandparenting* [O dom de ser avós], de Eric Wiggen. Estes são alguns trechos que vão, espero, não só motivar os pais sozinhos a procurar seus pais, como inspirarão também os avós a se envolverem mais com os netos. Estas são as palavras consideradas de Eric Wiggen:

> Os jovens que visitam os avós, com poucas exceções, fazem isso por desejarem — no geral com muito empenho — a companhia dos mais velhos. A mesma avó que ganhava de mim no xadrez quando eu tinha 39 anos tornou-se a amiga em quem eu podia confiar aos 19. Ela me escrevia cartas longas e cheias de notícias da família. Quando eu voltava para casa da faculdade, conversávamos. E, sabe de uma coisa? Vovó queria escutar-me! Em breve descobri que ela ficava fascinada com o que eu contava e ela tinha mais tempo para ouvir-me do que meus pais. Para seus netos adolescentes ou adultos solteiros, talvez o "entretenimento" mais importante que possa dar-lhes é ouvir quando eles falam.[19]

Um sábio comentou certa vez que os idosos ficam mais lentos e curvados para que possam ver as coisas como crianças novamente e para que possam segurar as mãos das crianças que andam sobre pernas inexperientes. Aquele inseto na calçada, a lesma debaixo da folha de couve, o passarinho puxando a minhoca da terra molhada pela chuva — essas são as coisas que as crianças pequenas e seus avós notam.[20]

Nossos netos vivem em lares imperfeitos, criados por pais imperfeitos: nossos filhos e filhas casados com nossos genros ou noras, todos imperfeitos. Embora todos cometamos erros ao criar os filhos, a boa notícia é que como avós piedosos, andando com o Senhor, podemos esperar que o Senhor nos use. Em vista da nossa imaturidade quando nossos filhos — agora pais — estavam crescendo, podemos tê-los desapontado. Mas, ao manter-nos vivos para gozar a companhia de nossos netos, o Senhor está nos dando um ministério para ajudar a preencher as lacunas em nossa criação de filhos imperfeita.[21]

Nós, avós, devemos retomar firmemente a liderança, se não de toda a sociedade, pelo menos de nossas famílias. Este não é um passo tão drástico quanto parece, pois o pêndulo começou a oscilar para o outro lado e a maturidade está voltando à moda de novo.[22]

Escrevendo aos avós, a colunista Evelyn Sullivan resumiu um estudo de mais de setecentos estudantes da Universidade do Estado de Missouri. Sullivan citou certo professor de estudos da família dessa instituição, dr. Gregory E. Kennedy, que descobriu que depois do divórcio esses alunos achavam que o papel dos avós fora "ainda mais importante" em sua vida do que nos lares que permaneceram intactos. A maioria dos avós, quer os pais tenham ou não se divorciado, têm interação regular com os netos, conforme descoberto pelo estudo do dr. Kennedy.

De modo significativo, quase todos os estudantes se sentiam mais próximos dos avós maternos do que dos paternos. Isto é importante para os avós maternos, desde que num processo de divórcio os filhos são geralmente colocados sob a custódia da mãe.[23]

Como avós, desejamos ajudar nossos netos a entrarem na idade adulta. Podemos fazer isto melhor quando compreendemos que esses jovens, que na maior parte do tempo são descuidados e felizes, estão sofrendo durante os anos mais difíceis da vida — da puberdade ao início da maturidade. Nós criticamos amavelmente o seu comportamento quando necessário. Estabelecemos diretrizes e expressões quando confiados aos nossos cuidados. Assim como não criticaríamos a peruca ou o penteado de um adulto, evitamos comentários pessoais sobre nossos adolescentes-adultos emergentes cujas almas já podem ter sido estraçalhadas e pisoteadas no fogo cruzado da escola ou nos conflitos em casa. Mas, acima de tudo, apoiamos, ouvimos, oramos. E amamos.[24]

Os avós não só são necessários hoje para desempenhar papel de apoio para seus filhos e filhas como também um número surpreendente deles ficou com a plena custódia dos netos. Eles criaram os filhos há muitos anos e pensaram que seu trabalho de pais tinha terminado. Então, quando deveriam ser apenas uma adição do evento principal, têm de enfrentar uma dentre duas escolhas difíceis: aceitar a responsabilidade de criar outra geração de filhos ou vê-los sofrer devido a cuidados inadequados ou colocação num lar adotivo. Não é assim que as famílias foram destinadas a funcionar. Isto representa outro aspecto da desintegração conjugal e filhos nascidos fora do casamento. Eu precisaria de outro livro, ou muitos deles, para cobrir essa questão em profundidade, mas ela merece nossas orações e pensamentos criativos.

Não posso concluir esta discussão sem falar diretamente e talvez ousadamente aos cristãos que vivem em famílias intactas. Você tem lido este capítulo sobre os desafios enfrentados por pais sozinhos. Espero que considere as maneiras em que poderia ajudar. Homens, o que vocês acham de levar os filhos de mães sozinhas com seus próprios filhos para uma pescaria ou um jogo de futebol?

Façam esses meninos sem pai saberem que se interessam por eles. Respondam às suas perguntas e ensinem-nos a jogar bola ou a defender e atacar. Esta não é uma simples sugestão casual minha. É um mandamento divino. Lembra-se das Escrituras que citei sobre a compaixão de Deus pelos órfãos? Jesus mostrou esse mesmo amor pelos jovens. Ele carregou meninos e meninas em seu colo e disse: "Quem receber uma criança... em meu nome, a mim me recebe" (Mt 18.5).

Às mães casadas, espero que se estendam à mãe solteira como Sally e a ajudem a enfrentar a tarefa de criar filhos. Cuidem dos filhos dela para que ela possa sair de vez em quando. Compartilhem seus recursos financeiros com os que têm menos e as incluam em suas atividades nos feriados. Vocês podem impedir que uma mãe solteira se desespere, dando a ela apenas um pouco de encorajamento e auxílio. O Senhor vai recompensá-las por cuidar de alguém que necessita demais de uma amiga.

Vamos encerrar com isso nossa discussão de pais sozinhos e avós com mais dois pensamentos. O primeiro se refere à difícil tarefa de permitir que eles voem quando o trabalho está terminado. Esse pode ser um período muito emocional, especialmente para uma mãe que trabalhou, suou, orou, chorou, economizou, poupou, cozinhou, limpou, ensinou e pastoreou seus filhos em meio a numerosas crises sem a ajuda de um marido ou de um pai para os filhos. De repente, quando acaba a infância, é preciso renunciar à razão da sua existência e à sua paixão de viver. Seus filhos cresceram. O lugar vazio dentro de si quando os filhos e filhas deixam o lar pode parecer um abismo. Depois de todos esses anos ela está de novo sozinha.

Meu escritório do Foco na Família fica do outro lado do vale da Academia Aérea dos Estados Unidos. Dali posso ver os cadetes enquanto treinam para ser pilotos e oficiais. Gosto especialmente de observar os planadores voando pelo céu. A única maneira pela qual esses graciosos engenhos amarelos podem voar é ligados a um avião que os leva até onde podem pegar corrente de vento. Então, eles se desprendem e voam livres e sozinhos até voltar à terra.

Enquanto olhava esse lindo espetáculo certo dia, reconheci uma analogia entre voar e criar filhos como pai ou mãe sozinhos. Há um período em que seus filhos precisam ser rebocados pelo "aeroplano mãe". Se essa ajuda não estivesse

170 Educando meninos

disponível, ou se não fosse aceita, o "planador" nunca sairia do solo. Mas, ine-vitavelmente, chega o momento apropriado para o jovem piloto soltar-se e voar livremente e sozinho, no céu azul. Ambas as operações são necessárias para o voo bem-sucedido. Se você, como pai, não estiver presente para seus filhos quando eles são jovens, eles vão provavelmente permanecer "encalhados" a vida inteira. Por outro lado, se ficarem amarrados a você como jovens adultos, nunca experimentarão a alegria do voo independente. Deixar que ele se vá não só dá liberdade a seu filho ou filha crescido, como permite que você também voe. Tudo faz parte do plano divino.

Vou terminar esta discussão de pais sozinhos e avós compartilhando um pensamento inspirador de um velho filme em preto e branco. Ginger Rogers e Robert Ryan eram as estrelas, e se chamava *Tender Comrade* [Terno Camarada]. O filme se passava em 1943, quando a maioria dos maridos e pais tinha ido para a guerra. Rogers era uma das muitas mulheres que estavam criando os filhos so-zinhas. Certo dia, ela recebeu o temido telegrama do Departamento de Guerra, que começava: "Lamentamos informá-la...". Seu marido fora morto em combate. Ginger imediatamente correu para o quarto do filho, onde a criança dormia no berço. Ela o carregou nos braços e, depois de alguns momentos juntos, a mãe falou estas comoventes palavras ao filho:

> Acorde, Cris. Sinto muito acordá-lo deste jeito, mas tenho de falar com alguém. Não posso me abrir com ninguém lá embaixo porque estão celebrando um casa-mento. Você é o único a quem posso contar. Acho que isto é de fato algo privado entre você e mim. Suponho que daqui a alguns anos estarei ainda contando a você como fiquei ali ao lado do trem. (Sua voz desaparece, e uma conversa que tivera com o marido na estação ferroviária é ouvida ao fundo.)
>
> Pequenino (mostrando uma foto do pai para a criança), este é seu pai. Cris, este é seu filho. Vocês dois nunca vão se conhecer. Só por meio de mim é que sa-berão alguma coisa um do outro. Estou fazendo, então, as minhas apresentações. Este é o filho que você nunca quis até que me encontrasse, Cris. Este é seu pai, jo-venzinho. Eu o conheci quando ele não era muito maior que você. Oh! talvez um pouco maior. Você tem os olhos dele e esse punhado de cabelo, você sabe, esse cabelo em sua cabeça que nunca fica no lugar. É igual ao seu pai, sem dúvida.

Parece engraçado chamá-lo de seu pai, ele era apenas um menino. (Sua voz desaparece; uma lembrança de uma conversa que tivera com o pai na infância se faz ouvir ao fundo.)

Só por ter crescido com ele, sei tudo que vai acontecer com você. Quando tiver 7 anos, uma menina vai bater em sua cabeça com uma escova; e quando tiver 10 anos vai cortar o cabelo dela; quando tiver 15 vai levá-la ao seu primeiro baile e conquistar seu coração. Veja bem, menininho, eu sei das coisas. (Sua voz desaparece, ouve-se a voz do pai falando sobre todos os planos maravilhosos que tem para o filho.)

Lembre-se dele, filho. Lembre-se de seu pai enquanto viver. Ele era um homem excelente, Cris. Nunca fez discursos, mas partiu e morreu para que você tivesse mais oportunidades do que ele quando crescesse. Não as mesmas oportunidades, mas outras melhores. Ele pensava muito em você a seu modo. Nunca se esqueça disso, garotinho. Nunca. Não deixou dinheiro para você. Não teve tempo. Nem milhões de dólares, clubes de campo ou carrões brilhantes para você, meu querido. Só lhe deixou o melhor mundo em que um menino pode crescer. Ele o comprou para você com a sua vida. Essa é a sua herança. Um presente pessoal de seu pai. (A voz dela desaparece; ouve-se a voz do pai falando sobre o que é a guerra ao fundo.)

Mais uma coisa: enquanto você for vivo, não deixe ninguém dizer que ele morreu por nada, porque se deixar que digam isso, está permitindo que chamem seu pai de tolo. Permitindo que digam que ele morreu sem saber o porquê. Ele morreu por uma boa causa, menininho, e se você a trair, se deixar que ela se vá um dia, se permitir que alguém faça com que a despreze, que brigue para sair dela, seria então como se também estivesse morto. Agarre-se então a ela, meu filho, prenda-a com os seus dedinhos; tire-a das mãos de seu pai e segure-a bem alto, com muito orgulho.

(Ela fica de pé e fala com o retrato do pai.) Não se preocupe, Cris. Ele vai crescer para ser um homem bom. Boa-noite, Cris (para o retrato). Boa-noite, Cris (para o filho).[25]

PERGUNTAS E RESPOSTAS

Oi, dr. Dobson. Meu nome é Christina e tenho 9 anos de idade. Gosto muito de meus avós. Escrevi uma poesia sobre aonde gosto de ir quando estou na casa de minha vovó e de meu vovô.

172 Educando meninos

Há um lugar em que gosto de me esconder.
Há um lugar onde há amor.
É o jardim da minha vovó.

Quando tudo está silencioso eu fico bem quieta
e ouço as árvores e o noitibó cantando.

Há um lugar onde gosto de me esconder.
Há um lugar onde há amor.
É o jardim da minha vovó.
É o jardim da minha vovó.

Obrigado, Christina, gostei demais da sua poesia. Você deve ter avós muito especiais. Espero que continue escrevendo. Você é muito talentosa. Jesus ama você, Christina. E eu também!

Tenho sete netos que acho maravilhosos, mas não sei como conversar com eles quando estamos juntos. Faz muito tempo que não sou mais jovem. Como posso conversar com essas crianças e atraí-las para mim? Sobre o que devo falar com elas?
As crianças gostam de falar sobre coisas divertidas e engraçadas. Elas gostam de jogar e resolver quebra-cabeças, assim como olhar gravuras. Quando você entra no mundo delas nesses e em outros pontos de interesse, e se não for rabugento e exigente, elas se abrirão para você. Tudo o que tem a fazer é dar-lhes seu tempo e atenção. Desse jeito não vai conseguir tirá-los de seu colo!

Agora, quanto ao que conversar com seus netos, uma das maiores contribuições que pode fazer é falar sobre a história de sua família desde o começo, sobre os obstáculos vencidos e o que tornou única a sua história. A consultora de educação e autora Cheri Fuller aplicou a letra de uma velha canção africana a esta responsabilidade. Ela incluía esta linha: "Quando uma pessoa idosa morre, é como se uma biblioteca pegasse fogo".[26] Você é a "biblioteca" para seus netos, podendo ligá-los ao passado. É sua obrigação e privilégio, em minha opinião, dar-lhes senso de identidade na família.

Minha bisavó ajudou a criar-me durante meus primeiros anos. Quando eu tinha 3 ou 4 anos, lembro-me dela contando-me histórias sobre a sua vida na fronteira. Contou como ficava sentada em sua cabana de madeira à noite e ouvia os leões da montanha descerem as ladeiras à procura de porcos. Descrevia experiências fascinantes que me ajudaram a compreender como a vida era diferente naquele tempo. As horas que passamos juntos nos ligaram um ao outro. As histórias narradas por ela estão ainda vivas em minha memória e me ajudaram a gostar de história, um assunto que me fascina até hoje.

Sugiro que reúna seus netos e comece a contar-lhes histórias do seu passado — seu namoro com a avó deles, como ela era e por que se apaixonou por ela. Conte depois como veio a conhecer Jesus Cristo e o que ele fez por você. Penso que vai fazer com que seus netinhos acabem comendo na sua mão.

11 Vamos em frente!

SE VOCÊ TEM UM filho, aposto que ele é um competidor natural. Gosta de um desafio e nada o deixa mais satisfeito do que ganhar. Mesmo que lhe falte habilidade para vencer o mundo, vai tentar, provavelmente, fazer isso. Se você compreender este aspecto de seu temperamento masculino, grande parte do seu comportamento começará a fazer mais sentido.

Uma de minhas histórias favoritas foi contada por um homem chamado Bill Dolan, que disse: "Posso lembrar-me da noite em que estávamos à mesa do jantar, quando Tom não quis tomar o seu leite e eu fiquei zangado. Disse a ele:

— Você não vai sair enquanto não tomar o leite.

— Não quero o leite.

Isso não importa. Só vai sair da mesa depois de tomar o leite.

Estávamos num verdadeiro impasse irlandês. Então, finalmente, lembrei-me de que conhecia aquele garoto e levantei-me, peguei um copo e o enchi de leite. Disse a meu filho:

— Aposto com você.

— Está bem.

E bebemos o leite. Ele colocou o copo na mesa e disse:

— Vamos apostar de novo".[1]

Este impulso competitivo é evidente nos "meninos" de todas as idades. Já mencionei meu sogro, Joe Kubishta, várias vezes. Ele tem 89 anos, mas ainda gosta de vencer. Joga golfe quatro a cinco vezes por semana e registra suas vitórias e perdas contra seus companheiros mais novos. É muito bom num jogo de cartas chamado vopas, que costumava jogar nas horas de folga, quando estava na marinha. Ele me ensinou o jogo quando Shirley e eu nos casamos, e nós o jogávamos sempre que estávamos juntos, mas Joe nunca revelou os segredos da vitória. Três anos se passaram antes que eu descobrisse por que ele sempre me vencia. Joe apenas ria, dizendo: "Vamos jogar outra vez". Eu agora tenho um truque só meu. Quando Joe tem cartas boas, seu pescoço fica vermelho. Basta vigiar essa região abaixo de suas orelhas e posso adivinhar o que ele está tentando fazer. Veja bem, Joe não é o único que gosta de ganhar.

É impossível saber por que os homens fazem algumas coisas sem considerar sua natureza competitiva. De que outra forma podemos explicar as sangrentas campanhas militares que foram travadas por meio dos séculos? Enormes exércitos liderados por Alexandre, o Grande, Júlio César, Napoleão Bonaparte ou Adolf Hitler marcharam para lutar e morrer em campos estrangeiros — não com o propósito de defender sua pátria ou avançar uma determinada causa, mas simplesmente para conquistar e subjugar povos mais fracos. Por que fizeram isso? A motivação dos grandes generais é evidente: voltaram para casa com os despojos de guerra. Mas e as tropas da linha de frente? Elas suportaram terrível privação, soldo baixo, comida inferior, doenças devastadoras e o risco constante de ferimentos ou morte. Em troca, a maioria deles nada recebeu além de uma pequena parte na glória e respeito de seus iguais. Surpreendentemente, isso bastou. Em 1862, depois que o general Stonewall Jackson quase levou as tropas ianques até o Rappahannock, o general confederado Robert E. Lee declarou: "É bom que a guerra seja tão terrível; caso contrário, iríamos nos afeiçoar demais a ela".[2]

Esta sede masculina de conquista resultou não só em numerosas guerras, mas também em feitos ousados e temerários que beneficiaram a humanidade. Resultou na descoberta do Novo Mundo nos séculos 15 e 16 e outras grandes explorações da época. Um exemplo mais recente é descrito no esplêndido livro chamado *Endurance* [Persistência], escrito por Alfred Lansing. Ele registra uma expedição em 1914 até os confins do mundo. O navio em que viajavam, também chamado *Endurance,* acabou preso num mar de gelo que esmagou e afundou a embarcação. Os homens ficaram ali perto numa banquisa enquanto seu único elo com o lar desaparecia.[3] Esta história verdadeira descreve os esforços desesperados deles para voltar à Inglaterra. É uma leitura obrigatória. (Escrevi o prefácio de uma edição.)

Em preparação para a viagem, o capitão Earnest Shackleton colocou o seguinte anúncio nos jornais locais: "Procuram-se homens para dever arriscado. Salário baixo. Frio cortante. Longos meses de completa escuridão, perigo constante. Volta em segurança duvidosa. Honra e reconhecimento em caso de sucesso". A resposta foi fenomenal. Mais de quinhentos homens se candidataram, dos quais 27 foram aceitos. Um clandestino também conseguiu fazer a viagem. Temos de repetir a pergunta: por que tantos homens estavam dispostos a arriscar tudo para tomar parte nessa perigosa aventura? Acho que sabemos a resposta.[4]

É provável que seu filho também possua uma dose deste espírito competitivo e aventureiro. Se você, como pai, compreende e responde a esta natureza, você e seu filho estarão mais em sincronia. Para começar, você deve ensiná-lo não só a ganhar, como também a perder graciosamente. Um bom meio de fazer isso é supervisionando cuidadosamente a sua participação em esportes organizados, usando jogos como estímulo para o que ensina. Os treinadores e pais devem dar exemplo de espírito esportivo, autocontrole e trabalho em equipe. Devem exibir essas atitudes e ensiná-las às crianças. Os melhores atletas entre eles devem ser proibidos de provocar os meninos menores e menos coordenados. A crueldade não tem lugar no campo de atletismo no mundo dos jovens, embora geralmente exista. Finalmente, os adultos devem resistir vigorosamente à ideia de "ganhar a qualquer custo", que se tornou tão comum nos esportes organizados para crianças. É vergonhosa a maneira como pais e treinadores agem diante de meninos e meninas. Você pensaria que um campeonato nacional estava sendo travado.

Um artigo em manchete no jornal *The New York Times* descreveu recentemente o comportamento assustador de pais cujos filhos estão competindo no futebol, beisebol e basquete. Os árbitros, disse o escritor, estão pedindo demissão em números recorde devido à violência a que são geralmente sujeitos. As mães e os pais gritam, ridicularizam, cospem e brigam quando as decisões são contra seus filhos e suas filhas. O comportamento deles recebeu até um nome: raiva das arquibancadas. Um árbitro que pendurou há pouco seu apito disse que estava cansado de ouvir os espectadores gritarem: "Tire seu corpo gordo do campo", "Você está cego", "Você só quer dinheiro" e "Meu filho está de coração partido por sua causa". Cerca de 15% dos jogos da juventude envolvem algum tipo de violência verbal dos pais ou treinadores, comparados com 5% há cinco anos. É um quadro desanimador.[5]

Sua atitude como pai vai moldar o comportamento futuro de seu filho. Se ele vir você agindo como menino malcriado, gritando com o árbitro ou bandeirinha, caçoando dos outros jogadores e tendo ataque de nervos quando as coisas dão errado, seu filho vai comportar-se do mesmo jeito. Você deve lembrar-se do que está tentando ensinar seu filho mediante os esportes organizados. Vencer nessa idade não é nada; ensinar seu filho a lidar adequadamente com a sua ira, desapontamento e frustração é tudo. Isto não significa que você deve fazer pouco ou ignorar os sentimentos dele nos momentos difíceis. De fato, você nunca deve subestimar como seu filho se sente mal quando não tem bom desempenho nas coisas que considera importantes. A questão não é só que ele tenha perdido, mas que ficou constrangido por ter falhado. Isso fere o seu coração. Deixe que seu filho fale sobre a experiência e ajude-o a compreender que haverá ganhos e perdas pelo resto da sua vida. Os pais devem contar sobre as vezes em que eles jogaram bem e outros dias em que fracassaram. Ao fazer isso, o pai estará dando exemplo de como lidar com cada resultado. Rudyard Kipling, em seu grande poema "SE", referiu-se tanto ao desastre como ao triunfo como "impostores".[6] Há sabedoria nisso. Nossos sucessos não são tão maravilhosos quanto parecem, nem os fracassos tão terríveis como parecem na ocasião.

A maneira como vocês pais reagem aos momentos penosos vai torná-los melhores ou piores. Meu amigo Dick Korthals contou uma história sobre sua ida a um *show* de cães que ilustra a abordagem apropriada. Como parte da competição, cerca de uma dúzia de cães tiveram ordem de "Pare!" e tinham de ficar como estátuas durante oito minutos, enquanto os donos saíam do ringue. Os juízes davam notas em relação à compostura deles durante a ausência dos donos. Depois de cerca de quatro minutos, Dick notou um cachorro na extremidade, um magnífico pastor alemão chamado Jake. Ele parecia estar perdendo a pose, deixando-se cair lentamente no chão. Quando o treinador voltou, o pobre Jake estava deitado sobre o estômago, com a cabeça entre as patas. Jake notou

178   Educando meninos

imediatamente a decepção nos olhos do dono e começou a arrastar-se de barriga na direção dele. Todos estavam esperando que o treinador repreendesse o cão pelo seu mau desempenho. Mas, em vez disso, ele abaixou-se, pegou a cabeça do cachorro nas mãos e disse depois com um sorriso: "Tudo bem, Jake. Vamos melhorar da próxima vez". Foi um momento muito tocante.

Há uma lição aqui para todo pai, não só com relação aos esportes, mas a tudo o mais. As crianças vão nos desapontar. Essa é uma parte inevitável da juventude. Quando o fizerem, nossa reação natural será gritar com elas: "Por que você fez isso?" e "Como pôde ser tão idiota?". Mas, se formos sábios, vamos lembrar que se trata apenas de pequenos seres humanos imaturos como costumávamos ser. Há ocasiões em que devemos dizer com amor e cordialidade: "Não faz mal, filho. Você vai fazer melhor da próxima vez".

Este é mais um conselho que talvez seja considerado também controverso: acho um grande erro pedir aos meninos que entrem em competição com as meninas em esportes de equipe. O sociólogo George Gilder explica a razão. Ele acredita que esportes coeducacionais desmoralizam e desanimam os meninos mais fracos, sem ajudar as meninas. Este ponto de vista contraria o que está acontecendo em muitas escolas americanas onde a educação física coeducacional é comum. Gilder disse: "Isto não passa de uma idiotice que surpreenderia qualquer antropólogo que saísse da floresta para observar o comportamento peculiar dos americanos em nossa sociedade".[7] Concordo plenamente.

Apresso-me em dizer que as meninas precisam tanto de oportunidades atléticas quanto os meninos, e que os esforços recentes nos Estados Unidos para abrir essas portas para meninas e mulheres têm sido recomendáveis. Ao mesmo tempo, porém, os rapazes perderam algo valioso no processo. Os esportes têm sido o domínio dos homens durante séculos. No ginásio e no campo de atletismo, eles encontraram uma válvula de escape para a identidade masculina e o orgulho pessoal. Essas coisas continuam disponíveis para eles, é claro, mas esse mundo foi invadido e, de algumas formas, dominado. De fato, os sexos começaram a tentar sobrepujar um ao outro.

Em 1999, depois de as mulheres americanas terem vencido a Copa Mundial de Futebol, foi colocada na capa do exemplar de 19 de julho da revista

Newsweek uma grande faixa proclamando: "As Mulheres Dominam". Em destaque puseram uma fotografia de Brandi Chastain toda musculosa em seu momento de vitória sobre a equipe chinesa, quando ela subitamente tirou a camisa, caiu de joelhos, fechou os punhos e gritou em triunfo. O editorial da revista explicava a manchete: "Dos campos suburbanos do futebol veio um novo grito de batalha: As Mulheres Dominam".[8] Descrevia também anúncios patrocinados pela Gatorade, que destacava o tema: "Posso fazer melhor", destacando outra jogadora do time, Mia Hamm, em oposição à estrela da NBA Michael Jordan. Os dois superastros participaram de uma série de competições esportivas, desde tênis até artes marciais, e Mia se igualou a Michael passo a passo. Rick Burton, professor da Universidade de Oregon, declarou o seguinte: "Temos o maior ícone dos esportes norte-americanos colocado ao lado dessa mulher que está dizendo: 'Posso vencer você'".[9]

Eu comemorei a vitória dos Estados Unidos no futebol quando aconteceu e, de fato, minha mulher e eu ficamos assistindo e aplaudindo durante o evento televisionado. Mia e suas companheiras mereceram os elogios feitos a elas pelo seu desempenho. Há, porém, algo que me perturba na maneira como a competição foi descrita. Colocar homens e mulheres um contra o outro é um erro. Ao proclamar: "As Mulheres Dominam", temos de perguntar sobre quem elas dominam agora. Sobre os homens? A implicação é que os homens foram "destronados", o que quer que isso signifique. Nossa cultura politicamente correta afirma aos jovens do sexo masculino de centenas de maneiras que eles são inferiores.

Como eu mudaria esta situação se pudesse? Não sei. Estou em conflito quanto a isso. Sou pai de uma filha que participou de corridas e outros eventos esportivos e reconheço o valor dessas atividades para as meninas e mulheres. Os esportes organizados não seriam acessíveis a elas há uma ou duas décadas, e isso teria sido lamentável. Só desejo que houvesse mais coisas que os homens pudessem fazer para definir a sua masculinidade. Uma a uma, áreas que antes eram únicas desapareceram até que não restasse quase nada que identificasse a virilidade. Nem mesmo o combate é responsabilidade exclusiva do homem hoje. Muitos aspectos da nossa cultura se tornaram unissexuais. Não é de admirar que os meninos tenham só uma vaga ideia do que significa ser homem.

Perguntas e respostas

Meu filho fez um teste para a equipe de basquete quando estava no segundo ano do ensino médio. Quando não conseguiu entrar, Josh ficou tão magoado e constrangido que nunca mais competiu. Ele é um atleta natural e poderia ter-se saído bem em vários esportes, mas não tem a confiança necessária para tentar. O senhor tem alguma sugestão?

O grande arremessador de beisebol Orel Hershiser foi entrevistado em nosso programa de rádio há alguns anos e contou uma história sobre a sua primeira experiência em esportes competitivos. Você talvez queira contar esta história a seu filho como pano de fundo para uma discussão sobre não desistir.

Orel disse que, quando estava na escola, tinha peito côncavo e podia "segurar a bola de basquete" com os ombros. Ele se considerava um "inseto rastejante" que não conseguia sequer uma namorada e tinha baixíssima autoestima. Todavia, este é o mesmo homem ao qual o gerente do L. A. Dodger, Tommey Lasorda, daria mais tarde o apelido de "Buldogue" por ser um competidor tão ardente. O que fez a diferença entre o fato de ser perdedor ou ganhador? Orel disse que foi por não ter desistido. Continuou tentando. Ele me contou que, se tivesse fracassado no beisebol, acredita que teria conseguido em algum outro esporte, porque sempre foi esforçado, alguém que "tenta", alguém que "faz".[10]

Essa mesma atitude poderia transformar seu adolescente num campeão. Há alguma coisa que ele pode fazer adequadamente. Descubra o que é, talvez com a ajuda de um técnico ou de um treinador, e insista que persevere. Ele talvez não venha a ser uma estrela da Série Mundial como Orel Hershiser, mas, por outro lado, talvez seja.

Meu filho é o do meio numa família de três meninos e ele parece estar mais "perdido" do que os outros dois. Há alguma coisa nessa posição na família?

Nem todo filho do meio tem dificuldade para se encontrar, mas alguns têm. Seu filho pode ser um deles. O desconforto resulta do fato de que não gosta da posição do mais velho nem da atenção dada ao mais novo. Quando chegou à idade em que começou a andar ou logo depois, seu território foi invadido por um esperto recém-nascido que roubou a mamãe dele. É de admirar que todo filho do meio pergunte frequentemente: "Quem sou eu e qual meu lugar na vida?".

Eu gostaria de recomendar que você assegure a identidade de todos os seus filhos, especialmente o do meio. Dê atenção a cada um de seus filhos todas as semanas, um de cada vez. Você pode jogar futebol, jogar basquete, comer *pipocas* ou *pizza,* ou visitar uma pista de *skate.* Não importa o que façam juntos, desde que seja algo que esse filho em particular goste e envolva só vocês dois. A escolha deve ser feita pela criança de quem é a vez.

O objetivo é novamente planejar atividades que enfatizem a individualidade de cada filho em separado de sua identidade no grupo. Aquele que mais necessita desta distinção é quase sempre o do meio. O seu pode ser um deles.

12   Os homens são tolos

INDICAMOS QUE O ENFRAQUECIMENTO da família e a ausência de pais dedicados são as principais razões por que os meninos estão em dificuldades hoje. Vamos considerar agora duas outras forças poderosas que chegaram nos fins da década de 1960 e dominaram o mundo. Elas são a revolução sexual e o feminismo radical, que contribuíram muito para a confusão masculina atual. Esse foi o período em que as nações ocidentais pareceram estar à beira da insanidade. A revista *Time* chamou isso de faca que separou o passado do futuro.[1]

Esta era trouxe uma nova maneira de pensar e de se comportar que continua conosco hoje. Nunca uma civilização alijou tão rapidamente seu sistema dominante de valores, todavia, foi isso que ocorreu numa única década. Não só os padrões e crenças morais tradicionais começaram a ruir, como o código antigo que governava o relacionamento entre homens e mulheres foi invertido. Isso precipitou certa guerra entre os sexos que continua sendo travada até os nossos dias. A história ensina que os jovens e os vulneráveis sofrem mais com as atrocidades da guerra. Neste caso, os homens da nação foram feridos pelo fogo de ricochete.

É impossível compreender o que está acontecendo a nossos filhos atualmente, tanto meninos como meninas, sem considerar a influência da ideologia feminista. Esta gerou ataque à própria essência da masculinidade. Tudo que fora associado com a virilidade foi sujeito à zombaria. Os homens que se apegavam aos papéis tradicionais e atitudes conservadoras eram considerados "machos" demais. Se tentavam abrir portas para as mulheres ou lhes davam seu assento nos ônibus ou trens do metrô, como seus pais faziam, eram chamados de "porcos chauvinistas". As mulheres se apresentavam como vítimas que não "iam aceitar mais isso", e os homens eram tidos como opressores cruéis que haviam explorado as mulheres e abusado delas, em geral, durante séculos. O número de divórcios subiu rapidamente à medida que as mulheres simplesmente faziam as malas e abandonavam os maridos e filhos. A *ira* era a senha nos *talk shows* de TV e novelas. Embora seja embaraçoso escrever sobre isso agora, lembro-me de certa entrevista na televisão com o ex-Beatle John Lennon e sua estranha pequena mulher, Yoko Ono, durante a qual eles cantaram sua nova música: "*Woman Is the Nigger of the World*" [A mulher é a negra do mundo].[2] A letra expressava a ideia injuriosa de que as mulheres não eram nada mais que escravas para seus senhores.

A guerra contra os homens começou, na verdade, com o discurso escrito por Kare Miller intitulado "Política Sexual". Ele foi apresentado numa reunião de "libertação das mulheres na Universidade Cornell e, pela primeira vez, caracterizou homens e mulheres como inimigos políticos.[3] A partir desse momento as paixões pegaram fogo. Em 3 de junho de 1968, o artista pop Andy Warhol foi baleado no estômago por Valeria Solanis, fundadora da SCUM (Sociedade para Cortar os Homens). A razão? Ele era um homem influente.[4] Num desfile de Miss América em 1968, as manifestantes feministas atiraram "todos os símbolos da opressão das mulheres", inclusive seus sutiãs, numa lata de lixo.[5] (Nunca ficou claro por que os homens foram culpados pelo que as mulheres não gostavam em sua roupa de baixo.) A seguir, as líderes juntaram todas as causas marxistas, proclamando: "Queremos destruir os três pilares da classe e uma sociedade de castas — a família, a propriedade privada e o estado".[6] A revolução bradava nas passarelas.

Embora essas primeiras feministas tenham chamado atenção para algumas preocupações válidas que precisavam ser encaradas, tais como pagamento igual para o mesmo trabalho e discriminação no emprego, elas ultrapassaram em muito as reclamações legítimas e começaram a destruir a estrutura da família. Quando a tempestade passou, a instituição do casamento havia sido abalada até os seus fundamentos e a masculinidade ficou de tal modo prejudicada que nunca se recuperou totalmente.

184   Educando meninos

As "queimadoras de sutiãs" já se foram agora e grande parte da sua retórica perdeu o crédito. Não obstante, discípulas dessas primeiras feministas e suas aliadas liberais na mídia, universidades e indústria do entretenimento continuam a moldar nossas atitudes e costumes. As mais radicais entre elas ainda buscam desacreditar a masculinidade e destruir o que julgam ser os últimos vestígios da sociedade patriarcal. É extremamente importante que os pais compreendam esta guerra entre os sexos, porque ela influencia a maneira como criam seus filhos. A feminista Karla Mantilla resumiu a filosofia por trás dela num artigo intitulado: "As Crianças Precisam Tanto de 'Pais' Quanto os Peixes Precisam de Bicicletas". Ela escreveu: "Afirmo que os homens tendem a enfatizar valores como disciplina, poder, controle, caráter e independência. É claro que há algo bom nessas coisas, mas elas são na maioria danosas às crianças (e outros seres vivos). Elas certamente fizeram meu filho ter uma existência isolada e torturada até que começou a perceber que havia um meio de fugir da armadilha da masculinidade".[7]

Armadilha da masculinidade? É assim que muitas feministas consideram a virilidade. Um ponto central desta hostilidade é visto no esforço contínuo de convencer-nos de que "Os homens são tolos". Ela afirma que a maioria deles é imatura, impulsiva, egoísta, fraca e não muito inteligente. Evidência dessa campanha pode ser ainda observada em quase todas as dimensões da cultura. É interessante notar, por exemplo, como o desrespeito pelos homens invadiu a indústria de entretenimento, inclusive muitos comerciais de televisão. A fórmula envolve uma linda mulher (ou um grupo delas) inteligente, *sexy*, admirável e autoconfiante. Ela encontra um homem relaxado, geralmente num bar, que é um vaidoso, ignorante, careca e gorducho. O sujeito estúpido, como o chamarei, rapidamente mostra quem é na tela, e nesse ponto ela sorri desdenhosa ou vai embora. Há centenas desses anúncios na TV atualmente. Procure vê-los na telinha. Eles mudam constantemente, mas este é o tipo de coisa que você vai ver:

1. O sujeito estúpido fica tão atraído pela mulher vistosa que derrama a cerveja nas calças. Esta fórmula é uma das favoritas para os anunciantes e tem muitas variações.

Os homens são tolos 185

2. O sujeito estúpido que gosta tanto de dirigir seu carrão põe batom na gola do paletó, desarruma o cabelo e torce a camisa. Ele está tentando fazer com que a esposa pense que esteve com outra mulher, mas quando chega a casa, ela olha para ele com desprezo e diz: — Você andou dirigindo outra vez, não é? — Ele suspira e baixa os olhos, como menino apanhado roubando doces.

3. O sujeito estúpido tem muito medo de falar com certa mulher bonita num bar, e o amigo escreve bilhetes sem importância para animá-lo. Eles sugerem que diga: *Oi e Como vai?* — No fim, a moça vai embora com o escritor dos bilhetes e o sujeito estúpido fica confuso e sozinho no bar.

4. O sujeito estúpido é um homem balofo de seus 40 anos, de pé, sozinho na frente do espelho de seu quarto. Não está de camisa. Depois, tenta experimentar o sutiã da mulher. Nesse momento, a mulher entra pela porta. O pseudo travesti é apanhado. Ela não nota o sutiã e pergunta a ele alguma coisa sobre esportes. O alívio se espalha em seu rosto. A legenda então diz: "'Algumas perguntas são mais fáceis de responder do que outras".

5. O sujeito estúpido está tentando impressionar uma mulher bonita com seu conhecimento de futebol profissional, mas ela o corrige a cada passo. Ele, então, faz com que ela se lembre de que ele tinha sido um "guarda" dos Pittsburgh Steelers. A moça diz com sarcasmo: — Larry, você foi guarda do estacionamento!

6. Três sujeitos estúpidos estão de pé numa festa quando veem uma mulher bonita de vermelho. Um deles a identifica para os outros como "a mulher do presidente, sra. Robinson". (O cenário recorda uma sra. Robinson do filme *A Primeira Noite de um Homem* que seduziu o ator Dustin Hoffman.) Nesse ponto a mulher vai até um dos homens e diz: — Você já viu alguma vez algo e sabia que o desejava? — O sujeito estúpido engole em seco e treme. Este é o seu grande momento. Então a sra. Robinson agarra a sua cerveja "Killian' Irish Red" e vai embora.

7. O sujeito estúpido se aproxima de uma moça deslumbrante num bar, que está colocando uma cerveja num copo. (Adivinhe o que vai acontecer!) Ela sorri sedutora. Ele fica tão estonteado com a beleza dela que deixa o copo transbordar. O anunciante então chama isso de "transbordamento". Há pouca dúvida sobre o significado dessas palavras.

8. Uma moça deslumbrante está escondida atrás de certa árvore numa floresta, "estudando" o comportamento de vários sujeitos estúpidos que ela chama de "primatas" e "homens nômades". Ela toma nota enquanto os homens se empolgam com um evento esportivo na TV, dançando em volta do carro e agindo como chimpanzés na floresta.

9. Este é o pior de todos. O sujeito estúpido é treinador num ginásio e está mostrando a uma moça deslumbrante como endurecer os "glúteos", ou seja, os músculos das nádegas. Ele fica de pé na frente dela e começa a resmungar e se contorcer, curvando-se levemente para diante e fazendo caretas. Ficamos imaginando se algo terrível está acontecendo em suas calças. Então ele põe a mão para trás e pega uma noz que aparentemente quebrou com o seu traseiro. Esse anúncio repulsivo tentava de alguma forma fazer com que o espectador alugasse um carro da Budget. Ele não funcionou para mim, posso assegurar.

Ficamos imaginando por que há tantos anúncios desses "sujeitos estúpidos" na televisão hoje. A razão deve ser porque são eficazes, isto é, aumentam as vendas dos produtos que anunciam. As agências conduzem pesquisas de mercado completas antes de comprometer milhões de dólares corporativos em propagandas como essas. O que está então acontecendo? É possível que os homens, especialmente os bebedores de cerveja e entusiastas de carros esportes, gostem na verdade de ser retratados como ignorantes, tarados, gordos, burros e feios? Eles aparentemente gostam. Temos também de supor que os sujeitos não ficam ofendidos quando são alvo de milhares de piadas. Mas, por quê? As mulheres não tolerariam esse tipo de depreciação. Você vai notar que a polaridade dos anúncios do sujeito estúpido *nunca* é invertida. Nem em um milhão de anos você veria uma mulher corpulenta, pouco atraente, ansiando por um homem bonito que mostra desdenhá-la quando ela faz algo ridículo. Os homens, porém, não parecem notar que a piada é sobre eles. Talvez tenham perdido a sensibilidade durante 35 anos de surras.

A internet tornou-se fonte inesgotável de humor dirigido contra os homens. Eis um exemplo recente de certo autor anônimo, chamado *Piadas Sobre Homens Tolos — Estranhas, mas Verdadeiras*. Não é muito engraçado, mas alcança seu objetivo.

Os homens são tolos   187

1. Não imagine que pode mudar um homem — a não ser que ele ainda use fraldas.
2. Nunca deixe a mente de seu homem divagar — ela é pequena demais para sair sozinha.
3. Definição de um solteiro: um homem que perdeu a oportunidade de fazer alguma mulher infeliz.
4. A melhor maneira de levar um homem a fazer algo: sugira que ele é velho demais para isso.
5. Se quiser um homem de palavra, procure-o num hospício.
6. Procure um homem mais jovem. Faria bem, eles nunca amadurecem mesmo.
7. Qual a melhor maneira de levar um homem a fazer "exercícios abdominais"? Pôr o controle remoto entre os dedos dos seus pés.

Muito inteligente, não é?

Filmes inspiradores do passado que representavam de modo comovente a força moral e o heroísmo, tais como *Mutiny on the Bounty* [Motim a Bordo] ou *Goodbye Mr. Chips* [Adeus, mr. Chips], deram lugar nas décadas de 1970 e 1980 às críticas violentas de ódio ao homem em *Thelma and Louise* [Telma e Louise] e *Nine to Five* [Nove para as Cinco]. Enquanto isso, a mulher ideal do cinema mudou de figuras delicadas e femininas, tais como Donna Reed em *It's a Wonderful Life* [É uma Vida Maravilhosa], para mulheres agressivas e masculinizadas, tais como as de *Charlie's Angels* ou a última refilmagem de Joana D'Arc. Seu caráter absolutamente não revelava convicção religiosa, o que é curioso dada a origem cristã da sua história. Em vez disso, era uma dura estrategista militar que levou seus subordinados masculinos à guerra. A virilidade em tais filmes é quase sempre representada por papéis subservientes e fracos.

Mesmo quando os filmes populares não são especificamente hostis aos homens, eles quase sempre destroem o respeito pela masculinidade sob um ou outro aspecto. Um exemplo clássico deste preconceito foi visto no aplaudido filme de 1997, *Titanic*. Ele recapitulou a trágica história do enorme navio que afundou a 15 de abril de 1912. Naquela noite gelada, 1.509 pessoas se afogaram ou

188 Educando meninos

morreram de frio perto do Círculo Ártico.[8] Os destroços permaneceram intocados até 1985, quando o barco foi localizado pelo explorador Robert Ballard a quase 3.962 metros de profundidade.[9] O navio em si parecia estar deteriorando rapidamente em vista da ferrugem causada por uma bactéria que come metal. Portanto, um esforço ambicioso foi feito para recuperar artefatos e coisas dignas de serem lembradas do fundo do oceano. Até hoje, os exploradores e oceanógrafos trouxeram de volta um número impressionante de objetos fascinantes.

Minha esposa Shirley e eu tivemos oportunidade de visitar em Boston uma exposição de alguns dos artigos recuperados e preservados. Andamos silenciosa e quase reverentemente entre os antigos objetos daqueles que morreram há tanto tempo. Os bens incluíam garrafas de perfume, roupas, joias, candelabros, a louça do navio, faqueiros e um relógio de bolso que deixou de bater no momento em que seu dono escorregou para o mar. Várias fotografias e cartas também sobreviveram, por terem sido guardadas em malas ou cofres herméticos. Foi uma experiência comovente para minha mulher e para mim, enquanto tentávamos imaginar o que os infelizes passageiros tinham passado e como teriam sido os seus minutos finais.

Chegamos então à última sala da exposição, onde o nome dos que morreram estavam inscritos em ordem alfabética em pratos de vidro. O que nos surpreendeu foi a escassez de mulheres na lista. De fato, 1.399 homens morreram naquela noite trágica, mas apenas 114 mulheres e 56 meninos e meninas.[10] Por que essa diferença? Porque, com pouquíssimas exceções, os maridos e pais deram suas vidas para salvar as mulheres e os filhos. Foi um dos exemplos mais inspiradores de amor sacrificial da história. Esses homens condenados desapareceram nas águas geladas do Atlântico para que seus entes queridos pudessem sobreviver para verem outro dia. É por esse motivo que o *Titanic* é chamado até hoje de "Navio das Viúvas".

Eu estava discutindo recentemente este acontecimento histórico com um jovem autor, Ned Ryun, filho do Congressista norte-americano Jim Ryun. Ele me enviou um relato escrito do Rev. John Harper de Glasgow, Escócia, que esteve no *Titanic* na noite em que afundou. Ele foi um dos homens que gritou ao começar a corrida enlouquecida para os salva-vidas: "Deixem as mulheres, as criança e os não salvos entrarem nos barcos salva-vidas". A seguir, ele beijou em despedida sua única filha, Nana, e colocou-a nos braços de um dos oficiais do navio a bordo de um dos barcos salva-vidas. Em breve afundou nas águas frias do Atlântico. Esta é a descrição de Ned do que aconteceu em seguida.

> Não preocupado com a sua vida, mas com os que estavam morrendo à sua volta, Harper nadou com seu último fôlego até os agonizantes e gritou para eles que pedissem a salvação: — "Creia no Senhor Jesus Cristo e será salvo".
>
> Quando suas forças começaram a faltar, Harper falou com um homem agarrado a um pedaço de madeira: — Você é salvo?
>
> — Não — foi a resposta.
>
> Alguns momentos depois, Harper e o homem entraram novamente em contato: — Você já está salvo?
>
> — Não — replicou ele outra vez.
>
> — Creia no Senhor Jesus Cristo e será salvo — gritou Harper pela última vez e depois disso afundou nas ondas. O jovem agarrado à madeira foi resgatado e testemunhou mais tarde que fora realmente salvo naquela noite, não só pelo navio que o resgatara, mas pelas palavras de John Harper.

Houve muitos relatos desse tipo de heroísmo masculino enquanto o grande navio afundava. Infelizmente, James Cameron, capitão do *Titanic,* preferiu ignorá-los. Em vez disso, ele descreveu os homens condenados como covardes e tomados pelo pânico. Na sua versão, centenas de passageiros do sexo masculino foram mantidos longe dos barcos salva-vidas sob a mira de uma arma. Foi mostrado certo homem passando sorrateiramente pelas mulheres e crianças e agarrando um dos preciosos assentos. A história confirma que houve alguns que se comportaram de forma vil, mas a maioria não. Só 325 homens sobreviveram ao naufrágio,[11] e alguns deles eram os marinheiros encarregados dos pequenos botes. A linda e jovem heroína do filme, Rose, era uma moça irascível que preferiu afundar com o navio. Seu noivo, Cal, era um caráter desprezível que tentou subornar um marinheiro para ter acesso a um bote salva-vidas. Quando rejeitado, ele agarrou uma criança e pulou para bordo. Não há dúvida de que Cameron queria que pensássemos que a maioria dos passageiros homens

190   Educando meninos

teria passado à frente das mulheres e crianças se tivessem oportunidade. Desse modo, ele desrespeitou a memória dos que ficaram para trás voluntariamente. Suzanne Fields escreveu: "Se o *Titanic* naufragasse hoje, não haveria 'mulheres ou crianças primeiro'. Um homem covarde não teria de usar vestido para entrar nos botes salva-vidas. Algumas das mulheres o ajudariam a entrar".[12]

Não obstante a qualidade do *Titanic* seus notáveis efeitos especiais, a maneira como os homens foram mostrados no filme foi característica da indústria do cinema atual. Raramente se perde a oportunidade de mostrar os homens como egoístas, desonestos, que odeiam mulheres ou de apresentá-los de maneira desrespeitosa. O jogo é assim hoje.

Os seriados da TV também atacam a masculinidade tradicional, como bola de demolição atirada num prédio. Depois de batidas diretas suficientes, a estrutura começa a desmoronar. Não existe um único exemplo, enquanto escrevo, de uma família saudável descrita numa programação da rede que inclua um espécime masculino que ame seus filhos e seja respeitado pela esposa. Nenhum! A partir da década de 1970, com Archie Bunker e sua mulher intimidada, Edith, os programas principais da TV evoluíram para o que é apresentado atualmente, a maioria deles retratando coabitantes profanos e sexualmente explícitos que vagam de um episódio insultuoso para outro. Os personagens principais são geralmente homens com a mentalidade irrefletida de um garoto de 14 anos. O melhor (ou pior) exemplo desta insensatez foi visto num seriado apresentado há alguns anos sob o título: *Men Behaving Badly* [Homens de Mau Comportamento]. O título diz tudo.

Invariavelmente, os seriados de hoje contêm pelo menos um personagem *gay* ou lésbico, que desempenha papel simpático. É uma força poderosa na cultura. Um dos principais alvos dos ativistas homossexuais é influenciar a próxima geração e recrutar crianças para o seu movimento, caso não seja para o seu estilo de vida. Essa iniciativa é, porém, devastadora. Como podem meninos e jovens impressionáveis discernir o que significa ser heterossexual, menos ainda marido e pai dedicado e disciplinado, quando toda essa baixaria lhe é servida todas as noites e quando seus próprios pais não podem ser encontrados? Lembre-se também de que outros exemplos populares do sexo masculino são no geral tipos eróticos, tais como atletas profissionais que geram (e depois abandonam) seis ou oito filhos com tantas mães e estrelas do *rock* que põem *piercings* no corpo e deterioram o cérebro com drogas que alteram a mente. O que tal comportamento transmite aos meninos que estão tentando imitar esses homens perdidos e irresponsáveis?

Vemos também exemplos da ideia "os homens são tolos" expressos nos cartões de felicitações atuais. Embora seja politicamente incorreto ridicularizar mulheres, homossexuais ou minorias, o menosprezo pelos homens brancos — pelo menos a variedade heterossexual — é bem aceito. Visite uma papelaria e vai notar que isso se tornou negócio lucrativo. As mulheres compram aos milhares esses cartões humilhantes. É interessante, porém, que os cartões para venda aos homens não têm esse mesmo tom. Suas mensagens são tipicamente amáveis e amorosas para as esposas ou namoradas. A diferença entre os cartões românticos para homens e os desrespeitosos para as mulheres é surpreendente. O autor Warren Farrel escreve: "Se um homem depreciar uma mulher, isso pode virar processo. Mas se as mulheres depreciarem os homens, é um cartão de felicitações".[13]

Eu poderia encher um livro com outros exemplos de ataques aos homens na cultura atual. O principal entre eles são os currículos dos programas universitários para mulheres, cujo tema central é o ódio e o ridículo em relação aos homens. Roger Scruton, autor de *Modern Manhood* [Virilidade moderna], explicou o que está acontecendo com as percepções da masculinidade. "As feministas sentiram o cheiro do orgulho do homem onde ele cresceu e cruelmente o arrancaram. Sob a pressão delas, a cultura moderna rebaixou ou rejeitou as virtudes masculinas, tais como coragem, tenacidade e bravura militar, em favor de hábitos mais amáveis, mais 'socialmente' inclusivos".[14]

O psicólogo empresarial, dr. Tim lrwin, vice-presidente da Right Management Consulting, observou essas mesmas tendências nos ambientes de negócios. Elas resultaram no que ele chama de "feminizar o lugar de trabalho". Irwin disse que o esforço para acabar com o molestamento e a discriminação sexual, preocupação legítima a ser resolvida, colocou grande poder político na mão das mulheres. A carreira de um homem pode ser arruinada até pela implicação, válida ou inválida, de que tratou desrespeitosamente uma empregada. A possibilidade de ser acusado de molestamento tem intimidado os homens, mesmo em circunstâncias em que a ação disciplinar é necessária ou quando ocorrem divergências entre os supervisores e suas subordinadas. Muitos homens nessa situação temem exercer a liderança necessária se isso puder desagradar ou irritar uma mulher. É mais seguro "fugir de medo".

Os melhores gerentes e líderes do passado eram homens "de pulso", afirmativos e autoconfiantes. Os prováveis líderes de agora se mostram inseguros quanto a como desempenhar-se no jogo, desde que é politicamente incorreto ser "macho" ou tradicionalmente masculino. Isto leva alguns a fazerem experiências no lugar de trabalho. Os pontos positivos das mulheres são intercomunicação, colaboração, facilitação, ensino, treinamento e cuidados. Os pontos positivos dos homens são organização empresarial, ideias independentes, construção, tomada de riscos, planejamento e liderança. Os dois sexos têm contribuições a fazer, mas algo se perde quando as mulheres compreendem o que é ser mulher enquanto os homens estão confusos quanto ao significado da masculinidade. Quando recursos legais poderosos são providos para um sexo a fim de eliminar a injustiça social, o outro sexo fica vulnerável e confuso.

O resultado é que muitos homens perderam seu rumo. Eles não só não sabem quem são, como também estão incertos quanto ao que a cultura espera que sejam.

Está na hora de os homens agirem como homens — sendo respeitosos, atenciosos e cavalheirescos com as mulheres, mas reagindo com confiança, força e afirmação em suas maneiras. Alguns se *acovardaram,* agindo como cachorrinhos açoitados. Outros *falaram* ousadamente contra a influência feminista, recusando-se a ser intimidados pelos defensores da correção política. Outros *deram coices,* reagindo com raiva e frustração. Outros *se apagaram,* recorrendo ao álcool, às drogas, ao sexo ilícito e outras vias de fuga. Alguns *desistiram,* procurando alternativas na TV tediosa, esportes profissionais e atividades recreativas obsessivas. Alguns *se venderam,* tornando-se advogados da nova identidade. Alguns simplesmente *partiram,* deixando as famílias em apuros. Muitos, porém, parecem placidamente ignorantes de terem perdido seu lugar na cultura. O resultado é uma visão diferente da masculinidade com implicações em longo prazo para o futuro da família.

Posso ouvir agora alguns de meus lei tores dizerem: "Vamos! Você está exagerando. O que há de mais em divertir-se um pouco inocentemente à custa dos homens?". Concordo em que eles tenham idade suficiente para cuidar de si mesmos. Minha maior preocupação é com os garotos vulneráveis, que se deixam impressionar, e o que está sendo feito contra eles. Eles, como os pais, são objeto do sarcasmo da sociedade de nossos dias.

Os meninos precisam desesperadamente de amigos. Eles são vítimas de longa e custosa batalha entre os sexos que aviltou a essência da masculinidade e atacou o mundo das crianças. Isso não é bom. Colocar meninos e meninas uns contra os outros como competidores e inimigos não pode ser saudável para ninguém! Como escreve Kathleen Parker, "É idiota continuar insistindo que um sexo é o vitorioso enquanto o outro é a vítima, o que além de ser uma inverdade é covarde em seu efeito. Os meninos que são levados a se sentirem supérfluos, se não inferiores, não podem senão ressentir-se das meninas".[15]

Estas são algumas das condições sociais que tornam o trabalho de criar meninos mais difícil atualmente. Sua tarefa como pais é contrabalançar essas forças mediante a educação e orientação que dão a seus filhos em casa. Envolvam-se nas escolas locais. Leiam os livros didáticos. Façam milhares de perguntas. Vão às reuniões de pais e mestres. Conheçam os professores e perguntem sobre os objetivos deles em classe. Encorajem os educadores que estão tentando ensinar os elementos básicos. Oponham-se aos que não fazem isso. Juntem-se a um grupo de mães e orem diligentemente por seus filhos e sua escola. Se a sua preocupação crescer demais, transfiram seus filhos e filhas para escolas cristãs. Não deixem que sua atenção seja de modo algum desviada durante a infância de seus filhos. Eles vão passar rapidamente. Pouca coisa na vida sobrepuja essa responsabilidade dos pais em importância.

PERGUNTAS E RESPOSTAS

Agora que mencionou, posso ver que os homens estão sendo descritos como mais femininos e as mulheres parecendo mais com homens. Vi um filme outro dia em que uma linda mulher ficou zangada com um homem grandão e rude. Ela o derrubou com um soco e quebrou seus dentes da frente. Sou

cirurgião ortopédico e posso dizer que os ossos pequenos da mão de uma mulher jovem se quebrariam muito antes de ela fraturar o maxilar robusto de um homem. Seria também quase impossível para ela deixá-lo inconsciente com um golpe arrasador. Por que o senhor acha que Hollywood está querendo criar um mito sobre isso?

Como vimos, faz parte dos cálculos femininos mostrar as mulheres como poderosas, corajosas e invencíveis, enquanto os homens são fracos, emotivos e facilmente manipulados. A indústria do entretenimento, que parece decidida a nos desfibrar, trabalha de mãos dadas com os ativistas feministas e homossexuais para nos introduzir nesse bravo e novo mundo. Sua apresentação do modelo masculino e feminino é quase pervertida ou deformada de um ou outro modo.

Vou ilustrar o ponto referindo-me ao filme *Noiva em Fuga*, que entrou em cartaz em 1999. Foi um dos filmes mais populares do ano. Se me permite, gostaria de descrever a história em detalhe, porque este filme era propaganda feminista clássica, mas poucos espectadores com quem falei sequer notaram o que estava sendo dito. O enredo era uma dramatização ostensiva do "novo homem castrado" e da "nova mulher masculinizada". A história era uma celebração de noventa minutos da inversão de papéis dos sexos que contradizia a convenção a cada passo. Ela se iniciava com a estrela Julia Roberts cavalgando entre as árvores, com seus lindos cabelos e seu vestido de noiva flutuando ao vento. Ela acabara de abandonar seu terceiro noivo atônito no altar. Desde a infância, a maioria das meninas sonha com o dia do casamento romântico, enquanto os rapazes são os que, geralmente, têm dificuldade para comprometer-se. Neste filme, porém, os homens eram otários que corriam atrás dessa criatura esquiva, com ares de menino.

Desde o início, os episódios de confusão sexual se apresentavam ao espectador em ordem desconcertante. Julia era algumas vezes um mecânico, um encanador e um especialista em ar-condicionado que criava lâmpadas desgraciosas com sucata. Era muito agressiva e egoísta, mas charmosa. Tomava conta da loja de ferragens da família, dirigia uma picape velha, usava quase sempre bota militar e carregava com facilidade uma mochila pesada que o namorado tinha dificuldade em levantar. Quando frustrada, ela socava um saco de treinamento de boxe com ar de vingança, fazendo caretas e suando profusamente. Em algum ponto, a trilha sonora incluiu fragmentos da música pop *She's a Man Eater* [Ela é uma devoradora de homens]. Nós entendemos a conexão.

Julia mostrou o que ficou conhecido como "a nova androginia", tendo características estereotipadas masculinas e femininas. Tinha mãos limpas, delicadas, unhas tratadas, pele acetinada e um corpo lindo; entretanto, ganhava seu sustento trabalhando com graxa e lutando como homem. Ela se misturava aos rapazes nos jogos de futebol, lembrava-se do nome do superastro Jerry Kramer da década de 1950, enquanto o namorado — um treinador de futebol — não conseguia lembrar. Nenhuma oportunidade foi perdida para nos dizer que Julia era um "homem". Todavia, era uma coisinha linda e delicada.

Considere agora como o filme tratou a imagem masculina. O ator principal, Richard Gere, era um sujeito atraente, mas bastante tímido e desajeitado. Ele estava sem emprego, tendo sido depreciado e demitido pelo chefe, que era a sua ex-mulher. Tudo que tentava acabava em fracasso. Quando o carro dele quebrou, Julia simplesmente abriu o capô e, imediatamente, descobriu que ele colocara combustível com chumbo num motor para combustível sem chumbo. Ficamos imaginando como Gere conseguiu comprar a gasolina errada, desde que ela não era mais vendida legalmente. Mesmo que conseguisse comprá-Ia, não poderia tê-la posto no tanque, porque, pela lei, esse combustível é colocado por meio de uma mangueira larga demais para ajustar-se. A inaptidão de Gere como homem era patética, enquanto Julia mostrava excelência em todas as coisas masculinas. Depois que o motor de Gere enguiçou, os dois voltaram para casa por um campo coberto de mato, onde ela lhe disse calmamente que havia muitas cobras sob os pés deles. Aterrorizado, Richard começou a saltar por entre as touceiras como uma criança descalça numa calçada quente. Julia riu e continuou andando despreocupada. Ela era mesmo um sujeito duro, sem dúvida alguma.

Todos os outros personagens ilustravam o tema central de que as mulheres eram mais masculinas do que os homens e que estes não servem para quase nada. Havia uma cena reveladora dirigida aos meninos e meninas que apareceu apenas momentaneamente na tela. Quando Richard chegou à cidade de Julia, vemos um menino pequeno curvado sobre um cavalo de pau enquanto uma menina linda passava por ele num pônei de verdade. Ela tinha o nariz empinado. A cena rápida, irrelevante à história, exemplificou o que o diretor e os escritores estavam tentando dizer. As mulheres de todas as idades são confiantes e fortes, enquanto os homens são invariavelmente fracos e ineficazes. Até a idosa avó de Julia entrou no ato. Ela se interessava por homens jovens, comentando que gostava particularmente dos que tinham "coques apertados". E a coisa continuava.

Noiva em Fuga tinha claramente uma agenda política, como quase todo filme contemporâneo. Isto é o comum nas películas atuais. Os protagonistas masculinos são, no geral, retratados como estereotipicamente fracos, perdidos, confusos e bastante femininos. As virtudes masculinas, como caráter moral, autocontrole, integridade e confiança, raramente aparecem nas dramatizações. Com exceção de *O Patriota*, exibido em 2000, os homens quase nunca são vistos como pais fortes, amorosos e maridos fiéis às esposas e profundamente dedicados aos filhos. As mulheres, por outro lado, aparecem como profissionais fisicamente poderosas, geralmente advogadas ou cirurgiãs, no controle das coisas. Nem todos os filmes seguem esta fórmula, é claro, mas isso é muito comum atualmente. A colunista Maureen Dowd os descreveu deste modo: "As novas heroínas são agressivas e sagazes. Elas adaptaram todos os traços que antes desprezavam nos homens. Mentem, espionam, enganam, tramam vingança, tratam o sexo com casualidade e [depois] caem fora".[16]

Um último comentário: você mencionou a luta de socos que viu em outro filme entre uma mulher bonita e um homem de aparência rude. Ela o derrubou com um único golpe. Esta cena está ocorrendo cada vez com mais frequência nos filmes de Hollywood. Tem, no entanto, o potencial de ser muito contraproducente para as mulheres. Um dos absolutos na cultura é que um homem nunca é justificado por bater numa mulher, e por boa razão. As mulheres não são tão fortes quanto os homens e devem ser protegidas da brutalidade masculina. Mas, quando elas são mostradas como autossuficientes e derrubando homens duas vezes maiores, isso destrói a base da proibição de violência de qualquer tipo contra as mulheres, quer no casamento ou em qualquer outro lugar. Como geralmente acontece, as mensagens que nos são dadas pela indústria do entretenimento são quase sempre destrutivas ou absolutamente tolas.

13   Meninos na escola

EXAMINAMOS A FUNDO O preconceito contra os meninos na escola e como eles são frequentemente discriminados sexualmente. Há outros aspectos que devemos considerar agora sobre como eles aprendem, como muitos fracassam e como sua constituição física e moral lhes é muitas vezes desfavorável.

Quase toda autoridade em desenvolvimento infantil reconhece que as escolas nos Estados Unidos não são tipicamente instaladas para acomodar as necessidades específicas dos meninos. As salas de aula, especialmente, são projetadas principalmente por mulheres para ajustar-se ao temperamento e estilos de aprendizado das meninas. Ao contrário dos preconceitos ostensivos descritos no capítulo anterior, porém, esta desvantagem para os meninos é em grande parte involuntária. É simplesmente a maneira como as escolas sempre funcionaram. O psicólogo de Harvard e autor William S. Pollock disse o seguinte: "As meninas gostam mais da escola. Elas se ajustam a ela. Os meninos não, eles são ensinados num tempo que não se ajusta a eles. São ensinados de um modo que os faz sentir-se inadequados e, se reclamam, são mandados para a diretoria".[1]

O psicólogo Michael Thompson, autor de *Raising Cain: Protecting the Emotional Life of Boys,* expressou também alarme quanto ao que está acontecendo aos meninos pequenos na sala de aula. Em suas palavras: "Os meninos sentem que a escola é um jogo armado contra eles. As coisas em que se sobressaem — habilidade para lidar com automóveis, habilidades visuais e espaciais, sua exuberância — não são bem recebidas na escola".[2] As crianças estão sendo também colocadas em ambientes educacionais formais com menos idade, o que é muito difícil para os meninos. Seu desenvolvimento tende a ser seis meses mais atrasado do que o das meninas aos 6 anos, o que torna difícil para muitos deles ficar sentados quietos e trabalhar com lápis e papel e suportar as pressões sociais repentinamente atiradas sobre eles. Grande número dessas crianças têm um mau começo e começam a sentir-se "tolas" e inadequadas.

Um jovem na casa dos 20 disse-me certa vez: "Lembro-me de ficar sentado na cadeira na primeira série e pensar: *Se apenas me deixassem ficar de pé. Se eu apenas pudesse ficar de pé!* Milhares de crianças imaturas são assim. Elas têm um poderoso motor a jato, mas não têm leme. Ficam em agonia quando lhes pedem que fiquem longos períodos em relativa inatividade, proíbem ruídos e os colocam num lugar onde tudo é preso com firmeza. Elas querem correr, saltar, lutar, rir e subir, coisas que o sistema simplesmente não tolera. Thompson afirmou: "Na quarta série, [os meninos] estão dizendo que os professores gostam mais das meninas".[3] E estão provavelmente certos.

Vamos dizer a verdade, a escola pode ser um lugar difícil para os que não se "ajustam" ao programa típico de sala de aula. O que fazemos com essas crianças que ficam para trás nas matérias básicas? Nós as anestesiamos com medicamentos ou exigimos que repitam de ano. Esta segunda alternativa está se tornando politicamente popular agora. Reter um menino muito imaturo na primeira ou segunda série pode ser boa ideia, porque lhe dá oportunidade para crescer sem um aspecto muito negativo. Mas na terceira série ou depois dela, reter uma criança pode ser desastroso. Posso afirmar pelos muitos anos de experiência que a única coisa que se obtém ao "reter" uma criança depois das primeiras séries é humilhá-la e desmoralizá-la. Isso leva à apatia, rebelião, quebrantamento de espírito — ou as três coisas. Ele se arrasta, então, para a puberdade um ano ou dois após seus iguais e causa problemas. Reter os que fracassam não é a panaceia que os proteladores prometem.

Encontrei milhares de pequenos perturbadores imaturos que enlouqueciam os professores no correr dos anos. De fato, eu costumava ser um deles. Lembro-me de não conseguir manter a boca fechada quando estava na terceira série. A professora, sra. Hall, escreveu meu nome no quadro e advertiu que, se eu tivesse mais duas "marcas" por falar, correria muito risco. Eu tentei sinceramente calar-me, mas não conseguia manter meus pensamentos para mim mesmo. Eu me curvei e sussurrei algo para o colega ao lado. Fui apanhado de novo pelo longo braço da lei. Quando esta segunda marca apareceu no quadro, a sra. Hall ficou visivelmente irritada. Ela se aproximou silenciosamente de sua mesa e se pôs a cortar algo em uma cartolina. Eu me senti como se fosse ser executado. Todas as outras crianças olhavam curiosas para ver o que a professora estava fazendo. Em breve descobri. Ela estava fazendo uma espécie de máscara para colocar sobre a minha boca e pescoço. Prendeu a cartolina e deixou-a no lugar até o recreio. Foi um dos momentos mais embaraçosos de minha vida. Eu na verdade achei que minha vida tinha acabado. As meninas riam e os meninos apontavam enquanto eu ficava ali sentado com aquela máscara ridícula. Foi horrível.

Não culpo a sra. Hall por ter feito o que fez. Eu estava evidentemente deixando-a nervosa e cheguei ao seu limite. Mas a sra. Hall, provavelmente, subestimou a humilhação que esta experiência me causaria. Além do mais, ela pode não ter compreendido que eu não estava sendo deliberadamente desrespeitoso. Era apenas uma criança inquieta que não podia ficar parada e fechar a boca.

Variações deste tema acontecem todos os dias na escola. A escritora Celeste Fremon descreveu uma delas num artigo intitulado: "Nossas Escolas Estão Falhando em Relação aos Nossos Meninos?". Ela escreveu:

> Quando meu filho contou que fora castigado por correr no recreio de sua escola primária, pensei que estava exagerando. Que escola proibiria correr na hora do recreio? Mas soube depois que a escola tinha acabado de instituir uma regra proibindo correr porque, como a diretora me informou em tom vagamente de censura, "'As crianças podem machucar-se", como se tal explicação fosse desnecessária para um pai realmente cuidadoso.
>
> A proibição de *não correr* seguiu-se logo depois de outro incidente em que meu filho, cujo nome é Will, foi quase suspenso por pular por sobre um banco. Esta foi aparentemente a segunda infração. "Ele sabe que pular sobre o banco é contra o regulamento, portanto, isto constitui desafio", disse a diretora. Sou a primeira a concordar que os professores devem manter a ordem, e Will foi sempre uma criança ativa — gostava de subir em árvores, saltar de bancos e de todo tipo de agitação. Quando fica triste, irá, provavelmente, consolar-se batendo com força em seus tambores ou aprendendo sozinho uma nova manobra em sua prancha de *skate*.

Todavia, ele é também um menino bondoso, muito inteligente, que não entra em brigas, que desenha projetos para a feira anual de ciências e tira excelentes notas nos testes-padrão que as escolas fazem todo ano. Todavia, durante grande parte de sua carreira acadêmica (Will está agora na oitava série), fui chamada para entrevistas com professores e administradores carrancudos. Sua letra é ruim, dizem eles gravemente. Ele se remexe durante a aula de inglês, quando deveria estar tomando notas. E colocou o boné enquanto ainda estava na sala de aula.

Em meus momentos mais difíceis, penso no que há de errado comigo como mãe que tantos educadores com quem Will entrou em contato deixam de perceber o exuberante futuro inventor que acredito que ele seja, em vez de apenas um menino irritante e desordeiro. Pior ainda, penso que meu garoto inteligente corre o risco de desinteressar-se completamente dos estudos — e não sei ao certo o que fazer a respeito. Todavia, aprendi que meu filho não é o único a passar por isso.[4]

Embora tenha simpatia por essa mãe, para ser justo devo salientar que há outro lado da história, com o qual estou muito familiarizado. Ensinei Ciência e Matemática para crianças da sétima e oitava séries quando tinha mais ou menos 20 anos. Servi também como conselheiro do ensino médio e administrador dos serviços psicológicos. Com base nesta experiência, sei muito bem como é incômodo ter uma sala cheia de meninos irrequietos como Will, que não querem colaborar e acham que tudo é brincadeira. Além do mais, as escolas são muito desestruturadas, em vez de serem muito rígidas. A disciplina é o que torna possível o aprendizado. Portanto, não critico as escolas por exigirem ordem e bom comportamento, mas permanece o fato de que a maneira como os meninos são formados torna mais difícil para eles adequar-se à escola, especialmente quando pequenos. Pelo menos, nós como pais deveríamos compreender o que está acontecendo e tentar ajudá-los a se ajustarem. Vamos falar, a seguir, de algumas dessas abordagens.

Primeiro, vou oferecer algumas ideias para a educação escolar dos meninos em vários estágios de desenvolvimento e de temperamentos. Começaremos considerando dois tipos de crianças encontradas praticamente em todas as salas de aula. As da primeira categoria são por natureza indivíduos altamente organizados que se preocupam com detalhes. Levam muito a sério as suas tarefas. Ir mal num exame os deixaria deprimidos por vários dias. Os pais dessas crianças não têm de monitorar o seu progresso para mantê-las trabalhando. É o seu estilo de vida. Infelizmente, não há um número suficiente delas para satisfazer os pais e os professores.

Na segunda categoria, estão os meninos e as meninas que não se adaptam bem à estrutura da sala de aula. São preguiçosos, desorganizados e distraídos. Têm aversão natural ao trabalho, e sua maior paixão é brincar. Como as bactérias que se tornam gradualmente imunes aos antibióticos, as crianças com desempenho abaixo do seu potencial se tornam impermeáveis à pressão dos adultos. Elas resistem à tempestade de protestos dos pais quando os boletins chegam e depois voltam à apatia quando ninguém está olhando. Nem sequer ouvem as tarefas dadas na escola e não parecem nada envergonhados quando deixam de completá-las. Se chegarem a diplomar-se, não será com louvor.

Deus fez um grande número desses seres, a maioria deles meninos. Eles fazem os pais perderem a cabeça, e a má vontade dessas crianças em trabalhar pode transformar seus lares em uma Terceira Guerra Mundial.

Se você tem um desses filhos desleixados, é importante compreender que eles não são intrinsecamente inferiores aos seus irmãos aplicados. Seria mesmo maravilhoso se todo estudante usasse seu talento ao máximo, mas cada criança é um indivíduo único que não se ajusta ao mesmo molde que os demais. Além disso, a criança com desempenho baixo, algumas vezes supera o jovem superastro em longo prazo. Foi isso que aconteceu com Albert Einstein, Thomas Alva Edison, Eleanor Roosevelt, Winston Churchill e muitas outras pessoas que tiveram grande sucesso. Não considere, então, essa criança desorganizada e aparentemente preguiçosa como perdedor a vida inteira. Ele ou ela pode surpreender você. Enquanto isso, há meios de você poder ajudar.

Uma coisa é certa: zangar-se com esse jovenzinho não resolverá o problema. Você jamais transformará alguém assim em um erudito implicando, forçando, ameaçando ou castigando. Não está apenas nele. Se tentar espremê-lo em algo que ele não é, só vai irritar você e ferir a criança. Sua desorganização é produto de seu temperamento despreocupado e elementos de imaturidade não se trata de rebelião ou desobediência deliberada. A testosterona está ali, trabalhando também nele.

Por outro lado, você deve ficar tão próximo quanto possível da escola dessa criança. Seu filho brincalhão não vai contar-lhe o que está acontecendo na classe, e você terá, portanto, de descobrir isso sozinho. Procure um professor particular, se possível, para ajudá-lo nos estudos. Seu filho mostra claramente falta de disciplina para estruturar a sua vida. Se tiver de aprender disciplina, terá de ensinar isso a ele. Depois de ter feito tudo o que puder para ajudá-lo, aceite o melhor que ele pode dar. Acompanhe a corrente e comece a pesquisar outras áreas de sucesso.

O menino desorganizado na escola primária vai provavelmente continuar negligente quando crescer, a não ser que tenha ajuda. Essa característica do seu temperamento está profundamente arraigada e se torna a principal fonte de seus problemas acadêmicos. Ela não "desaparece" rapidamente. O que os pais podem fazer para ajudar? A consultora educacional Cheri Fuller sugere que os pais com filhos na escola examinem os cadernos deles. Ela diz que é possível dizer se a criança é aluno B ou D ao examinar suas provas. Os cadernos do bom aluno são organizados com divisórias e pastas para textos e tarefas avulsas. O caderno do mau aluno é uma mistura de desenhos, bilhetes tolos, aviões dobrados, sentenças pela metade e trabalho escrito que não foi entregue. Pode até haver um bilhete para a sra. Smith ou o sr. Johnson que nunca chegou até sua casa.[5]

Fuller diz que as habilidades de organização que faltam nesses casos podem ser aprendidas, e quanto mais cedo melhor. Um bom professor particular geralmente sabe como ensiná-las. Este primeiro treinamento deve ser completado antes da escola secundária, onde cerca de cinco professores por dia estarão distribuindo textos, tarefas e projetos extraídos de diferentes livros didáticos. É necessário alto nível de organização para mantê-los em ordem e acessíveis. Como se supõe que as crianças saibam lidar com essas exigências se nunca foram ensinadas? A supervisão correta pode ajudar o adolescente negligente a se tornar, com o tempo, mais autodisciplinado e autopropulsionado — mesmo que nunca se desempenhe como o erudito natural.

Há outro fator que deve receber máxima prioridade. Caso seu filho não aprenda a ler corretamente, tudo o mais será prejudicado. Ele vai também provavelmente lutar com baixa autoestima. Trabalhei com um garoto do ensino médio que havia decidido desistir aos 16 anos de idade depois de ter repetido vários anos. Era um rapazinho duro, zangado, que parecia não se incomodar com nada. Quando perguntei por que queria abandonar a escola, grandes lágrimas encheram seus olhos. Ele me contou que nunca aprendera a ler. Depois disse com os dentes cerrados: "Vocês fizeram sentir-me sem valor a vida inteira. Mas fizeram isso pela última vez. Vou embora". Não posso dizer que o culpava.

A tragédia é que esse rapazinho poderia ter sido ensinado a ler. Quase todo jovem pode dominar esta habilidade quando abordado corretamente e com métodos adequados ao seu estilo de aprendizado. Para começar, estou entre aqueles que acreditam no ensino com uso de sons, que não está ainda incorporado em muitos programas de leitura da escola pública. Não se sabe por quais razões, milhares de crianças continuam analfabetas quando saem do ensino médio. Oportunidades maravilhosas de torná-los leitores foram desperdiçadas quando estavam no ensino fundamental I.

A Avaliação Nacional do Progresso da Educação mostra que dois terços das crianças da quarta série nos Estados Unidos não sabem ler bem; três quartos delas não sabem escrever bem, e quatro quintos não são proficientes em matemática.[6] Isso é uma desgraça nacional! Houve época, em 1800, que 98% da população era letrada, tendo sido ensinada por seus pais para poderem ler a Bíblia.[7] Como pai, eu moveria céus e terra para encontrar alguém que pudesse ensinar meu filho a ler. Há professores talentosos em quase toda comunidade, e há organizações particulares que garantem alfabetizar seu filho. Mesmo que tenha de hipotecar a casa para pagar por isso, insisto em que resolva este problema. Esta é a chave para todos os objetivos acadêmicos, e um mundo de aventuras espera os que aprendem a ler.

A líder pró-família Phyllis Schlafly ensinou todos os seus netos a ler antes do jardim da infância por meio de um programa baseado na fônica que ela desenvolveu.

Uma vez que seu filho aprenda os fundamentos da leitura, você precisa motivá-lo a praticar. Sigmund Brower, autor para crianças, diz que até mesmo "leitores relutantes" podem aprender a gostar dos livros se forem abordados da maneira adequada.[8] Estas são algumas sugestões dirigidas aos meninos num artigo no jornal *Orlando Sun-Sentinel,* intitulado "Meninos e Livros Podem Ser Uma Ótima Combinação".

- Os meninos querem, no geral, mais ação que as meninas, que preferem o desenvolvimento do caráter.
- Os meninos gostam que seus personagens façam algo. Se o livro não tiver movimentação suficientemente rápida, muitos vão deixar de lê-lo. Os meninos querem fatos e enredo rápido.
- Se quiser que os meninos leiam ficção, ela deve conter muita informação.
- Cobras, aranhas e aviões também os cativam.
- Os meninos não gostam de ler material que chamam de "bobagem". Eles preferem esportes e aventura.
- Os meninos costumam gravitar em torno da não ficção: livros sobre esportes, carros, Ovnis, ioiôs, magia, mistério e ficção científica.
- Faça da leitura parte das atividades domésticas. Deixe seu filho ver que você lê.
- Dê livros de presente. Quando der a seu filho uma bola de futebol, por exemplo, inclua um livro sobre o esporte.
- Reconheça que ler não ficção e informação factual — a página de esportes, por exemplo — é tão legítimo quanto ler romances.
- Os meninos vão gostar de livros que correspondam aos seus interesses, mas o nível de leitura deve ser também considerado. Se o livro for difícil demais, eles não vão ler até o fim. Se for fácil demais, eles ficarão entediados. Deve ser um desafio, mas que não seja impossível.
- Leve seu filho à livraria ou biblioteca e deixe que ele pesquise as opções de leitura. Você pode pedir ao bibliotecário que converse com ele sobre seus passatempos e interesses e depois ouça atentamente a sua resposta. Isso dará ao bibliotecário uma ideia do tipo de livros de que ele poderia gostar. O segredo é envolvê-lo na decisão.
- Nunca dê a eles apenas um livro. Tente cinco ou seis. Se não gostarem do primeiro ou do segundo, terão uma escolha mais ampla.

- Outro segredo é a repetição. Aprender a ler melhor é como praticar qualquer esporte. A não ser que haja um problema de visão ou fisiológico, os leitores mais relutantes podem mudar de ideia por meio apenas da prática.[9]

Espero que essas sugestões tenham sido úteis. Agora, vamos voltar nossa atenção para o tipo de escola que seu filho deve frequentar. Suponho que você tenha os recursos e o interesse em considerar algumas alternativas. Nenhuma estrutura escolar é perfeita, quer pública, cristã ou secular-particular. Cada uma tem vantagens e desvantagens, dependendo das necessidades da criança e da qualidade dos programas disponíveis numa determinada área. É por esse motivo que nunca fiz recomendação coletiva aos pais sobre onde devem matricular os filhos. Isso depende das finanças, pressões da família, qualidade das escolas locais e outras circunstâncias. Shirley e eu escolhemos escolas cristãs para nossos filhos, desde o jardim de infância até a faculdade, exceto por algumas curtas incursões na escola pública. Sou grato até hoje pelos homens e mulheres que se sacrificaram muito para ensinar nessas instituições cristãs. Mal ganhavam para o seu sustento. Fizeram isso porque desejavam compartilhar a sua fé com os alunos. Deus os abençoe.

PERGUNTAS E RESPOSTAS

A professora de meu filho na terceira série contou-me numa conferência na semana passada que meu filho era o "palhaço da classe". Ela disse que ele faz tudo por uma risada. Ele não é geralmente assim em casa. O que o senhor acha que está acontecendo?

Seu filho não está sozinho. Há pelo menos um "palhaço da classe" em cada sala de aula. Esses hábeis perturbadores são quase sempre meninos. No geral têm dificuldade de leitura ou outros problemas acadêmicos. Podem ser pequenos em estatura, embora nem sempre, e fazem tudo para atrair atenção para a sua pessoa. Seus pais e professores talvez não reconheçam que por trás do comportamento turbulento está frequentemente a dor da baixa autoestima. O humor é a resposta clássica aos sentimentos de desajuste, e é por esse motivo que muitos comediantes de sucesso têm machucado meninos ou meninas. Os pais de

Jonathan Winters se divorciaram quando ele tinha 7 anos. Ele contou que os outros meninos caçoavam dele por não ter pai. Disse que fazia de conta que não se importava, mas quando ninguém estava olhando, ele ia para trás de uma árvore e chorava. Winters disse que todo o seu humor tem sido uma resposta à tristeza.[10] A comediante Joan Rivers muitas vezes brincava com a sua falta de atração quando menina. Ela disse que parecia de tal modo um cão, que o pai teve de atirar um osso na nave da igreja para conseguir que ela se casasse.[11]

Esses comediantes e outros foram treinados durante a infância, usando o humor como defesa contra as farpas que recebiam. Esta é, no geral, a inspiração do "palhaço da classe". Brincando com tudo, ele esconde as dúvidas a respeito de si mesmo que se agitam em seu íntimo.

Saber isso deve ajudar você a satisfazer as necessidades de seu filho e ajudá--lo a encontrar meios mais aceitáveis de obter atenção. Tocar um instrumento musical, participar de esportes ou atuar numa peça da escola são boas alternativas. Repreender o seu tolo comportamento seria também uma boa ideia.

14 Predadores

Discutimos vários problemas sociais importantes que respondem por grande parte dos problemas enfrentados pelos meninos e seus pais. Este capítulo vai tratar de outra dificuldade, à qual nos referimos várias vezes sem defini-la. É chamada de pós-modernismo, o que ajuda a explicar melhor como as famílias e, especialmente, como os meninos caíram em tal armadilha. Este sistema de pensamento, também chamado relativismo moral, ensina que Deus não só não detém o conhecimento da verdade, a quem o pós-modernismo considera um mito, nem o homem, que não tem o direito de falar pelo restante de nós. Pelo contrário, a verdade absolutamente não existe. *Nada* é certo ou errado, *nada* é bom ou mau, *nada* é positivo ou negativo. Tudo é relativo. Tudo o que importa é "o que é certo para mim e o que é certo para você". Essas ideias se desenvolvem de pessoa para pessoa enquanto prosseguem.

É incrível, mas alguns professores contendem hoje que nem sequer o extermínio de seis milhões de "indesejáveis" pelos nazistas na Segunda Guerra Mundial foi imoral, porque a ideia de moralidade em si é falsa.[1] Dizer que algo é inerentemente errado implica que um Grande Juiz se acha sentado em algum lugar do céu decretando valores e ordens supremos para o mundo. O pós-modernismo está convencido de que tal autoridade não existe. Na ausência de um Ser Supremo, a tolerância se torna o "deus" que aprova qualquer coisa e tudo, exceto a fé cristã. Os regulamentos públicos são determinados por pesquisas de opinião ou preparados de acordo com noções populares que simplesmente pareçam apropriadas para alguém no momento.

O interessante sobre o pós-modernismo é a sua capacidade para viver confortavelmente com contradições. Por quê? Porque não há absolutos perturbadores para enfrentar. Por exemplo, os relativistas morais celebram a dignidade humana e a harmonia racial como preceitos, mas a seguir defendem assassinar (ou a ajuda para matar) os idosos, os por nascer, e até bebês sadios de nove meses quando deixam o canal do nascimento. A vida pode ser sacrificada se for inconveniente. — Espere um pouco — você diz. — Essas ideias não podem coexistir na mesma mente. — Retruca, porém, o pós-modernista, sem explicar nada: — Claro que podem.

Foi esta filosofia que permitiu que a senadora norte-americana Barbara Boxer, pelo Estado da Califórnia, insistisse num debate no Senado sobre precisarmos preservar o lindo ambiente de Deus, mas em outra ocasião afirmou que os bebês não são humanos até que os pais os levem da maternidade para casa. Eles podem ser mortos impunemente naquelas primeiras horas ou dias.[2] Que lógica enrolada essa! Todavia, ideias conflitantes como essas não têm de fazer sentido para os pós-modernistas. Não há sentido num universo que surgiu do nada e evoluiu em formas de vida sem sentido, sem projeto ou projetista. Esta é a essência do pós-modernismo.

O bioeticista e professor de Princeton, Peter Singer, é um dos principais proponentes em todo o mundo desta filosofia inútil, imoral. Ele declarou: "Matar uma criança não é moralmente equivalente a matar uma pessoa. A vida de um recém-nascido é menos valiosa... do que a vida de um porco, um cão ou um chimpanzé.[3] Este homem mal orientado ganhou estabilidade em Princeton, *depois* de revelar suas ideias excêntricas sobre a falta de valor da vida humana. A universidade chegou a ponto de nomear o dr. Singer presidente do departamento de bioética.

O que este relativismo moral tem, então, a ver com a criação de meninos? Praticamente tudo de fato. Ele confundiu todas as distinções seculares entre certo e errado, entre próprio e impróprio, entre valioso e sem valor, entre humano e desumano. Resultou também numa queda livre moral, que ainda não chegou ao fim. O pós-modernismo deu credibilidade e liberdade a toda forma de mal. Eu disse realmente mal. Os meninos, com sua tendência de chegar aos extremos e desafiar a autoridade, são os mais vulneráveis neste caso. Eles são tentados a ter um comportamento terrivelmente destrutivo que teria sido imediatamente detido pelas gerações anteriores, porque sabiam que algumas coisas são indiscutivelmente erradas e que todas as ideias têm consequências.

A noção do pós-modernismo ensina as crianças, os adolescentes e adultos que devem sua existência ao acaso num universo caótico sem desígnio e sem projetista. Não temos de prestar contas a ninguém e vivemos para o momento sem sentido num cosmos agonizante que terminará em total escuridão. Não temos valor intrínseco como seres humanos e nenhum significado além da nossa breve jornada no rio do tempo. Não é de admirar que a baixa autoestima e o desrespeito por outros estejam a todo vapor. É uma visão mundial danosa que ataca a família e deforma as crianças e os jovens.

Lembre-se também de que as ideias determinam o comportamento. O livro de Provérbios diz: "Porque, como [o invejoso] imagina em sua alma, assim ele é" (Pv 23.7). Os que são ensinados que resultaram apenas do acaso têm menos razões para serem morais, obedecerem às leis, serem respeitosos ou gratos. E, de fato, muitos deles não são.

Quando traduzido em um milhão de ideias e imagens destrutivas, o sistema pós-moderno de pensamento ataca a família e deforma seus membros mais jovens e mais fáceis de se impressionar. Ele também molda as práticas da criação de filhos hoje. Li um exemplo ultrajante desta abordagem anarquista numa coluna de perguntas e respostas publicada no exemplar de agosto de 2000 da *Maryland Family Magazine*. Um pai "preocupado" escrevera para perguntar às colunistas, Laura Davis e Janis Keyser, sobre seu filho de 7 anos, Brett, que estava se envolvendo em brincadeiras sexuais com sua melhor amiga, Jacqueline. Eles se esconderam nus sob as cobertas, examinando os genitais um do outro e "rindo muito", durante vários anos. Nenhuma das famílias se preocupou com a atividade, que aparentemente ocorria desde que as crianças tinham 4 ou 5 anos de idade. Mais recentemente eles estavam fechando a porta e passando mais tempo nus juntos. Quando o pai entrou no quarto, os dois gritaram indignados e ordenaram que fosse embora. Quando o pai perguntou o que faziam, Jacqueline disse que queriam ver os ovos e o esperma de Brett. O pai queria que as colunistas lhe dissessem quais as regras a serem estabelecidas para as crianças.

210 Educando meninos

Você acredita que as "especialistas" autonomeadas que escreviam a coluna acharam perfeitamente normal que crianças se envolvessem nesse tipo de comportamento sexual? "As crianças", disseram, "têm curiosidade a respeito do intercurso e querem saber de onde vêm os bebês". Lembre-se agora que Brett e Jacqueline tinham menos de 5 anos quando esta atividade começou. Davis e Keyser advertiram o pai para "não se precipitar com muitas ideias próprias" e que manter uma política de portas abertas "poderia ser difícil porque as crianças, no geral, exigem privacidade". As "especialistas" ofereceram, então, isto: "Se os seus filhos estão passando mais de um quarto do tempo em exploração do corpo e brincadeiras sexuais, ou se parecem 'obcecados' por isso, podem estar necessitando da sua ajuda para responder a algumas de suas perguntas e descobrir outras atividades para se divertirem juntos"; e finalmente: "Se as crianças estiverem gostando da sensualidade da brincadeira, você poderia inventar outras maneiras mais estruturadas para engajar-se em brincadeiras táteis. Massagens nas costas e nos pés com loção ou óleo são alternativas maravilhosas".[4] Mas isso só se as crianças estiverem passando mais de 25% do tempo sob as cobertas!

Será que enlouquecemos de vez?! Fico convencido, às vezes, de que fizemos justamente isso. Ou pelo menos os pós-modernistas fizeram.

A colunista Ellen Goodman, que segundo meu conhecimento não afirma ser cristã, escreveu um editorial criterioso sobre esta batalha para proteger as crianças das influências prejudiciais da atualidade. Esta é a sua perspectiva:

> Em algum ponto, torna-se claro que uma de suas principais tarefas como pais é opor-se à cultura. O que a mídia oferece às crianças em massa, espera-se que você refute uma de cada vez.
>
> Ocorre-me, porém, agora, que o chamado para a "responsabilidade parental" está aumentando em proporção direta à irresponsabilidade do mercado. Espera-se que os pais protejam seus filhos de um ambiente cada vez mais hostil. Lixo está sendo oferecido às crianças? Basta dizer não. A TV é prejudicial? Desligue. Há mensagens sobre sexo, drogas, violência em toda parte? Oponha-se à cultura.
>
> As mães e os pais devem fazer uma triagem de todos os aspectos da vida dos filhos. Verificar a faixa etária dos filmes, ler os títulos dos CDs, descobrir se há

MTV na casa do vizinho. Mantendo-se todo o tempo em contato com a escola e, no seu tempo livre, ganhar o sustento da família.

Barbara Dafoe Whitehead, associada à pesquisa do Instituto de Valores Norte-Americanos, descobriu isto em entrevistas com pais da classe média. "Uma reclamação comum que ouvi dos pais foi o seu sentimento de estarem esmagados pela cultura. Eles se sentiam mais indefesos do que seus pais."

"Os pais", nota ela, "acham que estão numa guerra para conquistar o coração e a mente dos filhos". Não se trata de não poderem dizer não, mas de haver tantas coisas para as quais dizer não.

Sem mergulhar na falsa nostalgia, tem havido uma mudança fundamental. Os norte-americanos esperavam antes que os pais criassem os filhos de acordo com as mensagens culturais dominantes. Atualmente, espera-se que se oponham a elas.

No passado, o coro dos valores culturais estava repleto de ministros, professores, vizinhos, líderes. Eles exigiam mais conformidade, mas ofereciam mais apoio. Os mensageiros agora são as Tartarugas Ninjas, Madonna, grupos de *rap* e outros desse naipe. Os pais são considerados "responsáveis" apenas se tiverem sucesso em sua resistência.

É isso que torna a criação de filhos mais difícil. É isso que faz os pais sentirem-se mais isolados. Não se trata apenas de as famílias terem menos tempo com seus filhos, é que temos de passar mais desse tempo lutando com nosso estilo de vida.

Seria como tentar fazer com que seus filhos comessem feijão depois de terem aprendido o dia todo sobre as maravilhas dos chocolates. Pensando bem no assunto, é exatamente assim.[5]

@ 2000, The Boston Globe Newspaper Co./Washington Post Writers Group.

Publicado com permissão.

Para os pais cristãos, a luta para proteger os filhos desse estilo de vida supera em muito o lixo oferecido a eles. De fato, as crianças de hoje têm sido bombardeadas com mais ideias perigosas do que qualquer geração da história. A tarefa dos pais e mães para protegê-las das instruções de "sexo seguro" na escola, dos gurus da Nova Era, da linguagem profana e vulgar da vizinhança e das múltiplas tentações tem sido uma tarefa assustadora. Perseguindo os jovens como lobos

212 Educando meninos

famintos, vemos predadores que os explorariam para obter lucros financeiros, inclusive traficantes, produtores de cinema e televisão sem princípios, tarados sexuais, violentadores, metaleiros excêntricos e agora os que habitam a internet. Como exemplo, a *Planned Parenthood* (Planejamento Familiar) distribuiu milhares de caixinhas para os adolescentes na região de Mineápolis, chamadas "Kits de Sobrevivência". Cada uma contém três preservativos, duas pastilhas de menta para o hálito e um cupom de desconto para uma primeira visita à clínica da Planned Parenthood. Essas instigações não tão sutis à atividade sexual, são características das mensagens dadas aos adolescentes por adultos que deveriam saber melhor. É triste que os pais tenham de lutar continuamente para preservar o bom-senso e a decência em casa.

Às vezes, parece que nada sadio restou para nossas crianças e adolescentes. Por exemplo, os programas mais populares na televisão a cabo, atualmente, mostram as palhaçadas violentas da Federação Mundial de Luta Livre. São as favoritas das crianças, com seu estilo bruto de diversão. Assistir a adultos se comportarem de maneira tão violenta e ultrajante tem sido pernicioso para elas. Lembra-se do menino de 12 anos na Flórida, Lionel Tate, que espancou uma menina de 6 anos até a morte, esmagando o crânio dela e dilacerando o seu fígado? Ele contou que havia assistido aos lutadores de luta livre na televisão e queria treinar os seus movimentos. O jovem assassino recebeu pena perpétua.[6] Não ouvi um único comentarista dizer que a Federação Mundial de Luta Livre e seus patrocinadores comerciais tiveram de aceitar responsabilidade por esta tragédia, mas são culpados.

Shows de comediantes de renome, na televisão a cabo, causam também enorme impacto na mente desses jovens. Os executivos da MTV, com sua ênfase em sexo e violência, admitem que tentam moldar cada geração de adolescentes. Em um de seus anúncios eles incluíram a parte de trás da cabeça de um adolescente com as letras "MTV" raspadas em seu cabelo. A transcrição diz: "A MTV não é um canal. É uma força cultural. As pessoas não assistem, são loucas por ela. A MTV afetou a maneira como toda uma geração pensa, fala, se veste e compra".[7] O surpreendente nesta propaganda é que a MTV não só admite que estão tentando manipular os jovens e imaturos, mas gastam muito dinheiro se gabando sobre isso.

Se você ainda duvida de que a MTV está explorando os jovens, sugiro que assista a uma de suas transmissões populares. Elas deveriam causar calafrios à sua alma. Embora os produtores estejam sempre mudando para atrair mais espectadores, eles tendem a ficar sempre piores. Um programa corrente chamado *Jackass* (Asno) é simplesmente terrível. Sua "estrela" é um adolescente, Johnny Knoxville, que se descreve em vários cenários repulsivos. Fizeram um videoteipe dele de cabeça para baixo num vaso sanitário portátil, chamando-o de "coquetel fecal". Comeu um peixe dourado vivo e depois o vomitou no aquário. Vestiu-se como um deficiente numa cadeira de rodas e depois se atirou contra a parede.[8] Em certa ocasião, ele colocou um colete à prova de balas e atirou contra o próprio peito com uma pistola calibre 38, uma cena que a MTV atipicamente, recusou-se a pôr no ar.[9] O nome do jogo com esses e outros *shows* é fazer absolutamente tudo para alcançar estatísticas de audiência — quase todos sensacionalistas, temerários e imorais. Enquanto falamos, mais de dois milhões de jovens espectadores assistem *Jackass* todas as semanas.[10] Quantos meninos são suficientemente imaturos e instáveis para imitar o comportamento a que estão assistindo? A maioria dos garotos, em uma ou outra circunstância, suspeito eu.

Quando ler este livro, algo novo terá sido inventado para seus filhos — algo ainda pior. O autor James Poniewozik diz que o resultado dessas ofertas grosseiras é o que ele chama de fenômeno "Garoto Rude".[11] Os homens atuais, disse ele, tiveram de descobrir como indispor os pais, muitos dos quais "estiveram lá e fizeram isso". Para sobrepujar a rebelião do passado, o comportamento deles se tornou ainda mais extremo e audacioso. Você já pensou sobre isto? Algum dia os filhos ainda por nascer dos Garotos Rudes e suas namoradas extravagantes terão de descobrir como chocar *seus* pais. Não vai ser fácil. Não vão restar muitas coisas para eles fazerem.

A indústria de música *rock* ganhou o prêmio por produzir o material mais escandaloso para jovens. Duvido que os pais tenham realmente conhecimento da sujeira e da violência que está sendo vendida para os seus filhos. Vou compartilhar apenas um exemplo, que não é pior do que milhares de outros, extraído

214 Educando meninos

de um CD há poucos anos. Foi gravado por um grupo popular chamado Korn e incluía esta letra:

Sua garganta, eu agarro — pode sentir a dor?
Seus olhos reviram — pode sentir a dor?
Seu coração para de bater — pode sentir a dor?
Orgasmos negros — não sente a dor?
Beijo sua pele sem vida — não sente a dor?
Aí está você minha preciosa com a alma partida.[12]

Essa letra terrível foi, incrivelmente, intitulada "*My Gift to You*" [Meu presente para você]. O CD (produzido e distribuído pela Sony Records) permaneceu em primeiro lugar nas listas e vendeu dois milhões de cópias. A maioria dos garotos que comprou esse disco, alguns dos quais deviam ser pré-adolescentes, não só ouviram as palavras como também as memorizaram tocando repetidamente o CD. Em vista desses ecos da cultura, ficamos imaginando por que mais mães e pais não estão invadindo os portões das empresas e organizações como a Sony, que estão deformando e torcendo os valores de seus filhos. Por que o DJ ou Disk Jokey (radialista) Howard Stern tem ainda permissão para transmitir seu próprio *show* no rádio ou televisão, apesar das coisas incríveis que ele disse e fez?

Alguns dias depois que doze adolescentes e adultos foram assassinados a sangue frio na Escola Secundária Columbine, em Littleton, Colorado, Stern disse: "Uma porção de meninas bonitas vão a essa escola. Havia com certeza meninas bonitas correndo para fora de lá com as mãos na cabeça. Esses garotos tentaram fazer sexo com qualquer uma das meninas bonitas? Nem sequer fizeram isso. Se você vai se matar e matar todo mundo, por que não fazer um pouco de sexo?".[13]

Onde estava a indignação que deveria ter caído sobre a cabeça de Stern? Por que os patrocinadores desse programa não foram assediados por pais enfurecidos? Onde estava a mídia noticiosa que expressa tanta indignação quando uma atitude politicamente correta é atacada? Por que Stern não foi demitido e definitivamente afastado? Boas perguntas! Alguns dias depois de seu comentário inesquecível, porém, as coisas voltaram ao normal. Ele não perdeu o ritmo. Neste momento, ele tem o terceiro *talk-show* mais popular no rádio.

O que acontece nas universidades atualmente é outra história triste, onde o pós-modernismo é aceito e a bebedeira é usual todos os fins de semana. Alguns campus são ainda mais extremos. Um artigo publicado no *The New York Times*, em 18 de março de 2000, descreveu o que chamaram de "O Dormitório Nu", na Universidade Wesleyana, uma residência coeducacional onde as roupas são opcionais. Há uma "Hora Nua", quando homens e mulheres se reúnem para conversar. Um estudante declarou: "É a ideia de não julgar ninguém, ou respeitar as crenças mútuas. Não tem implicações sexuais". Está bem! Vou poupar-lhe os outros detalhes, exceto que o artigo afirma que essas festas no dormitório estão entre as mais populares no campus. Tenho certeza. A pergunta que gostaria de fazer, mais de uma vez, é esta: "Onde estão os pais que pagam as contas para este tipo de loucura?". Uma estudante contou ao pai sobre o dormitório e ele "Apenas riu".[14]

A organização Luntz Research conduziu uma pesquisa dirigida à questão da moralidade. Para grande surpresa, eles descobriram que 80% dos americanos acreditam que a imoralidade é nosso maior problema como nação.[15] Mesmo assim, a maioria deles está ocupada ou desmoralizada demais para tomar providências contra aqueles que estão explorando seus filhos. É assim que os manipuladores conseguem livrar-se das acusações.

Existem ainda, porém, algumas mães e pais determinados a proteger seus filhos. Uma delas, MichelIe Malkin, está furiosa com os pais indecisos que toleram tal insensatez. Ela escreveu:

OS PAIS DA GERAÇÃO PÓS 2ᴬ GUERRA ESTÃO DORMINDO NO PONTO

— Quando os porcos voarem. Quando o inferno gelar. Quando a vaca pular sobre a lua. N-Ã-O. Não, não, não! Ponto final. — É isto que eu direi à minha filha quando ela me pedir, daqui a muitos anos, para ir a uma festa coeducacional para passar a noite. Em todo o país, acreditem ou não, meninos e meninas adolescentes estão brincando sem comedimento, sob um só teto, em roupas debaixo, com a aprovação dos pais.

O *Washington Post* dedicou 1.200 palavras a esta fantasia dos adolescentes filhos dos "boomers". Uma pesquisa de jornal ofereceu 200 outras histórias sobre essas noitadas coeducacionais. Seriados populares sobre adolescentes, tais como o *7th Heaven* [Sétimo Céu], da rede Warner, mostraram festas desse tipo. Um catálogo recente de Natal da Abercrombie & Fitch mostrou quatro meninas pré-adolescentes na cama, sob as cobertas, com um garoto mais velho, balançando libidinosamente sua cueca no ar.

"É a onda mais recente", explicou um rapazinho de 17 anos chamado "J. D." ao repórter do *Post*. As festas mistas para dormir "são uma variação do namoro em grupo", relata o *Post,* "onde os adolescentes ficam juntos, mas nem sempre aos pares. Alguns pais dizem que as festas ficaram mais comuns há alguns anos, depois que os administradores escolares em vários distritos pediram aos hotéis que não alugassem quartos para estudantes depois dos grandes eventos no ensino médio". Para ganhar a aprovação dos pais, J. D. argumentou que dar uma festa dessas é "melhor do que nos deitarmos em qualquer lugar ou alugarmos um quarto sujo de motel".

Muitos pais — e uso o termo de modo vago — estão aceitando esta lógica irracional. "Acho que é definitivamente melhor do que ir para um hotel, e desse modo você conhece todos os garotos e garotas que vão comparecer, sabe com quem eles estão", disse Edna Breit, uma mãe de Maryland que permite que seu filho adolescente convide até vinte meninos e meninas para dormir em sua casa, tomem banho numa banheira quente e fiquem acordados até de madrugada assistindo a filmes no porão da família.

Breit compartilhava o método furtivo dela de policiar seus jovens convidados: "Você coloca pratos pequenos de petiscos. Desse modo, tem um pretexto para descer e encher de novo os pratos". Isto é patético. Como chegamos a ponto de uma mulher adulta orgulhar-se de transformar sua casa em hotel coeducacional, onde os pais têm de inventar meios furtivos para espiar seus filhos? Quando julgamentos "melhor do que" substituíram o que é melhor para seus filhos?

Os pais que pensam que tudo isso é diversão inofensiva — que devemos apenas despreocupar-nos e relaxar — precisam abrir os olhos. Os que passam a noite juntos enviam uma mensagem errada aos adolescentes imaturos demais para lidar com situações sexualmente carregadas. É apenas o último sinal de uma cultura que desistiu de reforçar os papéis tradicionais de autoridade e sobre transmitir sentido e sabedoria morais de uma geração para outra.

Graças em grande parte ao espírito unificador radical e igualitário abraçado pelos "Baby Boomers"[16], as noções americanas de disciplina abrandaram desmesuradamente. Kay Hymowitz, autora de *Ready or Not: Why Treating Children as Small Adults Endangers Their Future and Ours* [Prontos ou não: por que tratar as crianças como pequenos adultos põe em risco o futuro delas e o nosso], nota que hoje em dia "os adultos se definem como aliados das crianças, treinadores, parceiros, amigos, facilitadores, coaprendizes e defensores. Seu papel é capacitar as crianças, defendê-las, aumentar a sua autoestima, respeitar os seus direitos e fornecer-lhes informações para que possam tomar suas próprias decisões. Mas será realmente isto que as crianças precisam?"

Meu filho precisa que seus pais sejam pais, e não coleguinhas. Não é fácil dizer não e ficar firmes, mas estamos preparados para dizer isso repetidas vezes. Até então, vou lembrar com prazer os dias fugazes da inocência em que uma festa coeducacional para nossa filha signifique uma soneca no berço com sua boneca preferida.[17]

@ 2001 Ceators Syndicate, Inc.

Obrigado, sra. Malkin. É bom saber que o bom senso ainda pode ser encontrado entre as famílias jovens. O restante de nós deve juntar-se em nossa determinação de proteger as crianças. Nossa primeira obrigação é atender aos sinais de aviso colocados nos cruzamentos da estrada. Eles dizem aos motoristas para Parar, Olhar e Ouvir.

É exatamente isso que precisamos fazer em relação ao mundo em que nossos filhos vivem. Não ousamos ficar ocupados demais para monitorar suas atividades. Essa preocupação é necessária todos os dias por causa dos predadores espreitando perto deles na grama alta, especialmente no que se refere às crianças menores.

Nunca esqueça que pedófilos (individuos que abusam sexualmente de crianças) perambulam em volta procurando vítimas. Eles não têm dificuldade em encontrá-las. O pedófilo "captura" e explora em média 150 crianças durante a sua carreira.[18] A maioria não é apanhada no decorrer de muitos anos e, mesmo que seja, não pode ser condenada. Esses homens são altamente especializados em sua profissão. Podem entrar num lugar onde as crianças se reúnem, tal como uma sala de videogame ou uma pizzaria, e localizar, imediatamente, as crianças mais solitárias e necessitadas. Eles procuram meninos e meninas famintos emocionalmente por pais com tempo para eles. Em poucos minutos conseguem controlá-los e começar a abusar deles. A média de tempo que a exploração de um indivíduo dura é de 7 anos.[19] Por que o segredo não vaza? Porque as crianças ficam intimidadas pelas ameaças e pelo temor dos pais.

Os pedófilos também surfam pela internet procurando crianças necessitadas. É por esse motivo que deixar que seus filhos tenham acesso, sem supervisão, à internet, é como um homem obsceno aparecer em sua porta e dizer sorrindo: "Sei que está terrivelmente ocupada e cansada. O que acha se eu distrair seu filho ou filha por algum tempo?". Você o deixa entrar, e ele vai direto para o quarto e fecha a porta. Quem sabe o que acontece ali, onde não pode escutar? É isto que você faz quando coloca um computador ou uma televisão no quarto de seu filho. É um convite para o desastre. Mas é justamente isso que a maioria dos pais tem feito, e muitos deles viveram para lamentar essa falta de supervisão. Vou falar mais a esse respeito dentro em breve.

Outro perigo é a acessibilidade à pornografia com um clique do *mouse*. Ela não só está *disponível para* as crianças, como também os pornógrafos introduzem-nas a elas. É inevitável que as crianças que surfam regularmente pela internet tropecem nesse material pesado. Se um menino clicar na palavra *brinquedos,* uma das opções que pode surgir é brinquedos sexuais. Se a menina clicar no *site* chamado "cavalos do amor!", ela pode ver imagens de sexo entre uma mulher e um cavalo. A fim de seduzir as crianças e adultos a pagar um *site* pornográfico, os fornecedores de pornografia oferecem provocações quase irresistíveis.

O ataque às mentes jovens continua inalterado. De acordo com a American Safe Foundation, 53% dos adolescentes disseram que passaram ocasionalmente por *sites* da web contendo pornografia, ou material baseado em ódio ou violento. Mais de 91 % declararam ter tropeçado involuntariamente nessas coisas terríveis enquanto estudavam para a escola ou apenas surfavam na internet.[20] A Safe America declarou que os pais afirmaram que monitoram as pesquisas dos filhos na rede, mas estes dizem que isto não é verdade. A maioria vê aquilo que quer.

Qualquer jovenzinho pode ir à biblioteca e encontrar o material mais horroroso à sua disposição. Ele pode ver não só ilustrações sexuais gráficas na internet, mas também qualquer outra imagem e ideia perniciosa — desde como fazer uma bomba até instruções sobre como cometer suicídio. Quando os pais alarmados exigiram que fossem fornecidos filtros e supervisão para proteger os filhos desses *sites* da web, a Associação Americana de Bibliotecas e a União das Liberdades Civis Americana lutaram como leões em oposição a eles. Como é de prever, esses libertários afirmam com uma fisionomia impassível que a instalação de dispositivos de filtragem violaria a Primeira Emenda dos direitos das crianças.[21] Eles dizem também: "As bibliotecas não podem ser pais". Veja a implicação aqui. É um exemplo clássico do que estivemos discutindo. É dito aos pais: "Vocês estão por sua própria conta. Não é nosso problema. A provisão de computadores não supervisionados representa a primeira vez na história em que máquinas patrocinadas pelo governo causaram danos às crianças, é exatamente isto que está acontecendo. Os pais, sem suspeitar de nada, deixam os filhos nas bibliotecas, supondo que estarão seguros num ambiente de aprendizado. Eles não fazem ideia do que acontece lá dentro. Alguém ainda duvida de que a cultura está em guerra contra as famílias?

Espero que leia cuidadosamente o que estou prestes a escrever agora, porque explica a razão de este assunto ser tão importante. A pornografia e a obscenidade constituem uma terrível ameaça para os seus meninos. Uma única exposição a elas, para alguns adolescentes de 13 a 15 anos, é o necessário para criar um vício que os escravizará por toda a vida. A pornografia vicia mais que cocaína ou heroína. Essa foi uma das conclusões extraídas durante a Comissão sobre Pornografia da Procuradoria Geral dos Estados Unidos, em que servi. Nós, que fazemos parte da área do desenvolvimento infantil, sabemos que o ponto focal do interesse sexual não é muito bem estabelecido entre os adolescentes jovens. Ele pode ser redirecionado por uma experiência sexual precoce (desejada ou não) ou pela exposição à pornografia. O rapazinho que seria normalmente estimulado pela imagem de uma "chefe de torcida" pode aprender, mediante a obscenidade, a sentir-se excitado machucando alguém, no sexo com animais, na violência homossexual, ou fazendo sexo com crianças pequenas. Muitos homens que cederam a esses apetites sexuais perversos os atribuíram ao começo de sua adolescência.

220 Educando meninos

Foi isso que aconteceu com Ted Bundy, a quem entrevistei apenas dezessete horas antes de ele ser executado por matar três meninas, uma delas a pequena Kimberly Leach, de 12 anos.[22] Bundy confessou, dois dias antes da sua morte, ter matado pelo menos 28 mulheres e meninas; as autoridades dizem que esse número pode chegar a cem. Bundy pediu para falar comigo porque queria que o mundo soubesse como a pornografia o levara (não causara) à sua violência assassina. Ele tinha 13 anos quando descobriu material pornográfico num depósito de lixo. Entre eles, havia revistas policiais que mostravam mulheres seminuas sendo atacadas. Bundy achou aquelas figuras extremamente excitantes e começou, assim, uma vida trágica que terminou numa cadeira elétrica na Flórida.

Não estou sugerindo que todo adolescente que lê revistas pornográficas ou assiste a vídeos obscenos vai matar pessoas no futuro. Estou dizendo que alguns deles farão isso e que muitos mais — talvez a maioria — vão ficar viciados em obscenidades. Este é um enorme problema cultural. Mais de 40% dos *pastores* são afligidos por ele![23] Como acabaram assim? Pela exposição a materiais gráficos que os deixa sexualmente estimulados. Este padrão é responsável por grande número de divórcios e casamentos disfuncionais. Sei que isto é verdade porque ouço quase todos os dias mulheres cujos maridos estão pesadamente envolvidos com pornografia. O acesso à internet aumentou incomensuravelmente a incidência desta tragédia.

Vamos voltar ao perigo de colocar computadores pessoais e televisão no quarto de seus filhos. Segundo pesquisa recente, as crianças entre 2 e 18 anos passam em média cinco horas e vinte e nove minutos todos os dias assistindo à televisão, ouvindo música, ou jogando jogos de computador e videogames. Esse total aumenta para as crianças com mais de 8 anos, que passam quase 48 horas por semana envolvidas em algum tipo de atividade relacionada à mídia. A pesquisa revelou também que 53% das crianças têm televisão no quarto, o que inclui 32% de 2 a 7 anos e 65% de 8 a 18 anos. 70% das crianças têm rádios em seus quartos e 16% têm computadores.[24]

Que descrição nefasta este relatório apresenta sobre as crianças no século 21! O homem obsceno que bate na porta da frente passou a residir no quarto. Tudo está novamente ligado ao ritmo alucinado de vida. Estamos demasiadamente exaustos e arrasados para cuidar daqueles a quem mais amamos. Mal sabemos o que eles fazem nas nossas próprias casas. Que vergonha! A Yankelovich Partners Inc. declarou que a imagem das famílias reunidas em volta do aparelho de TV na sala de estar está desaparecendo. Em vez disso, muitas crianças estão, por conta própria, num lugar em que podem assistir a qualquer coisa que desejem. Ann Clurman, uma sócia da Yankelovich, disse: "Praticamente tudo o que as crianças assistem está entrando na mente dela de algum modo não censurado ou não filtrado".[25]

Recomendo urgentemente a você que tire *do quarto* todas essas peças, quer aparelhos de televisão, computadores ou VCRs. Coloque-as na sala de estar, onde possam ser monitoradas e onde o tempo gasto nelas possa ser regulado. Como poderia fazer menos por seus filhos?

É também nossa responsabilidade assistir a várias formas de entretenimento *com* nossos meninos e nossas meninas quando são pequenos. O que vocês veem juntos pode apresentar situações de ensino que os ajudará a tomar a decisão certa por si mesmos, quando forem mais velhos. Um membro da nossa equipe executiva compartilhou comigo um incidente que ocorreu enquanto ele assistia à TV com sua filha de 13 anos. Ao tentar satisfazê-la, escolheram um seriado popular com os adolescentes. O pai ficou chocado com o que viu e ouviu, mas tentou não transformar aquele tempo "juntos" num sermão paternal. Mas, finalmente, não aguentou.

— Filha — disse ele —, não posso ficar sentado aqui e ver todo esse lixo entrar em nossa casa. É terrível. Vamos ter de assistir a outra coisa.

Para sua surpresa, a filha respondeu: — Estava imaginando quando você iria finalmente mudar de canal, papai. Esse programa é medonho.

Nossos filhos podem resistir aos nossos esforços para filtrar a sujeira e a violência que invadiram o mundo deles, mas sabem que é certo fazer isso. Eles nos respeitarão por dizer: "Deus nos deu esta casa, não vamos insultá-lo permitindo que seja contaminada com programas indecentes". Todavia, a fim de fazer este julgamento, você tem de assistir *com* seus filhos para saber o que requer sua atenção. Quero sugerir que compartilhe, então, esta passagem da Escritura com sua família, escrita há 2.600 anos pelo rei Davi: "Não porei coisa injusta diante

222 Educando meninos

dos meus olhos" (SI 101.3). Leia também e discuta o seguinte versículo escrito pelo apóstolo Paulo: "Finalmente, irmãos, tudo o que é verdadeiro, tudo o que é respeitável, tudo o que é justo, tudo o que é puro, tudo o que é amável, tudo o que é de boa fama, se alguma virtude há e se algum louvor existe, seja isso o que ocupe o vosso pensamento" (Fp 4.8).

Se a caixinha não puder ser dominada, pode tentar desligá-la da parede, vendê-la, colocá-Ia na garagem, destruí-la com um machado ou enfiar um sapato em seu olho brilhante. Se o computador pessoal se tornar um problema, livre-se dele. Reúna então a família e leiam juntos um bom livro!

Eu sei, queridos pais, que minhas palavras neste capítulo foram perturbadoras. Não é de admirar que muitos de vocês sintam-se apanhados pela correnteza de uma cultura pós-moderna cujo único deus é a autogratificação e cujo único valor é o individualismo radical. Não obstante, você precisa conhecer a verdade e fazer o que está em suas mãos, para dar proteção aos seus entes queridos. No capítulo seguinte, ofereço o que considero ser o meio mais eficaz de lidar com a cultura pós-moderna. Enquanto isto, eis algumas coisas a considerar.

Primeiro, vamos dar prioridade a nossos filhos. No passado, a cultura agia para protegê-los das imagens e exploração nocivas. Agora está aberta até para os mais jovens entre nós. Coloquemos o bem-estar de nossos meninos acima de nossa própria conveniência e ensinemos a eles a diferença entre certo e errado. Eles precisam ouvir que Deus é o autor dos seus direitos e de suas liberdades. Vamos ensinar-lhes que ele os ama e prescreve para eles um alto nível de responsabilidade moral.

Segundo, vamos fazer tudo em nosso poder para reverter o impacto da violência e da cobiça que se tornou tão difundido em todo este país. Vamos exigir que os magnatas do entretenimento deixem de produzir poluidores morais. Vamos recuperar dos tribunais aquele sistema de regras pessoais que tradicionalmente permitiam que os norte-americanos debatessem suas mais profundas diferenças abertamente e chegassem juntos a soluções viáveis. O individualismo radical está nos destruindo! O pós-modernismo é o câncer que apodrece a alma da humanidade. O credo que proclama: "Se for bom, faça!" encheu grande número de hospitais com adolescentes drogados, muitas celas de prisão com jovens órfãos de pai, muitos caixões com jovens assassinados e provocou muitas lágrimas nos pais confusos.

Finalmente, vamos prometer juntos, hoje, estabelecer os mais altos padrões de ética e moral para nossos filhos e protegê-los, o mais possível, do mal e da morte. Nossas famílias não podem ser perfeitas, mas *podem* ser melhores — muito melhores.

PERGUNTAS E RESPOSTAS

Creio que o senhor disse em seu programa de rádio certa vez que estamos na verdade treinando nossos filhos para matar. O que quis insinuar com isso?
Essa é a tese de David Grossman, o qual, junto com o governador Mike Huckaby, de Arkansas, escreveu *On Killing: The Psychological Cost of Learning to Kill in War and Society* [Matar: O custo psicológico de aprender a matar na guerra e na sociedade]. O professor Grossman foi indicado para o Prêmio Pulitzer por expor a violência visual, que ele chamou "(a maior) substância tóxica que vicia e destrói".[26] Quando lhe pediram que testemunhasse diante do comitê senatorial que investigava a violência entre os jovens, ele explicou, em detalhes arrepiantes, o que estamos enfrentando como nação. Tendo passado 24 anos na força aérea, Grossman é uma autoridade no que é conhecido como "matançologia". Esse termo se refere ao "estudo da matança", enfocando os processos de treinamento usados pelos militares para preparar os homens para as tarefas mais violentas de combate. A conclusão assustadora de Grossman é que os mesmos métodos e experiências usados para este propósito estão sendo empregados para doutrinar as crianças. Em resumo, elas estão sendo ensinadas a matar sem remorso.

Essas técnicas, que envolvem excesso de exposição a certo distúrbio de comportamento, são conhecidas há décadas e são muito eficazes. É fato estabelecido que a mente humana aceitará até as experiências mais horríveis e repugnantes se tiverem tempo para ajustar-se e se forem acompanhadas por um raciocínio que desarme as defesas. O melhor (ou o pior) exemplo deste processo foi visto nos esquadrões da morte nazistas, chamados *Einsatzgruppen,* que se movimentaram por toda a Europa durante a Segunda Guerra Mundial. Cerca de quatro desses pequenos grupos de doze a vinte homens mataram sistematicamente

224   Educando meninos

mais de 1,4 milhão de pessoas a sangue frio, não poupando mulheres, crianças ou bebês.[27] Em várias ocasiões, eles chegaram a matar até cinquenta mil judeus, ciganos, poloneses e prisioneiros políticos em um único dia.[28] Depois da guerra, cientistas sociais que estudaram o comportamento assassino dos participantes concluíram que eles padeciam de demência, caso contrário não poderiam suportar tal horror dia após dia. Ao serem feitas investigações, porém, soube-se que eram principalmente seres humanos normais — ex-homens de negócios, médicos, advogados e lojistas — que acreditavam na causa nazista e se tornaram rapidamente imunes ao assassinato gratuito. Passaram a ser "monstros" que realmente apreciavam observar pessoas inocentes suplicar em vão por misericórdia. O que ocorreu foi que o excesso de exposição à brutalidade havia endurecido os assassinos ao sofrimento de inocentes e até aos gritos das criancinhas. O processo mental pelo qual os seres humanos aprendem a aceitar o que antes achavam repugnante é conhecido como dessensibilização.

O excesso de exposição é igualmente o mecanismo pelo qual esta acomodação surpreendente é alcançada. Era exigido dos recrutas nazistas que praticassem tarefas perturbadoras repetida e sistematicamente até que não ficassem mais chocados ou revoltados com elas. Eles deram a esses recrutas lindos filhotes de pastor alemão e permitiram que se ligassem emocionalmente a eles. Ordenaram depois que esses homens quebrassem o pescoço dos filhotes com as mãos nuas. Isto foi feito para "fortalecê-los". O que os líderes nazistas faziam era dessensibilizar os recrutas à crueldade. Não há grande diferença emocional entre matar cachorrinhos e matar seres humanos indefesos.[29]

Este processo de dessensibilização é usado de maneiras muito mais produtivas, hoje, pela indústria da aviação. É o mecanismo pelo qual os piloros são treinados e testados. Os pilotos são colocados em dispositivos imóveis conhecidos como simuladores, que criam situações de emergência virtual, tais como falha no motor ou problemas no mecanismo de aterrissagem. O propósito é desenvolver habilidades a serem usadas no caso de uma crise real, mas também para condicionar os pilotos a permanecerem calmos durante circunstâncias catastróficas. Mais tarde, depois de passar por todas as emergências possíveis no treinamento, poderão provavelmente lidar com situações de vida e morte, sem entrar em pânico. Funciona. Os alunos de medicina são também dessensibilizados para lidar com sangramentos no pronto-socorro ou nas cirurgias que consideravam chocantes no início. A maioria de nós tem esta capacidade para ajustar-se a experiências perturbadoras.

Com efeito, é isso que estamos fazendo a milhões de espectadores — especialmente nossos filhos —, expondo-os, incessantemente, a estupros e assassinatos na televisão e nos filmes. Justamente isto foi descoberto numa investigação durante 22 anos conduzida pela Universidade de Illinois, em Chicago. Segundo o psicólogo Leonard Eron, 875 pessoas de um condado semirrural de Nova York foram aceitas para estudo aos 8 anos de idade. Quando chegaram à casa dos 30, os que haviam assistido mais violência na televisão tinham sido culpados por certo número de crimes graves significativamente maior.

Eron, chefe da Comissão sobre Violência e Juventude da Associação Americana de Psicologia, concluiu: "A violência na televisão afeta os jovens de todas as idades, de ambos os sexos, de todos os níveis socioeconômicos e de todos os níveis de inteligência, e o efeito não fica limitado às crianças que já são predispostas à agressividade e não fica restrito a este país".[30]

Considere agora a violência à qual as crianças atuais são expostas na vida diária, tais como os videogames agora disponíveis. O *Mortal Kombat* é um dos melhores exemplos. Crianças bem pequenas estão aprendendo não só a matar, mas também a permanecer insensíveis quando cabeças são cortadas e sangue é espalhado por toda parte. Com um pouco de prática, elas aprendem a ajustar-se à morte e à desgraça. O professor Grossman disse que a dessensibilização que nossos filhos estão experimentando pode ser diretamente transferida para o campus escolar.[31]

Referindo-me novamente a Eric Harris e Dylan Klebold, os matadores da Escola Columbine, o filme favorito deles era o *Basketball Diaries* (Diários de Basquete), que descrevia uma cena bem parecida com o massacre que iriam perpetrar mais tarde. Foram também muito influenciados pela cena gótica que ensina a morte, violência e perversão sexual. Em vista desse "treinamento", não devemos surpreender-nos por saber que os jovens assassinos aplaudiram, zombaram e pareceram estar até tendo "grande prazer" ao atirar em seus colegas de escola. Como qualquer indivíduo racional pode negar este elo entre a violência virtual e a violência nas ruas?

15   Proximidade

NO CAPÍTULO ANTERIOR, DESCREVI a cultura que está derrotando as famílias em toda parte e ameaçando o bem-estar de seus filhos. Ela colocou os pais numa posição difícil. Eles devem fechar os olhos e ignorar as influências prejudiciais que rodeiam seus filhos ou resolver como defendê-los. Vou apresentar algumas ideias para aqueles de vocês que pretendem resistir e lutar.

O ponto principal desta discussão soa tão óbvio que parece não oferecer nada de novo. Creio, porém, que há valor no que estou prestes a escrever. A essência da minha mensagem é que vocês como pais devem trabalhar mais do que nunca para construir relacionamentos satisfatórios e afirmativos com seus filhos. Devem fazer com que eles desejem ficar dentro dos limites da família e conformar-se ao seu sistema de crenças. Se falharem nesta tarefa, podem perder a batalha das vontades mais tarde. A lei favorece hoje os adolescentes rebeldes. Eles vão, provavelmente, prevalecer em qualquer confronto frente a frente entre as gerações, e isto talvez leve até à emancipação legal muito cedo. Isto é o que podem fazer para prevenir tal situação.

Quando eu era criança, os pais não tinham de depender tanto da comunicação e proximidade para manter os filhos na linha. Eles podiam controlá-los e protegê-los, mais ou menos, pela imposição de regras e do isolamento de suas circunstâncias. O fazendeiro John podia levar o atrevido Johnny para fora e endireitar sua mente. Só essa ameaça já era suficiente para impedir que a maioria dos adolescentes saísse do sério.

Meus pais compreendiam esse sistema. Eles tinham milhares de regras. Havia regulamentos e proibições para quase toda situação imaginável. Por pertencer ao lar de um ministro em uma igreja muito conservadora, eu não tinha permissão de ir ao cinema (que na época era bastante aceitável), ou a danças, nem sequer usar gíria leve. *Droga* era visto como um eufemismo para *maldição*, nada parecido com o nome de Jesus ou Deus podia ser pronunciado. Eu não ousava dizer nada que se parecesse vagamente com profundidade, mesmo que fosse sem sentido. Meu primo, que vivia sob o mesmo regime geral, inventou uma gíria chamada *gerrit*, que podia usar sem ser acusado de ter dito algo mau. "Estou cansado dessa escola gerrit", ele dizia. A invenção não funcionou. *Gerrit* foi também banida.

Naqueles dias, a autoridade paterna servia tipicamente como grande escudo contra os males no que era chamado "o mundo". Qualquer coisa considerada pouco sadia ou imoral era mantida fora da cerca branca, simplesmente resistindo a ela. Felizmente, a comunidade em volta era útil para os pais. Elas eram organizadas para manter os filhos no caminho reto e estreito. A censura impedia que os filmes fossem muito longe, as escolas mantinham disciplina restrita, as infrações eram levadas ao conhecimento dos pais, havia funcionários encarregados de vigiar os alunos para que não faltassem às aulas, damas de companhia geralmente preservavam a virgindade, álcool não era vendido a menores, e drogas ilícitas eram desconhecidas. Até os adultos fora da família consideravam como sua responsabilidade cívica ajudar a proteger as crianças de qualquer coisa que pudesse fazer-lhes mal, seja física, emocional ou espiritualmente. A maioria desses habitantes da cidade era, provavelmente, conhecida dos pais delas, sendo então mais fácil para eles interferir. Este sistema de apoio nem sempre resolvia o assunto, é claro, mas era geralmente eficaz.

Como vimos no capítulo anterior, porém, este compromisso com o bem-estar dos filhos praticamente desapareceu. Em vez de ajudar os pais em suas responsabilidades na criação dos filhos, a cultura na verdade conspira contra eles. Imagens e ideias perniciosas entram pela porta da frente ou, como discutimos antes, se esgueiram diretamente para o quarto de dormir por meio da mídia eletrônica. À medida que o mundo se tornou mais sexualizado e mais violento, as oportunidades para nossos filhos entrarem em problemas aumentaram muito. Além disso, inúmeras "vozes" estão lá fora seduzindo-os para fazer o que é errado.

A autoridade dos pais é também erodida a cada passo. Por exemplo, quando os pais decidem não permitir que seus meninos vejam um filme desaconselhável, sua ordem vai, provavelmente, ser revogada. As crianças podem assistir à fita na casa de amigos ou no vídeo quando os pais estiverem trabalhando. E os adultos parecem trabalhar horas cada vez mais longas atualmente. Este é um dos pontos de maior perigo. É quase impossível para as mães e os pais filtrar os aspectos prejudiciais da cultura quando ficam um pouco em casa, na parte da tarde. Um garoto sem supervisão pode praticar mais travessuras num único dia do que seus pais podem consertar num ano.

Ao considerar como o mundo mudou, é duplamente importante construir relacionamentos com os meninos desde a mais tenra infância. Você não pode mais confiar em regras para afastá-los dos predadores no mundo mais amplo. Faz ainda sentido proibir comportamento nocivo ou imoral, mas essas proibições têm de ser apoiadas por certa proximidade emocional que faça as crianças desejarem praticar o que é certo. Elas devem saber que você as ama incondicionalmente e que tudo o que exige delas é para o seu próprio bem. É também útil explicar por que deseja que se comportem de certa maneira. "Estabelecer leis" sem este elo emocional não vai, provavelmente, adiantar.

O autor e preletor Josh McDowell expressou este princípio numa única sentença. Ele disse: "As regras sem um relacionamento levam à rebelião".[1] Está absolutamente certo. Com todas as tentações rondando nossos filhos, dizer simplesmente "não" mil vezes cria o espírito de desafio. Temos de construir pontes até eles a partir do chão. A construção deve começar cedo e incluir diversão em família, rir, brincar, jogar jogos de tabuleiro, atirar ou chutar uma bola, atirar em cestos, jogar pingue-pongue, correr com o cachorro, conversar na hora de dormir e fazer mil outras coisas que tendem a ligar as gerações entre si. O difícil é estabelecer essas amizades e manter ao mesmo tempo a autoridade e o respeito paternos. Pode ser feito. Deve ser feito.

Construir relacionamentos com os filhos não exige grande quantidade de dinheiro. Um laço vitalício, no geral, emerge das tradições que dão significado ao tempo que a família passa junto. As crianças gostam de rotinas e atividades diárias do tipo mais simples. Elas querem ouvir a mesma história ou a mesma

Proximidade   229

piada até que os pais não aguentem mais. Essas interações são, algumas vezes, mais apreciadas pelas crianças do que brinquedos caros ou eventos especiais.

O muito querido autor e professor dr. Howard Hendricks perguntou certa vez aos seus filhos adultos do que eles se lembravam com mais prazer da sua infância. Seriam as férias que passavam juntos ou as viagens aos parques temáticos ou ao zoológico? "Não", disseram eles. Era quando o pai lutava com eles no chão. É assim que os meninos pensam. As atividades mais significativas na família são quase sempre essas interações simples que constroem laços duradouros entre as gerações.

Vamos descrever o que pretendemos dizer com tradições. Elas se referem àquelas atividades repetitivas que dão identidade e senso de pertencer a cada membro da família. No musical da Broadway, *Violinista no Telhado,* lembre-se de que o violinista estava empoleirado com segurança em cima da casa por causa da tradição. Isso dizia a cada membro da comunidade judia quem ele ou ela era e como lidar com as exigências da vida e até o que usar. Há conforto e segurança para as crianças quando elas sabem o que é esperado e como se ajustam no esquema das coisas.

Dois amigos, Greg Johnson e Mike Yorkey, ofereceram alguns exemplos de como *não* formar bons relacionamentos com seus filhos em seu livro *Daddy's Home* [A casa do papai]. Estas sugestões foram escritas com ironia, mas penso que eles conseguiram marcar seu ponto.

- Sirva como sua máquina humana de moedas no fliperama.
- Deixe o jogo da NBA ligado enquanto joga Monopólio com eles.
- Leia o jornal enquanto os ajuda nos seus problemas de álgebra.
- Vá até o campo de futebol da escola praticar seu jogo de golfe e mande as crianças pegarem as bolas depois que terminar.
- Sugira que tirem uma soneca com você numa linda tarde de domingo.
- Vá com eles à reunião dos lobinhos e leia uma revista no carro enquanto eles recebem instruções sobre como dar nós.
- Leve-os ao seu escritório no sábado e faça com que desenhem enquanto você trabalha.[2]

Educando meninos

É claro que há muitas maneiras de fingir — parecendo se importar e estar "envolvido" enquanto está na verdade apenas servindo de babá. Garanto, porém, que seus filhos não vão ser enganados por muito tempo. Eles enxergam por meio dos pretextos dos adultos, algo parecido com uma visão de raio-X. E vão lembrar-se se você estava ou não junto deles quando o buscavam. Alguém disse que amar é dar a alguém sua completa atenção. Que grande definição esta!

Esta é outra ideia importante para os relacionamentos que julgo fazer muito sentido. É chamada de "primeiros cinco minutos" e se baseia num livro publicado há muitos anos. Sua tese é de que os primeiros cinco minutos que ocorrem entre as pessoas estabelecem o tom para tudo o que se segue. Por exemplo, um orador público tem poucos momentos para convencer sua plateia de que possui realmente algo valioso a dizer. Se ele for cansativo e formal, seus ouvintes vão desligá-lo como a uma lâmpada, e ele jamais saberá a razão. Pretende-se usar de humor durante o discurso, deve dizer algo engraçado bem depressa, ou eles não vão acreditar que pode fazê-los rir. A oportunidade do momento fica perdida. Felizmente, sempre que começamos uma nova interação, temos a chance de restabelecer a boa disposição.

Este princípio simples tem a ver também com os membros da família. Os primeiros cinco minutos da manhã determinam igualmente como a mãe vai interagir com seus filhos nesse dia. Rispidez ou queixas quando os filhos se reúnem para o desjejum vai azedar o relacionamento com eles durante horas. Receber os filhos depois da escola com palavras bondosas e um lanche gostoso será lembrado durante décadas. No fim do dia, quando o homem chega em casa do trabalho, a maneira como cumprimenta ou não cumprimenta a esposa vai influenciar o relacionamento deles à noite. Uma única crítica tal como: "Outra vez ensopado de atum!" estragará o relacionamento deles até a hora de dormir. Os homens que se queixam que suas esposas não são afetuosas nessa hora deveriam pensar nos primeiros momentos em que se encontraram no fim da tarde. Eles, talvez, tenham perdido grandes possibilidades com seus primeiros comentários impertinentes.

Tudo começa com os primeiros cinco minutos.

Para resumir, uma família unida é o que mantém os meninos presos quando o mundo insiste para que se libertem. Nestes dias, você não ousa ser desconectado quando tudo está ligado.

Enquanto estamos falando de relacionamentos, há outra questão que devemos discutir. Ela se refere ao grande poder das palavras. Elas são tão fáceis de pronunciar, sendo, no geral, despejadas sem muita razão ou prudência. Os que atiram críticas ou hostilidade a outros podem até nem sequer querer dizer ou crer no que disseram. Seus comentários podem refletir uma inveja, ressentimento, depressão, fadiga ou vingança momentâneos. Não importa a intenção, as palavras duras picam como abelhas selvagens. Quase todos nós, inclusive você e eu, já passamos por momentos em que o pai, o professor, o amigo, o colega, o marido ou a esposa disse algo que nos atingiu em cheio. Essa mágoa está selada agora para sempre no banco de memórias. Essa é uma propriedade surpreendente da palavra pronunciada. Mesmo que a pessoa esqueça a maior parte de suas experiências diárias, um comentário especialmente penoso pode ser lembrado durante décadas. Em contraste, o indivíduo que fez o estrago talvez não se lembre mais disso, alguns dias depois.

A ex-primeira dama Hillary Rodham Clinton contou uma história sobre seu pai, que nunca a apoiara quando criança. Quando ela estava na escola secundária, levou para casa um boletim com notas dez. Hillary mostrou-o ao pai, esperando por um elogio. Em vez disso, ele comentou: "Sua escola deve ser fácil". Trinta e cinco anos mais tarde, essas palavras ainda queimam na mente da sra. Clinton. A reação irrefletida dele pode não ter sido mais do que um gracejo casual, mas criou uma mágoa que dura até hoje.[3]

Se você duvida do poder das palavras, lembre-se do que o discípulo João escreveu sob inspiração divina. Ele disse: "No princípio era o Verbo, e o Verbo estava com Deus, e o Verbo era Deus" (Jo 1.1). João estava descrevendo Jesus, o Filho de Deus, identificado pessoalmente com palavras. Mateus, Marcos e Lucas registram, cada um, a declaração profética relacionada feita por Jesus, que confirma a natureza eterna de seus ensinamentos. Ele disse: "Passará o céu e a terra, porém as minhas palavras não passarão" (Mt 24.35). Lembramos o que ele disse até agora, mais de dois mil anos mais tarde. As palavras claramente importam.

232   Educando meninos

Existe também sabedoria sobre o impacto das palavras no livro de Tiago. A passagem diz:

> Ora, se pomos freios na boca dos cavalos, para nos obedecerem, também lhes dirigimos o corpo inteiro. Observai, igualmente, os navios que, sendo tão grandes e batidos de rijos ventos, por um pequeníssimo leme são dirigidos para onde queira o impulso do timoneiro. Assim, também a língua, pequeno órgão, se gaba de grandes coisas. Vede como uma fagulha põe em brasas tão grande selva! Ora, a língua é fogo; é mundo de iniquidade; a língua está situada entre os membros de nosso corpo, e contamina o corpo inteiro, e não só põe em chamas toda a carreira da existência humana, como também é posta ela mesma em chamas pelo inferno.
>
> TIAGO 3.3-6

Você já pegou fogo com as faíscas que caem da sua língua? Mais importante ainda, você já incendiou o espírito de uma criança, enchendo-a de ira? Todos nós já cometemos esse erro caro. Sabíamos que havíamos errado no momento em que o comentário saiu da nossa boca, mas era tarde demais. Mesmo que tentássemos cem anos, não poderíamos apagar um único comentário. No primeiro ano de meu casamento com Shirley, ela ficou muito zangada comigo sobre algo que nenhum de nós pôde lembrar. Na frustração do momento, ela declarou: "Se isto é casamento, não quero nada com ele". Ela não queria dizer isso e arrependeu-se quase imediatamente. Uma hora mais tarde nos reconciliamos e perdoamos um ao outro, mas as palavras de Shirley não podiam ser retiradas. Rimos a respeito no correr dos anos, e a questão é quase inconsequente hoje. Mesmo assim, não há nada que nenhum de nós possa fazer para apagar o pronunciamento feito naquela hora.

As palavras não são só lembradas a vida inteira, mas, se não forem perdoadas, vão perdurar além das águas frias da morte. Lemos em Mateus 12.36: "Digo-vos que de toda palavra frívola que proferirem os homens, dela darão conta no Dia do Juízo". Podemos ser gratos porque aqueles de nós com um relacionamento pessoal com Jesus Cristo têm a promessa de que os nossos pecados — e nossas palavras cruéis — não mais serão lembrados contra nós e serão afastados "quanto dista o Oriente do Ocidente" (SI 103.12). Em separado dessa expiação, porém, nossas palavras nos seguirão para sempre.

Não pretendi pregar um sermão, porque não sou ministro nem teólogo. Mas encontro grande inspiração para todos os relacionamentos familiares na grande sabedoria das Escrituras. Isso acontece também com o impacto do que dizemos. O que amedronta a nós pais é que nunca sabemos quando o *videotape* mental está funcionando, durante essas interações com as crianças e os adolescentes. Um comentário que parece pequeno para nós na ocasião pode "grudar" e ser repetido muito depois que estivermos mortos e longe. Em contraste, as coisas afirmativas e amáveis que dizemos sobre nossos filhos podem ser uma fonte de satisfação durante décadas. Tudo está, então, sempre no poder das palavras.

Esta é mais uma coisa para lembrar. As circunstâncias que precipitam um comentário doloroso para a criança ou o adolescente são irrelevantes ao seu impacto. Deixe-me explicar. Embora a criança o faça chegar ao seu limite, frustrando-o e irritando-o até o ponto da exasperação, você terá, não obstante, de pagar o preço se reagir exageradamente. Vamos supor que perca a compostura e grite: "Não aguento você! Gostaria que pertencesse a outra pessoa". Ou: "Não acredito que foi reprovado em outro exame. Como um filho meu pode ser tão idiota!". Mesmo que todo pai normal fique agitado nessa situação, seu filho não vai lembrar-se do erro no futuro. É provável que esqueça o que fez para provocar sua explosão. Mas vai lembrar-se do dia em que você disse que não o queria ou que ele era estúpido. Isso não é justo, mas a vida também não é.

Sei que estou criando uma ponta de culpa com esses comentários. (Minhas palavras também são poderosas, não são?) Meu propósito, entretanto, não é feri--lo, mas fazê-lo lembrar de que tudo o que diz tem significado duradouro para seu filho. Ele pode perdoá-lo mais tarde por "começar o incêndio", mas como teria sido melhor permanecer calmo. Você pode aprender isso com oração e prática.

Vai ajudar você a compreender que iremos, provavelmente, dizer algo que machuca quando estamos visceralmente zangados. A razão é devida a uma poderosa reação bioquímica interna. O corpo humano está equipado com um sistema de defesa automática chamado mecanismo de "luta ou fuga", que prepara todo o organismo para a ação. Quando estamos perturbados ou com medo, a adrenalina é bombeada na corrente sanguínea, iniciando uma série de reações fisiológicas no corpo. Em questão de segundos, o indivíduo é transformado de uma condição serena para um estado de "reação de alarme". O resultado é um pai ou mãe de rosto vermelho que grita coisas que ele ou ela não tinha intenção de dizer.

Essas mudanças bioquímicas são involuntárias, operando em separado da escolha consciente. O que *é* voluntário, porém, é nossa reação a elas. Podemos aprender a recuar num momento de excitação. Podemos decidir reter a língua e remover-nos de uma situação de prova. Como já ouviu, é sábio contar até dez (ou quinhentos) antes de responder. É extremamente importante fazer isto quando estamos lidando com crianças que nos irritam. Podemos controlar o impulso de revidar verbal ou fisicamente, fazendo o que iremos certamente lamentar quando a paixão tiver esfriado.

O que devemos fazer quando tivermos perdido o controle e dito algo que feriu profundamente uma criança? A resposta é: devemos consertar o dano o mais rápido possível. Tenho muitos amigos fanáticos por golfe que tentaram em vão ensinar-me seu jogo maluco. Eles nunca desistem, apesar de ser uma causa perdida. Um deles me disse que eu devia substituir imediatamente o torrão arrancado pelo bastão depois de cavar outro buraco com o meu bastão. Ele disse que quanto mais depressa eu colocasse aquele tufo de grama de volta no lugar, tanto mais rapidamente suas raízes iriam religar-se. Meu amigo estava falando de golfe, mas eu estava pensando em pessoas. Quando você fere alguém, quer seja uma criança, um cônjuge ou um colega, deve fazer um curativo antes que se instale a infecção. Peça desculpas, se for o caso. Converse sobre o assunto. Procure reconciliar-se. Quanto mais o tufo arrancado queimar ao sol, tanto menores suas chances de recuperar-se. Não é um pensamento interessante? É claro que o apóstolo Paulo chegou lá antes de nós. Ele escreveu há quase dois mil anos: "Não se ponha o sol sobre a vossa ira" (Ef 4.26). Essa Escritura tem sido muitas vezes aplicada aos maridos e esposas, mas acho que é também válida para os filhos.

Antes de concluir o tema das palavras, quero tratar da questão das difamações. Acho inquietante ver como a baixaria e o sacrilégio se infiltraram em nossas palavras nas nações ocidentais. Maldições e grosserias são tão comuns hoje que até alguns pré-escolares falam como os marinheiros de ontem. Não foi sempre assim.

Na época em que lecionava, numa escola secundária pública, a linguagem vulgar não era permitida. Sei que talvez isso acontecesse quando os alunos estavam sozinhos, mas quase nunca onde os professores pudessem ouvir. Certo dia, uma de minhas melhores alunas usou o nome de Deus de modo sacrílego. Fiquei muito desapontado com ela. Acredite ou não, tendo ensinado várias centenas de crianças por ano, aquela foi a única vez em que me lembro de ter ouvido um menino ou menina falar desse modo. Disse a ela que os Dez Mandamentos nos ensinavam a não usar o nome do Senhor em vão e que devíamos ter cuidado com nossas palavras. Penso que acreditou em mim. Isso ocorreu em 1963.

Como as coisas mudaram radicalmente desde então! Agora quase todo estudante, ao que parece, usa essa linguagem — referências repulsivas sobre as funções corporais e o comportamento sexual. As meninas dizem palavrões como os meninos. Desde a escapada do presidente Bill Clinton com Monica Lewinsky na Casa Branca, até as crianças da escola elementar têm falado abertamente sobre sexo oral, como se não fosse uma coisa tão importante assim.[4] Mais do que nunca, um número maior de meninas tem tentado essa prática. Na verdade, doenças sexualmente transmissíveis da boca e garganta estão alcançando proporções epidêmicas entre os estudantes do curso fundamental e médio. Tornamo-nos um povo profano e imoral, tanto os jovens como os mais velhos. Não obstante, os mandamentos antigos não mudaram. As Escrituras nos dizem o seguinte sobre o uso casual do nome de Deus:

> Farei conhecido o meu santo nome no meio do meu povo de Israel e nunca mais deixarei profanar o meu Santo nome; e as nações saberão que eu sou o Senhor, o Santo em Israel.
>
> Ezequiel 39.7

> A meu povo ensinarão a distinguir entre o santo e o profano e o farão discernir entre o imundo e o limpo.
>
> Ezequiel 44.23

> Seja, porém, a tua palavra: Sim, sim; não, não. O que disto passar vem do maligno.
>
> Mateus 5.37

236 Educando meninos

Se devemos crer na validade dessas e de outras passagens da Bíblia, nossa profanidade é uma ofensa a Deus. É terrível arrastar os nomes de Deus, de Jesus e do Espírito Santo no esgoto, usando-os como palavrões ou para pontuar sentenças na conversa diária. Até cristãos dizem: "Deus", em ocasiões casuais. Algumas vezes, quando ouço o que é sagrado sendo aviltado e ridicularizado, digo uma oração silenciosa, pedindo ao nosso Pai celestial que perdoe o nosso desrespeito e cure a nossa terra. Está na hora de defendermos aquilo em que cremos e ensinarmos essas verdades eternas a nossos filhos.

Estou recomendando aqui que você dê muita ênfase à linguagem de seus filhos. Ainda há lugar para a linguagem limpa, sadia, respeitosa: você não deve especialmente permitir que seus filhos caçoem do nome de Deus. A principal razão para as Escrituras citadas é a de ajudar você a ensinar esses conceitos bíblicos em sua casa. Leia e discuta "a Palavra" para estabelecer este princípio vital. Ao ensinar reverência pelas coisas santas, você está demonstrando que sua fé deve ser levada a sério e que dará contas ao SENHOR pelo seu comportamento. É também o meio de ensinar princípios de civilidade que devem ser o objetivo central da sua liderança no lar.

Eu me desviei um pouco do meu tema dos relacionamentos, mas acho que a discussão sobre as palavras foi importante. Voltando ao assunto, está chegando o dia em que os que têm filhos pequenos terão de apoiar-se nos fundamentos de carinho e amor que construíram. Se o ressentimento e a rejeição caracterizaram os primeiros anos, a adolescência pode ser um pesadelo. A melhor maneira de evitar esta bomba-relógio adolescente é desligá-la na infância. Isso é feito com o equilíbrio sadio de autoridade e amor no lar. Comece agora a construir um relacionamento que vai ajudá-lo a atravessar as tempestades da adolescência.

PERGUNTAS E RESPOSTAS

Sou um dos pais desanimados de que falou. Minha mulher e eu nos esforçamos ao máximo para ser bons pais, mas agora nosso filho de 16 anos é teimoso, desrespeitoso e desafiador. Ele está com problemas sérios com a lei e não temos ideia de onde erramos.

Antes de culpar-se por tudo o que ocorreu, insisto que pare e pense no aconte-cido. Todos nós que trabalhamos com crianças temos observado que o compor-tamento rebelde de um adolescente, às vezes, não resulta dos erros ou das falhas dos pais, mas de más escolhas feitas por sua própria iniciativa. Seu filho pode ser um desses adolescentes.

Duas coisas ficam claras a este respeito. Primeiro, os pais aceitaram rapida-mente o crédito ou a culpa pela maneira como os filhos se comportam. As mães e pais que estão criando jovens e brilhantes superastros se inclinam a estufar o peito e dizer: "Vejam o que conseguimos!". Os que têm filhos irresponsáveis se perguntam: "Onde foi que eu errei?". É bem provável que nenhuma dessas afirmações seja correta. Embora os pais tenham enorme influência na vida dos filhos, eles são apenas um componente na montagem dos filhos.

Os cientistas comportamentais têm sido demasiadamente simplistas em sua explicação do comportamento humano. Apesar de suas teorias em contrário, somos mais do que a qualidade de nossa alimentação. Somos mais do que nos-sa herança genética. Somos mais do que a nossa bioquímica. E, certamente, somos mais do que o agregado de influências dos pais. Deus nos criou como indivíduos únicos, capazes de pensamentos independentes e racionais não atri-buídos a qualquer fonte. É isso que torna a criação de filhos tão desafiadora e gratificante. No momento em que pensa que conhece completamente seu filho, é melhor preparar-se! Algo novo vai aparecer em seu caminho.

Qual o papel que a hereditariedade desempenha no comportamento de um filho como o meu?

Os especialistas em desenvolvimento infantil argumentaram por mais de um século quanto à influência relativa da hereditariedade e do ambiente, ou o que tem sido chamado de controvérsia da "natureza-nutrição". Agora, finalmente, essa questão pode ter sido estabelecida. Os pesquisadores da Universidade de Minnesota passaram muitos anos identificando e estudando cem conjuntos de gêmeos idênticos que foram separados logo depois de nascidos. Eles foram criados em culturas, religiões e locais diferentes por uma variedade de razões. Em vista de cada conjunto de gêmeos compartilhar a mesma estrutura genética,

238 Educando meninos

foi possível para os pesquisadores examinarem o impacto da herança comparando as suas semelhanças e diferenças em muitas variáveis. A partir desses e outros estudos tornou-se claro que grande parte da personalidade, talvez 70% ou mais, é herdada. Nossos genes influenciam qualidades como criatividade, sabedoria, bondade, vigor, longevidade, inteligência e até a alegria de viver.[5]

Vamos considerar os irmãos conhecidos como "gêmeos Gem", que ficaram separados até os 39 anos de idade. Suas semelhanças eram surpreendentes. Ambos se casaram com mulheres chamadas Linda. Ambos tinham cães chamados Toy. Ambos sofriam de enxaqueca. Ambos fumavam sem parar. Ambos gostavam de cerveja. Ambos dirigiam Chevrolets e ambos serviam como subdelegados. Eles até compartilhavam um senso estranho de humor. Por exemplo, os dois gostavam de fingir espirros no elevador para ver como as pessoas reagiam.[6] Este grau de semelhança na personalidade de gêmeos idênticos, criados separadamente, mostra a notável influência das características herdadas.

A estrutura genética da pessoa é tida como influenciando até a estabilidade de seu casamento. Se um gêmeo idêntico se divorcia, o risco de o outro também divorciar-se é de 45%.[7] Todavia, se um gêmeo fraterno se divorcia, por compartilhar menos da metade dos genes, o risco para o outro é somente 30%.[8]

O que essas descobertas significam? Somos simples fantoches numa corda, desempenhando um curso predeterminado sem livre-arbítrio ou escolhas pessoais? É claro que não. De modo diferente dos pássaros e mamíferos que agem segundo o instinto, os humanos são capazes de pensamento racional e ação independente. Não agimos de acordo com todo impulso sexual. O que fica claro é que a hereditariedade providencia um empurrão numa determinada direção — um impulso ou inclinação definidos —, mas que pode ser controlado pelos nossos processos racionais.

Essas descobertas são evidentemente de enorme significado para nossa compreensão das crianças. Antes que você aceite todo o crédito ou culpa pelo comportamento de seus filhos, lembre-se de que desempenhou uma parte importante nos anos formativos — mas de modo algum a única parte.

Quanto ao seu filho rebelde de 16 anos, sugiro que lhe dê algum tempo. Ele vai, provavelmente, acomodar-se ao entrar na casa dos 20. A oração é que não faça nada com implicações em longo prazo, antes que termine a adolescência.

16 Disciplinando meninos

Minha esposa e eu, há poucos dias, fomos rapidamente ao supermercado para comprar alguns produtos. Quando chegamos, vimos uma mulher e seu filho de 5 anos numa luta de poder. Ele exigia que ela comprasse algo; quando a mãe recusou, ele teve um acesso de raiva. O conflito ainda fervia quando chegaram ao caixa em cuja fila estávamos. Sem perceber minha curiosidade, a mãe abaixou-se e falou calmamente ao filho.

— Eu ia dar-lhe o que tinha pedido — disse ela —, mas agora não tem mais jeito. Não recompensamos esse tipo de comportamento.

O garotinho, porém, não se deu por vencido. Ele continuou a resmungar e se queixar. Isso levou a mãe a dizer enfaticamente:

— Você sabe o que vai acontecer quando chegarmos em casa?

— Sei — respondeu o menino.

— O quê? — perguntou a mãe.

— Uma surra.

— Isso mesmo. E se continuar agindo assim, serão duas.

Com isso a batalha acabou. O garotinho acalmou-se e passou a se comportar como um cavalheiro. Eu raramente interfiro nesses tipos de episódios, mas aquela era uma exceção. A mulher merecia um elogio.

— Você é uma boa mãe — comentei.

— Não é nada fácil — respondeu com um sorriso.

A última vez que os vi, a mulher e o filho estavam indo na direção da porta.

Sem querer, a mulher nos dera uma demonstração de disciplina firme, mas amorosa, em circunstâncias bem difíceis. O menino desafiara a autoridade da

240 Educando meninos

mãe na frente de estranhos, onde ela estava em desvantagem. Apesar do constrangimento causado pela situação, ela permaneceu calma e no controle. Não gritou nem reagiu exageradamente. Em vez disso, deixou claro que as regras predominantes em casa seriam aplicadas, literalmente, no supermercado. Esse é o tipo de disciplina confiante e amorosa que minha santa mãe aplicava quando eu era criança e que tentei descrever em meu primeiro livro para os pais, intitulado *Ouse Disciplinar*[1].

Não vou tentar resumir os ensinamentos desse livro ou dos outros que escrevi sobre o tema da disciplina. Poderia ser, porém, útil oferecer algumas sugestões adicionais de importância para os meninos. Vamos começar examinando o papel de autoridade, que é essencial para a educação adequada de meninos e meninas — mas especialmente de meninos. O segredo para os pais é evitar os extremos de qualquer lado. No curso dos últimos 150 anos, as atitudes parentais mudaram radicalmente — da opressão e rigor de um lado para a permissividade e covardia do outro. Ambas são prejudiciais às crianças. Na era vitoriana, esperava-se que as crianças fossem vistas, mas não ouvidas. O pai era no geral uma figura repressiva e alarmante que castigava rispidamente os filhos pelos seus erros e suas faltas. A mãe era quem provia na maioria das vezes os cuidados, mas ela também podia ser severa. Essas técnicas dominadoras e punitivas refletiam a ideia de que as crianças eram adultos em miniatura que precisavam ser moldados mediante castigos, começando logo após o nascimento e continuando até bem depois da juventude.

Essa rigidez eventualmente levou o pêndulo para a outra extremidade do universo. Em fins da década de 1950 e começo da década de 1960, os pais haviam se tornado decididamente permissivos. O que foi chamado de abordagem "centrada na criança" tendeu a destruir a autoridade e criar alguns pequenos terrores no lar. De fato, os *baby boomers,* que foram criados naquele período, atravessaram barulhentamente a adolescência, justamente a tempo de agitar toda a sociedade.

Embora o espírito revolucionário gerado por eles tenha praticamente cessado, as famílias atuais continuam influenciadas por ele. Muitos representantes da geração das décadas de 1960 e 1970 criaram os seus filhos com as mesmas técnicas permissivas que testemunharam em casa. Como eles não receberam de seus pais, não podiam ensinar respeito e responsabilidade aos filhos. Agora, uma terceira geração apareceu em cena, a qual tem ainda menos familiaridade com os princípios tradicionais da educação de filhos. Estou falando em termos gerais, é claro, e há muitas exceções. Mesmo assim, é minha opinião que os pais de hoje estão mais confusos do que nunca sobre disciplina eficiente e amorosa. Ela se tornou uma arte perdida, uma habilidade esquecida. Mães e pais bem-intencionados foram mal orientados pelos princípios liberais da cultura pós-moderna, especialmente no que se refere ao comportamento desobediente ou rebelde. Observe as interações entre pais e filhos em público. O que se vê são mães frustradas gritando com seus filhos atrevidos, desrespeitosos, fora de controle. Todos podem reconhecer que há algo errado nisso. Foi sob essa perspectiva que eu disse à mulher no supermercado que ela era uma boa mãe.

Essas tendências não são apenas fruto das minhas observações do cenário social em mudança. Elas são validadas pela pesquisa. Um estudo recente da Universidade de Chicago confirmou que os pais atuais são mais negligentes e permissivos do que há uma década. A criança perfeita, na opinião dos participantes é um "pensador independente" que é "um trabalhador esforçado". A obediência a regras, padrões e comportamentos prescritos tem menos prioridade. O diretor do Centro de Pesquisas, Tom W. Smith, resumiu as descobertas desta maneira: "As pessoas se tornaram menos tradicionais com o tempo, deixando de enfatizar a obediência e as famílias centradas nos pais para valorizar a autonomia dos filhos. Os pais esperam agora que os filhos sejam autodisciplinados".[2]

Para as mães e os pais que esperam que seus meninos disciplinem a si mesmos, só posso dizer: "Precisam de muita sorte". A autodisciplina é um alvo valioso, mas raramente se desenvolve por iniciativa própria. Deve ser ensinada. Formar e moldar mentes jovens é um produto da liderança cuidadosa e diligente dos pais. Você pode estar certo de que requer grande esforço e paciência. Quanto ao desejo de alguns pais de terem pensadores independentes e trabalhadores esforçados, esse é outro devaneio. Os adultos pesquisados, aparentemente, esperavam filhos que fizessem coisas magníficas sem muito envolvimento dos pais. Isso é o mesmo que dizer: "Você pode fazer isso sozinho, filho, não

242   Educando meninos

me aborreça". Se as coisas fossem assim fáceis, mães e pais dedicados não estariam trabalhando à noite para ajudar seus filhos a terminarem as lições de casa ou ensinando a eles princípios de caráter e valores. A noção de paternidade e maternidade sem esforço por parte das mães e pais ocupados está destinada a fracassar — especialmente com os pais renitentes que gostam de diversão e jogos. De qualquer lado que você olhe, os pais estão fisgados.

O *Smithsonian Magazine* mostrou certa vez um entalhador de pedras especializado da Inglaterra, Simon Verrity, que afiou suas ferramentas restaurando treze catedrais na Grã-Bretanha. Enquanto os autores observavam o trabalho dele, notaram algo muito interessante. Eles escreveram: "Verrity ouve atentamente a música da pedra sob seus golpes cuidadosos. Uma batida sólida e tudo vai bem. Um *sibilo* mais alto poderia significar um problema. Um pedaço de rocha talvez se quebrasse. Ele ajusta constantemente o ângulo do cinzel e a força do malho de acordo com o som, pausando frequentemente para passar a mão sobre a superfície recém-esculpida".[3]

Verrity compreendia bem a importância da sua tarefa. Ele sabia que um movimento forte poderia ser devastador, causando danos irreparáveis à sua obra de arte. Seu sucesso era devido à sua habilidade em ler os sinais cantados pelas pedras. De maneira similar, os pais precisam ouvir a "música" de seus filhos, especialmente durante os momentos de confronto e correção. É necessário muita paciência e sensibilidade para discernir como a criança está respondendo. Se você ouvir cuidadosamente, seus meninos e meninas lhe dirão o que estão pensando e sentindo. Ao afiar seu instrumento de trabalho, você também pode tornar-se um escultor-mestre que cria uma linda obra de arte. Mas lembre-se disto: A pedra não pode esculpir a si mesma.

Quero repetir aquilo que escrevi duas vezes antes neste livro: os meninos precisam de estrutura, eles precisam de supervisão e de serem civilizados. Quando criados num ambiente muito à vontade, sob o princípio de não intervenção e despidos de liderança, eles, no geral, começam a desafiar as convenções sociais e o bom-senso. Muitos se espatifam e queimam durante os anos de adolescência. Alguns nunca se recuperam. Esta é outra metáfora que pode ser útil: um riacho sem ribanceiras se torna um charco. É sua tarefa, como pais, construir o

Disciplinando meninos 243

canal em que o riacho vai correr. E outra: a criança será controlada pelo leme ou pelas pedras. A autoridade, quando equilibrada pelo amor, é o leme que dirige seus meninos ao redor das pedras aguçadas que poderiam rasgar o fundo de seus frágeis barcos. Sem você, o desastre é inevitável. Autodisciplina, o que é isso?

Recebemos, no programa *Foco na Família,* uma carta de uma mãe que observou as mesmas tendências que me preocupam. Ela escreveu: "O que aconteceu com a espinha dorsal dos pais de hoje? Meu marido e eu ficamos cada vez mais espantados com o medo dos pais em tomar uma atitude — até com os filhos bem pequenos. Eles não parecem entender a ideia de que Deus lhes deu um cargo por uma razão muito boa, e será ele que lhes pedirá contas. Se os pais incutissem o conceito de autoridade adequado, que dá honra a Deus, em seus filhos, desde o começo, seria muito mais fácil reforçá-la quando chegam os anos da pré-adolescência".

Esta mãe está absolutamente certa. Os pais são obrigados a cuidar de seus filhos jovens e ensiná-los a ter um comportamento respeitoso e responsável. Quando falham nessa missão, os problemas atacam silenciosamente ambas as gerações.

Você já deve ter percebido que gosto de animais e extraio deles muitas de minhas ilustrações. Um exemplo relevante são os cavalos. Podemos aprender algo sobre a disciplina dos filhos estudando como as éguas lidam com suas crias. Aprendi isto com Monty Roberts, autor do *best-seller The Man Who Listens to Horses* [O homem que ouvia os cavalos]. Visitei Monty recentemente em seu rancho em Solvang, Califórnia, para ver com meus próprios olhos seus famosos métodos de treinar cavalos. Monty começou me contando como crescera entre os cavalos e costumava montá-los em *shows* e rodeios, desde os 4 anos de idade. Um pouco mais tarde, apareceu em vários filmes de faroeste como dublê de atores infantis que não sabiam montar. Quando Monty tinha 13 anos, gostava de observar os cavalos selvagens nos desertos de Nevada. Ele se levantava bem cedo e passava o dia observando a manada com binóculos, a uma grande distância. Aos poucos, aprendeu a decifrar uma linguagem "falada" por todos os cavalos. Eles se comunicam com as orelhas e vários gestos e movimentos.

A égua mais velha, contou-me Monty, é a chefe do bando. Ela decide onde vão comer, beber e para onde dirigir-se. O garanhão pensa que é o encarregado, mas seu único papel é proteger as éguas e reproduzir. Quando uma cria, geralmente um potro, começa a comportar-se mal, mordendo e escoiceando os vizinhos, a égua corre diretamente para ele. Ela o derruba se não se mover rapidamente. Depois o persegue por cerca de 800 m. A égua volta à manada e se coloca diante do potro, olhando diretamente para ele. Ela está dizendo que ele não deve voltar, o que é muito ameaçador e perturbador para o animal. Os cavalos são animais que vivem em manadas e sentem-se atemorizados quando ficam sozinhos em lugares estranhos. Um leão da montanha ou outros predadores poderiam matá-los a não ser que o resto do bando esteja presente para protegê-los.

Em breve o potro nervoso começa a fazer um largo círculo em volta dos outros cavalos. Durante todo o tempo, a égua se move num círculo pequeno para manter o corpo diante dele e os olhos concentrados na sua direção. Finalmente, o cavalinho fica cansado e começa a fazer sinais de que está pronto para "negociar". Ele faz isso baixando a cabeça, movendo os lábios e rangendo os dentes. Ele aponta uma orelha ereta para a égua, enquanto a outra pesquisa a paisagem por detrás para descobrir predadores.

Depois de algum tempo a égua faz sinal de que está disposta a conversar. Ela faz isso virando levemente o corpo para longe do potro e olhando para outro lugar. Ele volta aos poucos para a manada até que chega a fossar a velha senhora. Nesse ponto, ele é novamente aceito nas boas graças dela. Não é incomum que a égua tenha de disciplinar o potro, rechaçando-o várias vezes antes que ele decida obedecer às regras. No fim, porém, ele reconhece que ela é o chefe e que deve submeter-se ao seu controle.

Monty usa este conhecimento da linguagem dos cavalos para domar os magníficos animais, a fim de aceitarem a sela. Ao isolar o cavalo e depois fixar os olhos nele como uma égua faria, ele chega a montar um cavalo selvagem em apenas 30 a 45 minutos. Você deveria ver o processo em ação. É algo que vale a pena contemplar.

A ilustração dos cavalos não é diretamente aplicável às crianças, mas há algumas semelhanças úteis. A mãe e o pai são as figuras de autoridade, que não devem tolerar o comportamento rebelde ou desrespeitoso. Quando a criança insiste em quebrar as regras, ela é disciplinada apenas o suficiente para fazer com que se sinta desconfortável. Não, os pais não rechaçam o menino, mas devem tornar claro que estão infelizes com a maneira como ele se comportou. Isto pode ser feito aplicando umas palmadas quando o mau comportamento foi desafiador e desrespeitoso. Ou podem administrar um período de afastamento ou outros castigos menores. Qualquer que seja a disciplina, a criança deve considerá-la desagradável e odiosa. Depois do desconforto do confronto, haverá um momento em que a criança pedirá, simbolicamente, se não em palavras: "Posso voltar?".

Nesse ponto, os pais devem acolhê-la de braços abertos. Esse é o momento de explicar por que ele entrou em dificuldades e como evitar o conflito em uma próxima vez. Os pais nunca devem recorrer aos gritos ou qualquer outra indicação de que estão frustrados e fora de controle durante o processo. Em vez disso, devem mostrar domínio da situação — como a égua que olha fixamente o potro indócil. Algumas palavras em voz baixa, faladas com convicção pela mãe ou pelo pai, transmitem, geralmente, confiança e autoridade, mais do que uma série de ameaças vazias e gestos descontrolados. Embora esta compreensão da disciplina seja bastante simples, alguns pais têm dificuldade para entendê-la. Se tiverem medo de tornar o filho desconfortável ou infeliz quando ocorre o mau comportamento, ou se temem que dano emocional permanente esteja sendo infligido quando são obrigados a castigar, não terão a determinação para vencer os confrontos inevitáveis surgidos. A criança sentirá a hesitação deles e os desafiará ainda mais. O resultado final será pais frustrados, irritados e ineficazes e filhos rebeldes, egoístas e voluntariosos.

A fim de me aprofundar nesta abordagem sobre criação de filhos, vou apresentar a você um amigo, o reverendo Ren Broekhuizen, que tem um conhecimento intuitivo de crianças. Ele tem 35 netos que o amam como um santo. Ren soube que eu estava escrevendo um livro cujo assunto era meninos e compartilhou algumas ideias comigo. As crianças, disse ele, precisam aprender que "o amor pode fazer cara feia". Muitos pais têm hoje medo de mostrar desprazer com os filhos por medo de feri-los ou rejeitá-los. Os pequeninos precisam saber quem está no controle e que estão "seguros" aos cuidados dessa pessoa. Lembrar uma criança de que você é um chefe benevolente enfatiza que você espera ser

246 Educando meninos

obedecido. Há ocasiões em que a mãe ou o pai precisam firmar-se num joelho, olhar o menino ou a menina diretamente nos olhos (lembra-se da égua?) e dizer com confiança, mas sem raiva: — Não quero que se comporte mal outra vez, entendeu? — Sem gritar ou ameaçar, o seu tom de voz diz: — Leve a sério o que estou dizendo.

O reverendo Broekhuizen ilustrou este ponto relatando uma ocasião em que levou seu neto a uma loja de brinquedos. Antes de entrarem no prédio ele disse: — Não toque em nada a não ser que eu permita. — O garoto fez sinal que entendeu com a cabeça. As expectativas do avô tinham sido esclarecidas e o menino se conformou com elas perfeitamente. O conflito foi evitado.

Para usar outra analogia, estabelecer limites claros desta natureza é como colocar placas nas estradas advertindo: "Velocidade controlada por radar". Elas lembram os motoristas de que há leis específicas governando a velocidade deles e que haverá consequências desagradáveis para os que excederem os limites. É assim que funciona o mundo adulto. O imposto de renda diz aos cidadãos: "Entregue sua declaração até 30 de abril ou enfrente uma multa de 6%". Na véspera do prazo, as pessoas fazem de tudo para cumprir a lei. Ou, para citar outro exemplo, a sua empresa diz: "Se quiser ser reembolsado pelas suas despesas de viagem, deve entregar recibos quando voltar de uma viagem autorizada". Não há ira nesses acordos. É a maneira como são. Muitos pais parecem acreditar, no entanto, que uma abordagem similar quando aplicada a crianças é danosa ou injusta. Penso que estão errados. Estabelecer as regras antecipadamente e depois reforçá-las com firmeza é muito mais saudável para as crianças do que castigá--las e ameaçá-Ias depois que ocorrer o mau comportamento.

Outro ponto salientado pelo reverendo Broekhuizen refletiu sua observação de que os pais fazem demasiadas perguntas aos filhos. — Você quer ir para a cama agora? Quer guardar o seu brinquedo? Não acha que está na hora de comer? — As mães e os pais que oferecem essas propostas, seguidas de pontos de interrogação, estão na verdade tentando evitar dizer: — Faça isto porque é melhor e porque estou mandando. — Há ocasiões apropriadas para dizer exatamente isso. Os pais receberam de Deus a autoridade para dirigir e moldar o comportamento de seus filhos. Devem usá-la!

Depois de escrever minhas lembranças da conversa com Broekhuizen, enviei este manuscrito a ele para verificar se tinha sido citado corretamente. Ele respondeu com uma carta indo um pouco mais além com as ideias. Penso que o conteúdo da carta terá valor para os pais e a transcrevo a seguir:

Caro Jim:

Agradeço as suas boas palavras. É um privilégio colaborar com você neste trabalho.

Acho que uma das grandes questões que seus leitores têm de resolver é esta: "Creio realmente que tenho autoridade para ser o chefe aqui em casa?". Penso que esta é uma das razões para haver tantos pontos de interrogação no fim das declarações parentais. Eles não têm certeza se isto é certo ou não. Uma mãe de quatro filhos, aflita, me disse certa vez: — Como o sr. conseguiu criar cinco filhos? Deve ter sido um caos contínuo. — Respondi: — O principal é que seus filhos saibam desde o começo quem manda. — Ela replicou: — Isso soa, porém, tão autoritário. — Penso que ela fala por uma geração inteira que não sentiu a autoridade enquanto crescia e não conhece o plano divino de que os pais são chamados para treinar seus filhos no caminho em que devem andar (Pv 22.6). O apóstolo Paulo disse: "Se a trombeta der som incerto, quem se preparará para a batalha?" (1Co 14.8). O que os filhos ouvem é um som incerto. Quantos de seus leitores acreditam sinceramente que sabem mais do que os filhos que Deus confiou aos seus cuidados? Lembro-me da mãe de um garotinho de 4 anos que se recusava a ir para a cama antes das onze horas. Ela tem a autoridade para dizer-lhe o que fazer, mas teme fazer uso dela.

As chances de os pais saberem mais do que seus filhos operam numa escala móvel. A partir da época em que são pequeninos até cerca de 5 anos, a mãe e o pai sabem 100% mais do que eles. As coisas começam então a mudar, vagarosamente. Quando chegam aos 8 e depois 18 ou 28 anos, as probabilidades continuam a se alterar na direção deles. Em algumas delas, meus filhos e filhas sabem muito mais do que eu agora. Mas, quando eram pequenos, eu sabia que era a autoridade segundo o plano de Deus. Ele me fizera responsável pela maneira como eu usava essa autoridade.

Vou continuar.

Outro aspecto dessa incerteza sobre quem é realmente o chefe é o que chamo de "linha de gol móvel". Observei, certo dia, uma criança correndo no parque na direção da rua. O pai disse: "Keith, pare aí, Keith! Keith! Pare ai. Você me ouviu". Mas o Keith fora "treinado" para não ouvir. Ele alcançou o carro e ficou balançando no

248   Educando meninos

trinco da porta. O pai gritou: "'Segure-se nesse trinco". Foi uma abdicação total da sua autoridade. Assisto a esse mesmo drama no supermercado. Os gerentes colocam doces nas prateleiras dos caixas para que as crianças sentadas nos carrinhos possam alcançá-los. A criança diz: — Quero um doce. — A mãe responde: — Não, é muito cedo. — Ela levanta a voz e insiste: — Doce. — Ela grita: — Não! — Ela estende o braço e pega um doce. A mãe diz: — Não coma até chegar ao carro. — Outro fracasso total.

"Contar" para fazer os filhos obedecerem faz parecer enganosamente que o pai está no controle, mas é também um alvo móvel. — Bill, venha aqui. Estou contando. Um, Dois, Tr... Bom menino. Obrigado por obedecer à mamãe. — Mas algo se perdeu no processo. Contar só faz a sua linha de autoridade recuar três passos. O que vem depois? Quatro? Cinco? Seis? Sua resposta deve transmitir a mensagem sem gritar ou ameaçar: — Estou falando sério!

Vou dizer mais uma coisa, desta vez sobre os avós, e depois prometo terminar. Sorrimos docemente e pensamos que é engraçado estragar nossos netos. Esse é um grande erro. Quando alguma coisa se estraga eu a jogo fora. Meu trabalho como avô é estabelecer um exemplo tanto para os pais como para os filhos, sendo um líder amoroso. As avós costumam revirar os olhos e dizer que seus netos são "ativos". "Ativo" para uma criança é um código para "fora de controle". Sinto-me responsável por ajudar a treinar meus netos a serem educados e respeitosos com as pessoas e seus pertences quando estamos juntos. Sempre fico, porém, na retaguarda quando os pais estão presentes, porque não quero destruir a autoridade deles.

O rev. Broekhuizen acertou no alvo com este conselho. Mas e os pais que acreditam que devem ser eternamente positivos com os filhos e que qualquer coisa interpretada como negativa por eles deve ser evitada? Milhões de mães e pais parecem sentir-se assim. Discordo, no entanto, deles, não só com relação aos filhos, mas com a vida em si.

É claro que o pensamento positivo pode ser uma coisa boa. As pessoas naturalmente bem-dispostas são mais agradáveis no trato e parecem extrair mais coisas da vida. Elas são também mais produtivas do que aquelas que estão geralmente "para baixo" e desanimadas. Mas o pensamento negativo tem também as suas vantagens. É o meu pensamento negativo que me leva a apertar o cinto de segurança quando entro no carro. Posso ser ferido numa colisão se não fizer isso. É o pensamento negativo que me faz comprar um seguro de vida para proteger minha família. Eu posso morrer de repente e deixar meus entes queridos em dificuldades financeiras. É o pensamento negativo que me encoraja a evitar comportamento que possa ser aditivo — tal como usar drogas ilícitas, bebida ou pornografia. Há milhares de outros exemplos do que pode ser chamado "negativos benéficos". A conclusão é que há poder em *qualquer* tipo de pensamento legítimo. De fato, se uma pessoa só quiser ler ou ouvir mensagens positivas, ela terá de passar por cima de pelo menos metade das Escrituras. Jesus pronunciou algumas das palavras negativas mais profundas já pronunciadas, inclusive a expectativa de as pessoas não regeneradas passarem a eternidade sem Deus. Todavia, sua mensagem para um mundo perdido e agonizante é chamada de Evangelho, significando "boas notícias".

O interessante sobre positivos e negativos é que produzem o maior benefício quando trabalham em conjunto. Por exemplo, se você colocar o cabo elétrico no polo positivo da bateria de um carro, nada acontece. Pode até colocá-lo na boca se quiser, mas não haverá força. Se tirar esse cabo do polo positivo e colocá-lo no negativo, continua não havendo força. Mas o que acontece quando você liga os cabos no positivo e no negativo e depois toca os pontos de contato? Seu cabelo vai ficar de pé, se ainda tiver algum.

Esse princípio de juntar os positivos e os negativos é ilustrado repetidamente nas Escrituras. Considere esta passagem do livro de Isaías: "'Vinde, pois, e arrazoemos, diz o SENHOR; ainda que os vossos pecados sejam como a escarlata, eles se tornarão brancos como a neve; ainda que sejam vermelhos como o carmesim, se tornarão como a lã" (Is 1.18). Que figura maravilhosa é esta do amor e perdão de Deus. Todavia, quatro capítulos depois, Isaías escreveu algumas palavras aterradoras sob a inspiração divina: "Por isso, se acende a ira do SENHOR contra o seu povo, povo contra o qual estende a mão e o fere, de modo que tremem os montes e os seus cadáveres são como monturo no meio das ruas. Com tudo isto não se aplaca a sua ira, mas ainda está estendida a sua mão" (Is 5.25).

Este equilíbrio entre compaixão e juízo se encontra desde Gênesis até Apocalipse. Ele se move entre a Criação e a Queda, entre a condenação e o perdão, entre o céu e o inferno. O maior exemplo é encontrado no livro de Isaías, onde as maravilhosas profecias sobre a vinda do Messias aparecem mescladas com predições terríveis da destruição de Israel. Ambas provaram ser exatas.

Aprender a equilibrar a interseção dessas duas forças é especialmente útil para compreender os filhos. Há uma hora de afirmação, ternura e amor. Ela alimenta o espírito e sela o laço entre as gerações. Mas há também uma hora para a disciplina e o castigo. As mães e os pais que tentam ser eternamente positivos, ignorando a irresponsabilidade e desafio por parte dos filhos, deixam de lhes ensinar que o comportamento tem consequências. Mas, cuidado! Os pais que são sempre punitivos e acusadores podem criar problemas graves de comportamento e emocionais. O apóstolo Paulo reconheceu este perigo e advertiu os pais a não exagerarem na disciplina. Ele disse: "E vós, pais, não provoqueis vossos filhos à ira, mas criai-os na disciplina e na admoestação do SENHOR" (Ef 6.4). Ele mencionou novamente a advertência em Colossenses 3.21: "Pais, não irriteis os vossos filhos, para que não fiquem desanimados". Que grande sabedoria está contida nessas duas passagens convergentes!

Alonguei-me um pouco aqui para tratar desta questão de equilíbrio na disciplina porque ela é a chave para todo o relacionamento entre pais e filhos. Permanecer na segurança do meio-termo como pais e mães é francamente difícil de conseguir. Nenhum de nós faz isso perfeitamente. Os melhores pais, entretanto, são aqueles que abrem um caminho entre a permissividade e a autoridade. Seus filhos, especialmente, vão vicejar sob a sua liderança, se evitar os extremos e tiver cuidado em "temperar" seu relacionamento com amor.

A palavra *disciplina* envolve não só a formação do comportamento e das atitudes do filho, como também o ato de dar a ele uma medida de autocontrole e da habilidade de postergar a gratificação. Ensinar a criança a trabalhar é um dos principais mecanismos pelo qual esta autodisciplina é adquirida. Como todos sabemos, porém, a maioria dos meninos tem grande aversão ao trabalho. Eles podem sentar-se e olhar para ele durante horas. É difícil fazer com que se movam, e muitos pais desistem. Parece muito mais fácil fazer tudo por eles. "A vida já é difícil", dizem, "sem precisar que as crianças façam o que lhes desagrada". Esse é um grave erro. Os que sabem como trabalhar têm no geral mais facilidade para vencer a volubilidade e a imaturidade, para reconhecer a ligação entre esforço e oportunidade e para aprender a lidar com o dinheiro. Isso serve também como preparação para a vida no mundo adulto que terão de enfrentar. Infelizmente, uma das queixas comuns feitas pela comunidade de negócios é que muitas crianças não querem trabalhar ou, se querem, não sabem *como* trabalhar. Isso deve ser verdade, porque uma alta porcentagem de adolescentes parece ir a pique quando colocada num emprego pela primeira vez.

Há outro fator a considerar. Ele se refere à ligação direta entre a autoestima e o trabalho significativo. O romancista russo Fyodor Dostoievsky escreveu certa vez: "Se você quiser esmagar literalmente um homem, dê-lhe um trabalho que seja de natureza completamente irracional e sem sentido".[4] É verdade.

Num campo de concentração fora da Hungria, durante a Segunda Guerra Mundial, os prisioneiros judeus foram forçados a levar um monte de sujeira de uma extremidade do local à outra. No dia seguinte, tiveram ordem de pô-lo de volta. Isto continuou durante semanas até que um dia um velho começou a chorar incontrolavelmente. Ele foi levado pelos captores para ser executado. Dias depois, um homem que tinha sobrevivido três anos no campo separou-se subitamente do grupo e se atirou contra uma cerca eletrificada. Nas semanas que se seguiram, dúzias de prisioneiros enlouqueceram, fugindo do trabalho e sendo eventualmente abatidos a tiros pelos guardas. Só mais tarde foi verificado que a atividade inútil tinha sido ordenada por um comandante cruel como uma experiência em "saúde mental". Ele queria ver o que aconteceria quando as pessoas fossem forçadas a fazer tarefas sem sentido. Os resultados ilustraram a relação entre trabalho e estabilidade emocional no confinamento trágico de um campo de concentração.

Esse elo é também relevante para o resto da humanidade. O trabalho dá significado e sentido à nossa existência. Os que são bons no que fazem geralmente se sentem bem sobre quem são. Eles se satisfazem em saber que lidaram com tarefas difíceis com excelência. Do lado contrário, as pessoas que falham profissionalmente têm frequentemente problemas em suas famílias e em outras áreas de sua vida.

Lembro-me de um verão há muitos anos quando Shirley e eu decidimos tirar férias de duas semanas para ficar em casa e descansar. Estávamos vivendo num ritmo frenético e achamos que seria gostoso dormir até mais tarde e apenas "ficar à toa". Que decepção! Nós dois ficamos quase malucos. Ficávamos andando pela casa, nos perguntando o que fazer em seguida. Passei até várias tardes medonhas assistindo à televisão durante o dia. Isso deixa qualquer um deprimido. Compreendi com essa experiência que o trabalho está relacionado integralmente com meu senso de bem-estar e que não fazer nada não era nem de longe tão divertido quanto eu esperava.

Se o trabalho é algo valioso, como os pais ensinam seus meninos e suas meninas a desempenhá-lo? Penso que devem começar exigindo pequenas tarefas ou levando os pratos do jantar para a cozinha. A seguir, com cerca de 4 ou 5 anos, cada criança deve ter algumas responsabilidades domésticas simples, desde ajudar a lavar a louça até levar o lixo para fora. A quantidade de trabalho exigida deve ser razoável e apropriada à idade, lembrando-se de que a principal atividade das crianças é brincar. Quanto mais velhos ficam, tanto mais tarefas devem ser designadas para as quais não recebem nada além de apreciação. As crianças são, afinal de contas, membros atuantes da família e devem ajudar a carregar o fardo de mantê-la funcionando.

Aqui está uma recomendação nesse sentido que é algo controverso. Você talvez discorde dela. Creio que as crianças devem ser recompensadas quando a quantidade de trabalho que fazem vai além da obrigação, tal como passar o sábado inteiro ajudando o pai a limpar a garagem, lavar o carro ou pintar a cerca. Muitos pais são absolutamente contrários a essa ideia. Chamam isso de suborno, mas discordo. O mundo é assim. A maioria de nós vai para o trabalho todas as manhãs e recebe pagamento a cada fim de mês. Pagar a criança quando lhe pedem para investir o seu "suor" não só é justo como faz com que ela aprenda a conexão entre esforço e recompensa. Torna também o trabalho menos doloroso para os preguiçosos crônicos.

Outra sugestão: em vista de as crianças aprenderem por imitação, a instrução "mãos à obra" é útil. Em vez de dizer: "Vá arrumar a cama", tente completar a tarefa com a criança. Trabalhar com um adulto é a forma mais enriquecedora de brincar para a criança, se isso for feito da maneira certa. Torne a tarefa divertida. Encontre coisas para rir a respeito. Se você repreender e criticar seu filho constantemente, ele começará a desenvolver atitudes negativas com relação ao trabalho. Transforme-o em um jogo, o que torna a vida mais fácil para todos.

Vou transmitir outra ideia que foi apresentada no exemplar da revista *Parenting*, de maio de 1992. Ela sugeriu que as crianças devem ser introduzidas ao trabalho ajudando-as a tornar-se pequenos empresários. O autor contou a respeito de um garoto de 14 anos que chegou a montar computadores pessoais e a vendê-los por mais de mil dólares cada.[5] Seu filho talvez não faça nada tão impressionante, mas há benefícios definidos em permitir que ele ganhe alguma experiência no mundo dos negócios. De fato, as crianças que ganham e lidam com dinheiro têm muito mais probabilidade de ter sucesso quando adultos. Cuidar de um empreendimento comercial pode ajudá-las a aprender aplicações matemáticas práticas, habilidade em relacionar-se com outras pessoas e, talvez ainda mais importante, as recompensas do trabalho árduo. As opções são muitas. As crianças mais novas podem fazer tarefas extras em casa para ganhar dinheiro. Aos 9 ou 10 anos, a maioria delas está pronta para fazer "bicos" na vizinhança. As possibilidades incluem cuidar de animaizinhos de estimação, levar recados para os vizinhos, recolher garrafas e latas para os centros de reciclagem, cuidar de outras crianças, aparar a grama e muito mais. É importante que os trabalhos não consumam muito tempo durante a infância, quando há tantas coisas mais a serem feitas.

Você deveria levar seu filho para trabalhar com você ocasionalmente. Muitos filhos não têm ideia de como seus pais ganham a vida. De fato ouvi (embora não tivesse podido comprovar esta estatística) que só 6% dos pais levam seus filhos para o lugar onde trabalham. Se isto for verdade, é uma pena. Há um século, as crianças não só sabiam o que os pais faziam para seu sustento, como tipicamente trabalhavam ao lado deles — os meninos aprendendo as ocupações dos pais e as meninas identificando-se com as mães. As crianças agora não têm ideia do que acontece a cada dia na IBM, AT&T ou no restaurante do Ralph.

Mais um pensamento: o entrevistador de rádio e autor Dennis Prager disse que ensinar os meninos a trabalharem é essencial para prepará-los para a vida adulta. Durante um de seus programas de rádio, ele perguntou a várias mulheres que características surgiam quando elas pensavam na masculinidade amadurecida. Quase todas mencionaram "responsabilidade" em suas respostas.

254 Educando meninos

Prager concordou, mas disse que isso não bastava. Alguns homens têm bons empregos, mas permanecem imaturos. Sua disposição para trabalhar deve ser combinada com a dedicação a uma causa, a algo maior do que eles próprios. Esses dois traços capacidade de viver responsavelmente e ter um senso de missão — ajudam os meninos a vencer seu egocentrismo e a começar a ver-se como homens. Como pais, então, nosso trabalho não é só ensinar os filhos a trabalharem, como também fazê-los conhecer o significado disso. Para os meninos, isso retrocede diretamente à ideia de prover e proteger suas famílias, para o que você os está ajudando a preparar-se. Tudo se ajusta.

Seu propósito em ensinar seus filhos a trabalhar é dar a eles uma amostra do mundo real. Não permita que seus filhos fiquem sentados na frente da televisão ou joguem *videogames* tediosos, ano após ano. Faça com que se movimentem. Faça com que se organizem. Faça-os trabalhar.

PERGUNTAS E RESPOSTAS

Meu filho tem 14 anos e não possui absolutamente qualquer conceito de dinheiro e como fazer uso dele. Ele pensa que o dinheiro nasce em árvores. O senhor tem quaisquer sugestões sobre como eu poderia prepará-lo para lidar com o mundo real quando for mais velho?

De acordo com nossa discussão sobre o trabalho, deixe-me acrescentar que dar trabalho a uma criança é o meio mais eficaz de ensiná-la sobre o significado do dinheiro. Quando eu era adolescente, aprendi mais sobre o valor de alguns dólares ao escavar uma vala a US$ 1,50/hora do que com os sermões de meus pais. Os dez dólares que ganhei tiveram grande significado para mim. Ganhei oito bolhas nas mãos por escavar a vala e meu rosto ficou queimado de sol, mas foi uma lição valiosa. Nunca a esqueci.

Além de aprender a trabalhar, sugiro que você ensine a seu filho alguns princípios simples de como lidar com o dinheiro.

Estas são algumas ideias úteis que lhe darão um ponto de partida:

1. Deus é o dono de tudo. Algumas pessoas pensam que o SENHOR tem direito a 10% da nossa renda, chamados de "dízimo", e que os outros 90% nos

pertencem. Isso não é verdade. Creio firmemente no conceito de dar o dízimo, mas não porque a parte de Deus fique limitada a um décimo. Não passamos de mordomos de tudo o que ele nos confiou. Ele é quem nos dá as posses — e, às vezes, as tira de nós. Tudo o que temos não passa de um empréstimo da parte dele. Quando Deus tomou a riqueza de Jó, este teve a atitude correta, dizendo: "Nu saí do ventre de minha mãe e nu voltarei; o Senhor o deu e o Senhor o tomou; bendito seja o nome do Senhor" (Jó 1.21).

Se você compreende este conceito básico, fica claro que toda decisão de gastar é uma decisão espiritual. O desperdício, por exemplo, não é esbanjar outros recursos, é o mau uso dos recursos de Deus.

Os gastos com propósitos válidos, tais como férias, sorvete, bicicletas, *jeans*, revistas, raquetes de tênis, carros e hambúrgueres, são também comprados com o dinheiro de Deus. É por tudo isso que em minha família nos curvamos para agradecer ao Senhor antes de cada refeição. Tudo, inclusive o nosso alimento, é presente da sua mão.

2. Há sempre uma troca entre tempo e esforço e dinheiro e recompensa. Você já deve ter ouvido a frase: "Não existe café de graça". Devemos sempre pensar no dinheiro como estando ligado ao trabalho e ao suor do nosso rosto.

Veja como este segundo princípio tem significado para nós. Pense por um momento na compra mais imprestável e desnecessária que você fez em anos recentes. Talvez tenha sido um barbeador elétrico, que está agora na garagem, ou um artigo de roupa que nunca será usado. É importante compreender que esse item não foi comprado com o seu dinheiro; foi comprado com o seu tempo que você trocou pelo dinheiro. Com efeito, você trocou certa porção dos seus dias na terra por esse pedaço de lixo que agora atravanca a sua casa.

Quando compreender que tudo que compra é adquirido com uma parte da sua vida, isso deve torná-lo mais cuidadoso com o uso do dinheiro.

3. Não existe decisão financeira independente. Nunca haverá dinheiro suficiente para comprar tudo o que você gostaria de ter. Até os bilionários têm certas limitações em seu poder de consumo. Portanto, cada despesa tem implicações para outras coisas que você precisa ou deseja. Tudo está ligado. Isto significa que aqueles que não resistem à ideia de gastar seu dinheiro com lixo estão limitando a si mesmos em áreas de maior necessidade ou interesse.

256   Educando meninos

Por falar nisso, maridos e esposas costumam brigar por causa do uso do seu dinheiro. Por quê? Porque seus sistemas de valores diferem, e eles discordam quanto ao que é desperdício. Minha mãe e meu pai eram típicos nesta questão. Se meu pai gastava cinco dólares com balas de espingarda ou bolas de tênis, ele justificava a despesa porque lhe dava prazer. Mas, se minha mãe comprava por cinco dólares um descascador de batata que não funcionava, ele achava isso um desperdício. Não importava o fato de ela gostar tanto de comprar quanto ele de caçar ou jogar tênis. As perspectivas de cada um eram simplesmente únicas.

Este terceiro princípio envolve o reconhecimento de que a extravagância em um ponto levará eventualmente à frustração em outro. Os bons gerentes de negócios são capazes de ver o quadro maior enquanto tomam suas decisões financeiras.

A gratificação retardada é a chave da maturidade financeira. Desde que temos recursos limitados e escolhas ilimitadas, a única maneira de prosperar financeiramente é negar-nos algumas das coisas que desejamos. Se não tivermos a disciplina de fazer isso, estaremos sempre endividados. Lembre-se de que, a não ser que gaste menos do que ganha, renda nenhuma será suficiente. É por esse motivo que algumas pessoas recebem aumento de salário e dentro em pouco se encontram ainda mais cheios de dívidas do que antes.

Deixe-me repetir esse conceito importante: nenhuma renda será suficiente se os gastos não forem controlados.[6]

Espero que esses quatro princípios ajudem seus filhos a construir um fundamento de estabilidade financeira sem comprometer o seu sistema de fé. Em resumo, o segredo para a vida bem-sucedida é gastá-la em algo que sobreviva a ela, ou, como disse o escritor de Hebreus: "Seja a vossa vida sem avareza. Contentai-vos com as coisas que tendes" (Hb 13.5).

Acho bom dar a seu filho uma ideia do que é preciso para criar e viver de acordo com um orçamento. Conheci um médico com quatro filhas que dava a cada uma delas uma mesada anual para roupas, a partir dos 12 anos. Elas tinham de parcelar cuidadosamente seu dinheiro durante o ano todo a fim de cobrir tudo o que precisavam. A menina mais moça era um tanto impulsiva e comemorou seu aniversário de 12 anos gastando toda a mesada num casaco caro. Foi difícil para os pais vê-la em dificuldades, mas eles tiveram a coragem de manter sua palavra e deixar que ela aprendesse uma lição valiosa sobre a administração do dinheiro. Lembro-me de uma mãe sozinha que convidou o filho de 15 anos a ajudá-la a preparar o formulário do imposto de renda. Quando o menino viu os custos ocultos de manter uma casa coisas como pagar os juros do financiamento e prêmios de seguro, ele ficou chocado.

O que seu filho deve compreender é que o dinheiro está ligado ao trabalho e que tudo o que você compra é uma troca. Se gastar demais numa coisa, não vai ter dinheiro para outra que poderia ser mais importante. Em outras palavras, você deve ensinar a seu filho que não podemos ter tudo na vida. Não existe também café de graça — a não ser que você o forneça para ele.

Não me preocuparia muito o fato de seu filho não compreender esses conceitos aos 14 anos. Conheço poucos jovenzinhos nessa idade que "entendem". Mas está na hora de começar o processo de aprendizado.

Meu adolescente se queixa muitas vezes que meu marido e eu não confiamos nele. Ele costuma dizer que sempre que deseja alguma coisa nós fazemos objeção. Qual deveria ser a nossa resposta?

Os filhos costumam tirar o equilíbrio dos pais quando ocorrem confrontos. Um dos instrumentos mais eficazes dos adolescentes é esse que você está ouvindo. Os pais começam tipicamente a recuar e a dar explicações: "Não, querido, não é que não confiamos quando chega tarde, é que nós...", e não sabem mais o que dizer. Ficam na defensiva, e a iniciativa muda para o outro lado.

Os pais nessa situação precisam lembrar a seus filhos que a confiança é divisível. Em outras palavras, seus filhos têm a sua confiança em certas situações, mas não em outras. Não se trata de uma proposição tudo ou nada. Referindo-me novamente ao mundo dos negócios, muitos de nós têm autorização para gastar o dinheiro da empresa de determinada conta, mas não têm acesso a toda a riqueza da corporação. A confiança, nesse caso, é especificamente limitada. Assim também, podemos ser autorizados a gastar talvez cinco mil reais para suprimentos ou equipamento, mas qualquer quantia além dessa exige a assinatura de um supervisor. Não se trata de os chefes temerem que a companhia seja enganada. Pelo contrário, a boa experiência de negócios ensinou que a confiança deve ser dada para circunstâncias e propósitos específicos. Isso é chamado de "concessão de autoridade". Se aplicarmos essa ideia aos adolescentes, eles podem esperar permissão para fazer algumas coisas, mas não para outras. À medida que lidarem com os privilégios de maneira confiável, ganharão mais autonomia. O ponto é que você como pai não deve ter um sentimento de culpa quando seus filhos reclamarem falsamente de que estão sendo maltratados. Sugiro que não coma a isca.

Meu marido e eu estamos disciplinando demais nossos filhos. Existe outro meio de encorajá-los a colaborar?
O mau comportamento contínuo dos filhos pode refletir uma necessidade de atenção. Alguns preferem ser procurados por assassinato a não ser procurados de modo algum. Você poderia ficar surpresa. Verifique também os fundamentos. Quando o time de futebol está perdendo, o treinador geralmente volta às bases. Compre um bom livro sobre disciplina e veja se os seus erros podem ser identificados.

Temos um filho de 7 anos que tem feito uma porção de coisas bem terríveis a cães e gatos da vizinhança. Tentamos detê-lo, mas sem sucesso. Estou imaginando se há algo mais com que nos preocupar neste caso.
Crueldade com animais pode ser um sintoma de problemas emocionais graves numa criança, e os que fazem tais coisas repetidamente não estão apenas passando tipicamente por uma fase. Isso deve ser definitivamente visto como um sinal de advertência que deve ser verificado. Não quero alarmá-la ou exagerar o caso, mas a crueldade na infância está ligada ao comportamento violento na idade adulta.[7] Sugiro que leve seu filho a um psicólogo ou psiquiatra para avaliação e de modo algum tolere qualquer tipo de crueldade com animais.

O que devo fazer com meu filho de 22 anos que voltou para casa depois de abandonar a escola e fazer uma verdadeira confusão com sua vida? Ele não

tem emprego; não faz sua parte nas tarefas domésticas e se queixa da comida que recebe.

Eu o ajudaria a fazer as malas — nesta tarde ou talvez mais cedo. Alguns jovens como o seu não têm intenção de crescer, e por que o fariam? O ninho é confortável demais em casa. O alimento vem à mesa, as roupas são lavadas, as contas são pagas. Não há qualquer incentivo para enfrentar o mundo frio e cruel da realidade, e eles estão decididos a não se mexer. Precisam de um empurrão firme. Sei que é difícil desalojar os filhos que voltam para casa. São como gatinhos peludos que ficam na porta de trás esperando um pires de leite morno. Mas permitir que fiquem, ano após ano, especialmente se não estiverem se preparando para uma carreira, é cultivar a irresponsabilidade e dependência. E isso não é amor, embora possa parecer muito com ele.

Chegou a hora de você entregar as rédeas a seu filho, gentil, mas diretamente, e forçá-lo a viver por conta própria. Se não fizer isso, vai paralisá-lo de todo ao tirar dele o incentivo de colocar sua vida em ordem. Boa sorte!

17

A suprema prioridade

CHEGOU A HORA DE concluirmos nosso trabalho juntos. Espero que você tenha apreciado este olhar em zigue-zague sobre os maravilhosos desafios de criar meninos. Não há nada que se compare ao privilégio de trazer filhos preciosos ao mundo e depois guiá-los passo a passo em seus anos de crescimento e em direção à maturidade. Escrevi no início de nossa discussão que nosso objetivo como mães e pais é transformar nossos filhos de "jovenzinhos imaturos e volúveis em homens honestos, atenciosos, que vão respeitar as mulheres, ser leais e fiéis no casamento, cumpridores dos deveres, líderes fortes e decididos, bons trabalhadores e seguros em sua masculinidade". É um encargo difícil, mas que pode ser cumprido com sabedoria e orientação do Pai. O principal mecanismo pelo qual esses alvos são atingidos é a aplicação de liderança e disciplina confiantes em casa, temperadas com amor e compaixão. Essa é uma combinação imbatível.

Nosso foco tem sido as maneiras como os meninos diferem de suas irmãs e as necessidades particulares associadas à masculinidade. Temos também considerado a crise cada vez maior que confronta nossos meninos no contexto cultural atual. Em resumo, vemos trabalhando contra eles a dissolução das famílias, a ausência ou negligência dos pais (homens), o abatimento consequente do espírito, o ataque feminista sobre a masculinidade e a cultura pós-moderna, que está deformando tantos de nossos filhos. Se existe um tema comum que ligue cada uma dessas fontes de dificuldades é o ritmo frenético da vida, que deixou muito pouco tempo ou energia para os filhos que esperam de nós a satisfação de cada necessidade.

Permita que eu elabore esse ponto. Espero que tenha ficado evidente, com o desenrolar desta discussão, que o problema que estamos tendo com nossos

A suprema prioridade 261

filhos está ligado diretamente que chamo de "rotina de pânico" e ao crescente isolamento e afastamento que ela produz. O caso de amor da América do Norte com o materialismo cobrou seus dividendos nas coisas mais importantes. Voltemos à epidemia de brigas e provocações que está ocorrendo em nossas escolas. Todos tivemos momentos difíceis similares quando éramos jovens. Qual é então a diferença agora? É a ausência dos pais, que não têm mais nada a dar. Alguns de nós, quando crianças, tínhamos famílias intactas e amorosas em condições de nos acalmar, afastando-nos do precipício, assegurando-nos do seu amor e ajudando a colocar as coisas em perspectiva. Alguém que realmente se importava e nos dizia que o juízo impiedoso de nossos pares não era o fim do mundo. Na ausência desse tipo de conselho sábio em períodos de crise, como quando meu pai cuidava de mim quando eu voltava abatido da escola, as crianças de hoje não têm para onde ir com a sua raiva. Algumas recorrem às drogas e ao álcool, algumas se isolam e outras, lamentavelmente, dão vazão à sua ira em ataques assassinos. Se ao menos o pai e a mãe estivessem presentes quando as paixões fervilhavam! Muitas das dificuldades que confrontam nossos filhos se resumem a essa única característica das famílias atuais: não há ninguém em casa.

Como vimos repetidamente nestes capítulos, são os meninos que tipicamente sofrem mais com a ausência do cuidado dos pais. Por quê? Porque eles têm mais probabilidade de desviar-se quando não são cuidadosamente guiados e supervisionados. Eles são inerentemente mais volúveis e menos estáveis emocionalmente. Naufragam em circunstâncias caóticas, não supervisionadas e indisciplinadas. Os meninos são como carros velozes que precisam de um motorista no volante a cada momento da jornada, girando meia polegada aqui e um quarto de polegada ali. Eles necessitam desta orientação durante pelo menos 16 ou 18 anos, ou até mais. Quando deixados por conta própria, tendem a desviar-se na direção do divisor central ou a cair na valeta, na direção do mau comportamento ou do perigo. Todavia, 59% das crianças de hoje voltam para uma casa vazia depois da escola todos os dias.[1] Esse é o convite para o desastre para os meninos turbulentos, e quanto mais velhos ficam, mais oportunidades têm de entrar em problemas. Hoje, quando a cultura está em guerra com as famílias pelo controle dos nossos filhos, não podemos preocupar-nos com coisas de menor relevância.

Sua tarefa como mãe ou pai é construir um homem com a matéria-prima disponível implícita em seu encantador menininho. Molde-o pedra por pedra e preceito após preceito. Nunca suponha, nem por um momento, que você pode sair e "fazer o que quiser" sem consequências graves para ele e sua irmã. É minha convicção que os que decidem trazer um filho ao mundo devem dar a esse menino ou a essa menina a mais alta prioridade durante um período de tempo. Isso não será sempre requerido dos pais. Antes que percebam, essa criança vai se tornar um jovem que arrumará as malas e dará seus primeiros passos hesitantes no mundo adulto. Então será a vez deles. De acordo com todas as expectativas, você como pai deve ter ainda décadas de saúde e vigor para investir o que Deus o chamar para fazer. Mas, por enquanto, há um chamado mais alto. Sinto-me obrigado a dizer-lhe isto, quer minhas palavras sejam agradáveis ou não. Criar filhos que nos foram emprestados por um breve momento supera qualquer outra responsabilidade. Além disso, viver de acordo com essa prioridade quando os filhos são pequenos produzirá as maiores recompensas na maturidade.

Estou convencido de que a maioria das mães contemporâneas se importa mais com seu marido e filhos do que com qualquer outro aspecto da sua vida e desejariam dedicar, principalmente, suas energias a eles. Elas estão, porém, presas num mundo caótico e exigente que constantemente ameaça esmagá-las. Muitas dessas jovens mulheres também cresceram em casas ocupadas, disfuncionais, orientadas pela carreira, e almejam algo melhor para seus filhos. Todavia, as pressões financeiras e as expectativas de outros as mantêm num círculo vicioso que as deixa exaustas e angustiadas. Nunca escrevi isto antes e vou ser criticado por dizer isso agora, mas creio que a família com dois empregos *durante os anos de criação de filhos* cria um nível de estresse que está dilacerando as pessoas. Priva também os filhos de algo que eles vão buscar pelo resto de sua vida.

Minha oração é que a rotina do pânico desapareça um dia. Se isso vier a tornar-se um movimento, vai beneficiar maravilhosamente a família. Deverá resultar em menos divórcios e mais harmonia doméstica. As crianças recuperarão o lugar que merecem, e seu bem-estar será melhorado em muitas frentes. Não começamos a nos aproximar ainda desses objetivos, podemos apenas esperar que um segmento significativo da população acorde um dia do pesadelo do excesso de ocupações e diga: "Este é um estilo de vida doido. Tem de haver um meio melhor para criar nossos filhos. Vamos fazer os sacrifícios financeiros necessários para diminuir o ritmo da nossa vida".

Não basta, entretanto, ficar simplesmente em casa à disposição dos filhos. Devemos usar as oportunidades desses poucos anos para ensinar a eles nossos valores e crenças. Milhares de jovens que cresceram na relativa opulência da América do Norte não tiveram esse treinamento e estão terrivelmente confusos sobre os valores transcendentes. Demos a eles mais bênçãos materiais do que em qualquer geração da história. Eles tiveram oportunidades jamais sonhadas por seus ancestrais. A maioria nunca ouviu o pipocar de metralhadoras ou a explosão de granadas. Mais dinheiro tem sido gasto em sua educação, cuidados médicos, entretenimento e viagens do que nunca antes. Todavia, falhamos em relação a eles na mais importante de todas as responsabilidades como pais. Não ensinamos quem são como filhos de Deus ou qual seu propósito neste mundo.

O falecido filósofo e autor, dr. Francis Schaeffer, escreveu: "O dilema do homem moderno é simples: ele não sabe por que o homem tem significado... Esta é a maldição da nossa geração, o âmago do problema do homem moderno".[2]

Embora a declaração penetrante do dr. Schaeffer tenha sido escrita há quase três décadas, ela é ainda mais relevante para os adolescentes e jovens adultos. Sua validade tornou-se aparente quando eu estava escrevendo meu livro sobre jovens chamado *Life on the Edge*. Para ajudar-me nesse projeto, a Word Publishers reuniu grupos formadores de opinião em várias cidades para determinar os pontos de estresse e as necessidades da geração mais jovem. Confirmando nossa tese, a preocupação mais comum foi a ausência de significado na vida. Esses jovens, a maioria deles cristãos professos, estavam confusos sobre a essência e o propósito da vida.

Vou transcrever um trecho curto do livro mencionado. Creio que se aplica não só àqueles a quem foi escrito (de 16 a 26 anos), como a todos nós nesta sociedade materialista que enfatiza os falsos valores do dinheiro, poder, da posição e de outros símbolos vazios de significado. Foi isto o que escrevi:

É importante fazer uma pausa e refletir sobre algumas questões básicas enquanto se é jovem, antes que as pressões do emprego e da família nos envolvam. Todos devem lidar, eventualmente, com várias questões eternas. Acho que você vai beneficiar-se ao fazer agora esse trabalho. Quer seja ateu, muçulmano, budista, judeu, agnóstico ou cristão, as perguntas que confrontam a família são as mesmas. Só as respostas diferem. Aqui estão:

Quem sou eu como pessoa?
Como cheguei aqui?
Existe um modo certo e errado de crer e agir?
Há um Deus e, caso positivo, o que ele espera de mim?
Há vida após a morte?
Como posso alcançar a vida eterna, se ela existe?
Terei de prestar contas um dia pelo meu comportamento na terra?
Qual o significado da vida e da morte?[3]

A triste observação, de acordo com nosso estudo, é que a maioria dos jovens com quem falamos achou difícil responder a perguntas como essas. Eles tinham apenas uma vaga noção do que poderíamos chamar de "primeiras verdades". Não é de admirar que lhes faltassem um senso de significado e propósito. A vida perde o seu sentido para a pessoa que não tem compreensão da sua origem ou destino.

Os seres humanos tendem a lutar com perguntas perturbadoras às quais não podem responder. Assim como a natureza abomina um vácuo, o intelecto age para encher o vazio. É por essa razão que tantos jovens perseguem "teologias" distorcidas e estranhas, tais como a insensatez da Nova Era, a busca do prazer, o uso de drogas e o sexo ilícito. Eles estão procurando inutilmente algo para satisfazer a "fome da alma" e, provavelmente, não vão encontrá-lo. Nem grandes realizações e educação superior podem resolver o quebra-cabeça. O significado da vida só é compreendido ao responder às perguntas eternas listadas anteriormente, e só na fé cristã é que elas são adequadamente tratadas. Nenhuma outra religião pode dizer-nos quem somos, como chegamos aqui e para onde vamos depois da morte. Nenhum outro sistema de fé ensina que somos conhecidos

A suprema prioridade 265

e amados individualmente pelo Deus do universo e por seu único filho, Jesus Cristo.

Isso nos faz retroceder ao assunto de meninos e o que eles e suas irmãs precisam dos pais durante os anos de crescimento. No alto da lista está a compreensão de quem Deus é e o que ele espera que façam. Este ensino deve começar na tenra infância. Mesmo aos 3 anos de idade, a criança é capaz de aprender que as flores, o céu, os pássaros e até o arco-íris são dons da mão de Deus. Ele fez essas coisas maravilhosas, assim como criou a cada um de nós. A primeira passagem bíblica que as crianças deveriam aprender é: "Deus é amor" (1 Jo 4.8). Elas devem ser ensinadas a agradecer a ele antes de comer e a pedir sua ajuda quando magoadas ou com medo.

Moisés leva essa responsabilidade um pouco adiante em Deuteronômio 6. Ele diz aos pais que devem falar sobre assuntos espirituais continuamente. A Escritura nos diz: "Estas palavras que hoje te ordeno estarão no teu coração; tu as inculcarás a teus filhos, e delas falarás assentado em tua casa, e andando pelo caminho, e ao deitar-te, e ao levantar-te. Também as atarás como sinal na tua mão, e te serão por frontal entre os olhos. E as escreverás nos umbrais de tua casa e nas tuas portas" (Dt 6.6-9).

Se esta passagem tem algum significado, é que devemos dar a maior ênfase ao desenvolvimento espiritual de nossos filhos. Nada se aproxima disso em importância. A única maneira de estar com seus filhos preciosos na vida futura é fazê-los conhecer Jesus Cristo e seus ensinamentos, se possível, enquanto forem jovens. Esta é a Tarefa Número Um na criação de filhos.

Para aqueles de meus leitores que precisam de um pouco de ajuda para esclarecer esses objetivos, peço que se projetem momentaneamente ao fim de seus dias, talvez daqui a muitos anos. O que lhe dará a maior satisfação enquanto estiver deitado em seu leito de enfermo, pensando sobre as experiências de uma vida? Seu coração vai se emocionar com a lembrança de honrarias, diplomas e elogios profissionais? A fama será grandemente premiada, mesmo que consiga obtê-la? Você vai ficar inchado de orgulho com o dinheiro que ganhou, os livros que escreveu ou os prédios e negócios que levam o seu nome? Penso que não. Os sucessos e realizações temporais não darão muita satisfação nesse momento do destino. Creio que o maior sentimento de realização enquanto se prepara para encerrar o último capítulo será saber que viveu segundo um padrão constante de santidade diante de Deus e que investiu altruisticamente na vida dos membros de sua família e de seus amigos. Mais importante, saber que levou seus filhos ao SENHOR e que estará com eles na eternidade, o que vai superar qualquer outra realização. Tudo o mais se tornará insignificante. Se essa for uma representação verdadeira de como você vai sentir-se quando seus dias começarem a encurtar, por que não decidir viver de acordo com esse sistema de valores agora, enquanto ainda tem a oportunidade de influenciar as crianças que o contemplam? Esta pode ser a pergunta mais importante que você como mãe ou pai terá um dia de responder!

O desenvolvimento espiritual não é só relevante para a eternidade, é também decisivo para a maneira como seus filhos vão viver aqui na terra. Os meninos, especificamente, precisam estar bem estabelecidos na sua fé, a fim de compreender o significado do bem e do mal. Eles estão crescendo num mundo pós--moderno em que todas as ideias são consideradas igualmente válidas e nada é realmente errado. A perversidade só é má na mente dos que acham que ela é má. As pessoas que vivem sob esta perspectiva ímpia de vida estão se encaminhando para grande sofrimento e miséria. A visão cristã, em contraste, ensina que o bem e o mal são determinados pelo Deus do universo e que ele nos deu um padrão moral imutável pelo qual viver. Ele oferece também perdão dos pecados, de que os meninos (e as meninas) têm boas razões para necessitar. Só com esta compreensão, a criança está sendo preparada para enfrentar os desafios que estão à frente. Todavia, a maioria das crianças não recebe qualquer treinamento espiritual! Elas são deixadas para aprender isso à medida que crescem, o que leva à existência sem sentido que discutimos.

O instrumento de ensino mais eficaz, como vimos, é o exemplo provido pelos pais em casa. As crianças são surpreendentemente perceptivas quanto às coisas que observam nos momentos descuidados dos pais. Isto foi ilustrado para mim e Shirley quando nosso filho e nossa filha tinham 11 e 16 anos. Havíamos ido juntos para Mammoth, na Califórnia, para esquiar com outra família. Nossa chegada, infelizmente, coincidiu com uma enorme nevasca naquela quinta-feira, confinando-nos ao alojamento e frustrando imensamente as crianças. Cada um de nós ia por sua vez olhar pela janela a cada poucos minutos na esperança de ver uma trégua que nos libertasse, mas não houve uma pausa sequer. Na sexta-feira continuamos socados lá dentro e a tempestade de sábado enterrou completamente nossos carros na neve. A essa altura as duas famílias já estavam com "febre da cabana", e até nosso cachorro começara a ficar inquieto.

Na madrugada da manhã de domingo, porém, o sol banhou nosso refúgio e o céu era de um azul brilhante. A neve nas árvores era linda e todos os elevadores de esquis estavam funcionando. Nós havíamos criado uma regra permanente de ir à igreja aos domingos e havíamos combinado não esquiar ou participar de eventos esportivos profissionais no que chamávamos de "Dia do Senhor". Sei que muitos cristãos discordariam dessa perspectiva e não tenho problema com os que têm opinião diferente. Este era simplesmente o padrão para a nossa família e tínhamos vivido nessa conformidade toda a nossa vida de casados. Sempre aceitamos literalmente a passagem bíblica que diz: "Lembra-se do dia de sábado, para o santificar. Seis dias trabalharás e farás toda a tua obra. Mas o sétimo dia é o sábado do Senhor, teu Deus; não farás nenhum trabalho, nem tu, nem o teu filho, nem a tua filha, nem o teu servo, nem a tua serva, nem o teu animal, nem o forasteiro das tuas portas para dentro; porque, em seis dias, fez o Senhor os céus e a terra, o mar e tudo o que neles há e, ao sétimo dia, descansou; por isso, o Senhor abençoou o dia de sábado e o santificou" (Êx 20.8-11).

Esquiar no domingo não é equivalente a trabalhar, como proibido nesta Escritura, mas é um dia separado para outro propósito. Além disso, se esquiássemos naquela manhã, estaríamos exigindo que os empregados da empresa de esqui estivessem a postos. Certo ou errado, era nisso que acreditávamos. Mas o que eu deveria fazer naquela situação? Todos queriam subir as ladeiras e, para ser honesto, eu também queria. Shirley e eu estávamos endoidando fechados com todas aquelas crianças entediadas. Portanto, reuni as famílias com os hóspedes e disse: — Vocês sabem, não queremos ser legalistas sobre isto. Penso que o Senhor perdoaria uma exceção neste caso. Está um dia muito lindo lá fora. Podemos fazer nosso devocional quando voltarmos à noite depois de esquiar, e acho que não é errado irmos.

Todos ficaram jubilosos, era o que eu pensava, e começamos a nos vestir para o passeio. Eu terminei primeiro e estava no andar de cima preparando um desjejum quando Shirley subiu e sussurrou em meu ouvido: — É melhor você ir falar com seu filho. — Ele era sempre *meu* filho quando havia um problema. Entrei no quarto de Ryan e o encontrei chorando. — O que foi, Ryan, o que aconteceu? — perguntei. Nunca me esquecerei da sua resposta.

— Papai — respondeu —, nunca vi você transigir antes. Você nos disse que não é certo esquiar e fazer coisas assim no domingo, mas agora está dizendo que não faz mal. — As lágrimas ainda escorriam pelo seu rosto enquanto falava. — Se era errado antes, continua errado hoje.

As palavras de Ryan me atingiram como um golpe de martelo. Eu havia desapontado aquela criança que esperava a minha orientação moral. Eu violara meu próprio padrão de comportamento, e Ryan sabia disso. Senti-me como o maior hipócrita do mundo. Depois de ter-me recomposto, eu disse: "Você tem razão, Ryan. Não há meios de poder justificar a decisão que tomei".

A meu pedido, as duas famílias se reuniram na sala de estar novamente e relatei o acontecido. A seguir eu disse: "Quero que todos vocês [nossos hóspedes] vão esquiar hoje. Nós certamente compreendemos. Mas nossa família vai a uma pequena igreja do povoado esta manhã". É assim que passamos nossos domingos, e hoje não deve ser uma exceção para nós.

Os membros da outra família, tanto as crianças como os adultos, disseram quase ao mesmo tempo: "Nós também não queremos esquiar hoje. Vamos à igreja com vocês". E foram. Naquela tarde comecei a pensar no que acontecera. Na manhã seguinte, telefonei para o escritório, avisando que só voltaríamos na terça-feira. Nossos amigos também conseguiram mudar seus compromissos. Fomos esquiar na segunda-feira e tivemos um dos melhores dias juntos até então. E minha consciência finalmente acalmou-se.

Eu não tivera ideia de que Ryan estava me observando naquela manhã de domingo, mas deveria ter esperado isso. As crianças adquirem seus valores e crenças do que veem modelado em casa. Essa é uma razão pela qual as mães e pais devem ter uma vida moral consistente na frente dos filhos. Se quiserem ganhá-los para Cristo, não podem ser casuais ou caprichosos sobre as coisas

A suprema prioridade 269

em que acreditam. Se você, como pai, agir como se não houvesse verdade absoluta, e se estiver ocupado demais para orar e frequentar juntos os serviços da igreja, se seus filhos tiverem permissão para jogar futebol ou fazer outro esporte durante a escola dominical, se você fraudar o imposto de renda ou mentir para o cobrador ou brigar sempre com seus vizinhos, seus filhos vão receber a mensagem. "Meus pais falam coisas que parecem boas, mas não acreditam realmente nelas." Se você servir a eles esta sopa rala durante toda a infância, eles a cuspirão no momento em que tiverem uma oportunidade. Qualquer ponto fraco ético desta natureza — qualquer falta de transparência em questões de certo e errado — será notado e aumentado pela próxima geração. Se você acha que fé e crença são absorvidas rotineiramente pelas crianças, observe os filhos dos grandes patriarcas da Bíblia, de Isaque a Samuel, de Davi a Ezequias. Todos viram no decorrer dos anos seus descendentes não se desviarem da fé possuída por seus pais.

A oportunidade é também essencial. O pesquisador George Barna confirmou o que já sabíamos: fica cada vez mais difícil influenciar espiritualmente os filhos à medida que crescem. Estas foram as suas perturbadoras descobertas:

Os dados mostram que, se a pessoa não aceitar Jesus Cristo como Salvador antes dos 14 anos, a probabilidade de vir a fazê-lo é pequena.

Com base numa amostragem de mais de 4.200 jovens e adultos em todo o país, a pesquisa mostrou que pessoas de 5 a 13 anos têm uma probabilidade de 32% de aceitarem Cristo como seu Salvador. Jovens de 14 a 18 anos têm apenas uma probabilidade de 4%, enquanto adultos (de 19 anos até sua morte) têm apenas uma probabilidade de 6% de fazerem essa escolha. No período que antecede os 12 anos é que a maioria das crianças toma sua decisão quanto a seguirem ou não a Cristo.[4] (Nota: essas estatísticas refletem uma pesquisa feita com todos os pais, sem levar em conta a sua fé. Os resultados seriam sem dúvida diferentes com uma amostragem de pais cristãos dedicados.)

"Quanto mais cedo melhor", quando se trata de levar nossos filhos ao SENHOR. Além do mais, tudo o que fazemos durante esses anos básicos da criação de filhos deve ser banhado em oração. Não há conhecimento suficiente nos livros — neste ou em qualquer outro — para assegurar o resultado de nossa responsabilidade de pais sem a ajuda divina. É arrogante pensar que podemos pastorear nossos filhos com segurança pelos campos minados de uma sociedade cada vez mais pecadora. Essa terrível compreensão me atingiu quando nossa filha Danae tinha apenas 3 anos. Reconheci que ter doutorado em desenvolvimento infantil não seria suficiente para enfrentar os desafios da arte de ser pai. Foi por esse motivo que Shirley e eu começamos a jejuar e orar por Danae, e mais tarde por Ryan, quase todas as semanas desde que eram pequenos. Pelo menos um de nós cumpriu essa responsabilidade durante toda a infância deles. De fato, Shirley continua essa prática até hoje. Nossa petição era a mesma durante os primeiros anos: "Senhor, dá-nos sabedoria para criar os preciosos filhos que o Senhor nos emprestou e, acima de tudo, ajuda-nos a levá-los aos pés de Jesus. Isto é mais importante para nós do que nossa saúde, nosso trabalho ou nossas finanças. O que pedimos mais fervorosamente é que o círculo esteja completo quando nos encontrarmos no céu".

Novamente, a oração é a chave de tudo. Isto me fez lembrar de uma história contada por um principiante que jogava para no *Chicago Bulls*. Certa noite, o incomparável Michael Jordan fez 65 pontos e o novato recebeu ordem de entrar nos dois últimos minutos do jogo. Quando o jovem foi interrogado mais tarde por um repórter, ele disse: "Foi mesmo uma grande noite. Michael Jordan e eu fizemos 68 pontos".[5] É assim que me sinto sobre ser pai e sobre a oração. Fazemos todo o possível para ganhar alguns pontos, mas a maior contribuição é feita pelo criador dos filhos.

Os pais também precisam do auxílio dos outros membros da família, se estiverem disponíveis. Fui abençoado por ter uma avó e uma bisavó que ajudaram meus pais a colocar um fundamento espiritual que permanece comigo até hoje. Essas duas santas mulheres conversavam comigo regularmente sobre o Senhor e sua bondade conosco. Minha bisavó, a quem chamávamos de Nanny, podia fazer o céu descer sobre a terra em oração. Uma de minhas primeiras lembranças, acredite ou não, é a de vê-la curvada sobre mim quando eu estava numa espécie de berço. Eu não poderia ter mais de 15 meses. Ela usava uma touca antiquada com bolas felpudas pendentes nas extremidades de cordões. Lembro-me de ter brincado com aquelas coisas penugentas enquanto Nanny ria e me abraçava. Esta mulher, a quem amei profundamente, começou a me falar de Jesus nos anos seguintes. Acreditei nela. Seu marido, meu bisavô, orava todos os dias entre as onze horas e meio-dia, especificamente pelo bem-estar de seus filhos e das três gerações de sua família ainda por nascer. Ele morreu no ano anterior ao meu nascimento, todavia, suas orações continuam a ecoar pelos corredores do tempo. Estou à espera de encontrá-lo algum dia e ter a oportunidade de agradecer-lhe pela herança de fé que ele e meus outros ancestrais transmitiram à minha geração.

Minha avó, do outro lado da família, era chamada de Mãezinha por pesar apenas quarenta quilos. Era a alegria de minha vida. Falava com frequência sobre como o céu ia ser maravilhoso, o que me fez desejar ir para lá. Meu pai me contou que, quando ele era pequeno, Mãezinha reunia seus seis filhos ao seu redor para ler a Bíblia e orar. A seguir, ela falava sobre a importância de conhecer e obedecer a Jesus. Muitas vezes disse: "Se um único de vocês perder a fé, seria melhor que eu nunca tivesse nascido". Essa era a prioridade que dava ao crescimento espiritual de seus filhos. Ela e os outros passaram efetivamente esta responsabilidade para mim.

Vou dirigir-me especificamente aos avós e bisavós entre os meus leitores. Você teve uma esplêndida oportunidade para entregar uma herança espiritual à sua prole. É uma responsabilidade dada por Deus que, de certa forma, é mais eficaz do que aquela que as mães e pais ocupados conseguem cumprir. Espero que não a desperdicem. Orem por seus filhos e suas filhas que estão educando os filhos deles numa época difícil. Não é fácil ser mãe ou pai atualmente. Ajudem-nos a ensinar seus filhos sobre Jesus, sobre o céu e o inferno e sobre os princípios de certo e errado. Foram muitos os cristãos que me disseram ter aceito Cristo como adultos por causa dos ensinamentos transmitidos por seus avós.

Geoffrey Canada é um afro-americano que cresceu nas ruas do Bronx.

É autor do livro *Reaching Up for Manhood: Transforming the Lives of Boys in America*. Ele fala, nesse livro, sobre algumas de suas experiências pessoais e dá crédito à sua avó, que o fez mudar de conceitos e lhe deu um compasso moral. Conta também a história dos últimos dias dela enquanto morria de câncer. Foi

272 Educando meninos

durante um período terrivelmente difícil na vida dele. Seu irmão e seu filho pequeno haviam morrido recentemente. Em suas palavras:

> Eu poderia ter aceitado uma dessas mortes, mas não as três. Por que Deus tirara meu filhinho, meu irmão a quem eu tanto amava, e agora [ia tirar] minha avó a quem tanto queria? A resposta para mim é que simplesmente não havia Deus. Eu não só duvidei da existência de Deus, como minha vida perdeu igualmente o sentido. Por que estava trabalhando com tanto afinco na faculdade, longe de minha família e amigos, sacrificando tanta coisa, quando a morte poderia vir a qualquer instante, tornando insensatos todos os meus esforços?
>
> Quando fui para casa ver minha avó, ela estava acamada. O câncer roubara suas forças e logo lhe tiraria a vida. Pouco antes de voltar para a escola, fui até seu quarto e fiz a pergunta que me angustiava. Sei que foi egoísta da minha parte perguntar isto enquanto agonizava, mas eu tinha de saber.
>
> — Vovó, você ainda acredita em Deus?
>
> — Claro que sim. Por que me pergunta isso?
>
> — Porque está doente, com câncer.
>
> — Estar doente não tem nada a ver com a fé.
>
> — Como pode ter fé quando Deus fez isso a você? Fez você sofrer. E para quê? O que fez para ofender tanto a Deus para sofrer assim?
>
> — Geoffrey, ouça, sei que você passou por muita coisa com a perda de seu filho e seu irmão. Mas não perca a fé em Deus ou em si mesmo. Deus tem um plano para você. Você é parte dele e não pode desistir. A fé não é algo em que você crê até que as coisas deem errado. Não é como torcer por um time de futebol e, quando ele começa a perder, mudar de lado e torcer pelo outro time. Fé significa que você crê, aconteça o que acontecer. Está me ouvindo? É fácil ter fé quando tem um milhão de dólares e está com boa saúde. Você pensa que isso prova qualquer coisa para Deus? Seu problema é que você pensa que se estudar bastante nos seus livros vai descobrir todas as respostas. Todas as respostas não estão nos livros. Nunca estarão. [Lembra-se dos comentários de Karen Cheng sobre significado?] Portanto, quer saber se eu creio em Deus? Sim, agora mais do que nunca.
>
> Voltei relutantemente para Bowdoin [onde frequentava a faculdade] depois de passar uma semana com minha avó, sem saber que aquela era a última vez em que falaria com ela. Minha avó morreu poucas semanas depois que a deixei.

Passei o resto do meu segundo ano num torpor, as perdas combinadas sendo algo acima da minha compreensão. Eu sabia, porém, que tinha de continuar tentando para não perder a fé, porque era isso que minha avó queria. Quando ficava subitamente amedrontado ou deprimido, e descobria que minha fé era fraca e não podia suster-me, sentia que podia tomar de empréstimo de minha avó. Embora ela não estivesse mais viva, sua fé era real e tangível para mim. Muitas noites me apoiei em sua fé quando percebia que a minha não suportava as minhas dúvidas.

Toda criança precisa de uma avó como a minha em sua vida — alguém mais velho, mais sábio e que esteja disposto a lutar quanto for preciso pela alma de uma criança. Alguém com disposição para manter sua vida como um exemplo de fé. Uma pessoa que tanto perdoa como ensina o perdão. Alguém cuja abundância de fé estará disponível em suprimento suficiente quando as crianças precisam. Isso porque, mais cedo ou mais tarde, as crianças precisam de mais fé do que possuem. Esse é o ponto em que entramos.[6]

Com isso, apressamo-nos para um pensamento final. Uma vez que seus filhos chegarem aos últimos anos da adolescência, será importante não empurrá-los com muita força espiritualmente. Você pode ainda ter expectativas razoáveis para eles enquanto estiverem sob o seu teto, mas não pode exigir que creiam no que lhes foi ensinado. A porta deve ficar completamente aberta para o mundo lá fora. Este pode ser o período mais amedrontador para os pais. A tendência é reter o controle a fim de impedir que seus filhos cometam erros. Todavia, os adolescentes e os jovens adultos têm mais probabilidade de fazer as escolhas apropriadas quando não são forçados a se rebelar a fim de fugir. A simples verdade é que o amor exige liberdade. As duas coisas andam juntas.

Por mais que você prepare, abrir as mãos e deixar voar nunca é fácil. A falecida Erma Bombeck comparava a responsabilidade dos pais a empinar uma pipa.[7] Você começa tentando tirá-la do chão e algumas vezes imagina se vai conseguir. Você corre pela estrada o mais depressa possível com a pipa desajeitada esvoaçando ao vento atrás de você. Algumas vezes ela cai ao solo, então coloca uma cauda mais comprida e tenta novamente. De repente, ela recebe uma pequena rajada de vento e voa perigosamente perto dos fios elétricos. Seu coração bate forte enquanto observa o risco. Mas, então, sem aviso, a pipa começa a repuxar a linha ao subir em direção ao céu. Você a solta aos poucos e, mais cedo do que esperava, chega ao fim do carretel. Você fica na ponta dos pés, prendendo o último pedaço entre o polegar e o indicador. Depois, relutantemente, a solta, permitindo que a pipa voe desimpedida e independente no céu azul de Deus.

É um momento alegre e aterrador, que foi ordenado desde o dia do nascimento de seu filho. Com esta libertação final, sua tarefa como mãe ou pai está terminada. A pipa está livre, e então, pela primeira vez em vinte anos, você também está.

Minhas orações estarão com você enquanto desempenha sua responsabilidade dada por Deus. Aprecie cada momento dela. E abrace seus filhos enquanto pode. Espero que algo que escrevi nestas páginas tenha sido útil para você e os seus. Obrigado por ler junto comigo.

É DIFÍCIL PARA UM CÃO

É difícil para o cão quando o seu menino cresce,
Quando ele não mais corre e brinca como um cachorrinho.
É difícil para o cão quando seu menino fica mais velho,
Quando não mais se aconchegam em seu leito quando está frio.
É difícil para o cão quando o seu menino cresce,
Quando sai com outros para jogar futebol e beisebol.
Eles não caminham mais pela lama do brejo,
Esperando encontrar uma tartaruga ou um sapo perdidos.
Eles não correm mais com a grama até os joelhos,
Ou rolam nas pilhas de folhas frescas caídas.
É difícil para o cão quando o seu menino cresce,
Quando vai para a escola, olhando as meninas no corredor.
É difícil para o cão quando ele tem trabalho a fazer,
Quando se esquece de brincar como costumava.
É difícil para o cão quando, em vez da floresta, do campo
ou de uma lagoa,
Seu menino se transforma em homem — e o homem se vai.[8]

Jean W. Sawtell

Notas

Agradecimentos
[1] SCHAEFFER, Francis A. *He is There and He is Not Silent*. Carol Stream: Tyndale House Publishers, 1972.

Capítulo 1: O mundo maravilhoso dos meninos
[1] ROSEMOND, John, como citado em Paula Gray Hunker: "What Are Boys Made Of?". *Washington Times,* 28 de set. de 1999, 1(E).
[2] Idem.
[3] PLATÃO, *Laws,* 1ª edição de 1953, p. 164.
[4] HARMON, Kitty. *Up to No Good: The Riscally Things Boys Do.* São Francisco: Chronicle Books, 2000. Extraído de *Up to No Good: The Riscally Things Boys Do,* editado por Kirty Harmon. © 2000 por Tributary Books. Reeditado com permissão de Chronicle Books, São Francisco.
[5] DREYFUSS, Ira, "Boys and Girls See Risk Differently, Study Says". Associated Press, 16 de fev. de 1997.
[6] Idem.
[7] "That Little Boy of Mine", usado com permissão de Robert Wolgemuth.

Capítulo 2: *Vive la différence*
[1] Veja, por exemplo: PARLEE, Mary Brown, "The Sexes Under Scrutiny: From Old Biases to New Theories", *Psychology Today,* nov. de 1978, p. 62-69, O'REILLY, Jane, "Doing Away with Sex Stereotypes", *Time,* 23 de out. de 1980, p. 1.
[2] THOMAS, Marlo et al., *Free to Be You and Me.* Filadélfia: Running Press, 1974.
[3] GREER, Germaine. *The Female Eunuch.* Londres: MacGibbon e Kee, 1970.
[4] "No Safe Place: Violence against Women: An Interview with Gloria Steinem", KUED-TV; Salt Lake City.
[5] Idem.
[6] BUMILLER, Elisabeth, "Gloria Steinem: The Everyday Rebel; Two Decades of Feminism, and The Fire Burns as Bright", *Washington Post,* 12 de out. de 1983, 1(B).
[7] Idem.
[8] GREER, *The Female Eunuch.*

9 "Lawyer Wages War on Sexism in Toys", Associated Press, 9 de dez. de 1979.
10 THOMAS, Tracy, "A Gloria Allred Scorecard", *Los Angeles Times,* 29 de out. de 1987, Metro, 2.
11 DICKINSON, Joy, "Child Advocates Derry Gender Stereotyping in Toys (R) Us Store Redesign", *Bradenton Herald,* 19 de fev. de 2000.
12 SOMMERS, Christina Hoff, "The War Against Boys", *C-Span* 2, 16 de jul. de 2000.
13 KOLATA, Gina, "Man's World, Woman's World? Brain Studies Point Differences", *New York Times,* 28 de fev. de 1995, 1(C).
14 PARLEE, Mary Brown, "The Sexes Under Scrutiny: From Old Biases to New Theories", *Psychology Today,* nov. de 1978, p. 62-79.
15 O'LEARY, Dale, "Gender: The Deconstruction of Women: Analysis of the Gender Perspective in Preparation for the Fourth World Conference on Women in Beijing, China", p. 6.
16 CHESS, dra. Stella e THOMAS, dr. Alexander. *Know Your Child: An Authoritative Guide for Today's Parents.* New York: Basic Books, 1987.

CAPÍTULO 3: QUAL É ENTÃO A DIFERENÇA?

1 SAPOLSKY, Robert, "Testosterone Rules: lt Takes More Than Just a Hormone to Make a Fellow's Trigger Finger ltch", *Discover,* mar. de 1997, p. 44.
2 BJORK, Randall, M.D. Correspondência pessoal; Micheal dr. Phillips et al. "Temporal Lobe Activation Demonstrates Sex-based Differences during Passive Listening", *Radiology,* jul. de 2001, p. 202-207.
3 SAPOLSKY, "Testosterone Rules".
4 SULLIVAN, Andrew, "The He Hormone", *New York Times Magazine,* 2 de abr. de 2000, p. 46. Copyright © 2000 por Andrew Sullivan. Publicado originalmente em 2 de abr. de 2000 em *The New York Times Magazine.*
5 JOHNSON, Gregg, "The Biological Basis for Gender-Specific Behavior", cap. 16 em *Recovering Biblical Manhood and Womanhood: A Response to Evangelical Feminism,* ed. Wayne Grudem e John Piper. Wheaton: Crossway Books, 1991.
6 2001 Fortune 500 CEO List.
7 Congressional Handbook, 107º Congresso.
8 NAVRATILOVA, Martina, "Friends across the Net", *Newsweek*, 25 de out. de 1999, p. 70.
9 MC ENVOE, John, "Playing with Pure Passion", *NEWSWEEK,* 25 de out. de 1999, p. 70. De *Newsweek,* 25 de out. © 1999 Newsweek, Inc. Todos os direitos reservados.
10 "Serotonin and Judgment", *Society for Neuroscience Brain Briefings* (abr. 1997).
11 LEDOUX, Joseph, "The New Brain".
12 FREEDMAN, Joshua, "Hijacking of the Amygdala", *EQ Today.*
13 HUNKER, "What Are Boys Made Of?"
14 WALLIS, Claudia, "Life in Overdrive", *Time,* 18 de jul. de 1994, p. 42.
15 Idem, 46.
16 Idem, 48.

17 Idem, 44.

18 WILL, George "Boys Will Be Boys, or We Can Just Drug Them", *Washington Post*, 2 de dez. de 1999, sec. 39A.

19 DOBSON, James. *Solid Answers*. Wheaton: Tyndale House Publishers, Inc., 1997.

CAPÍTULO 4: ESPÍRITOS FERIDOS

1 GURLAN, Michael. *A Fine Young Man*. New York: Jeremy Tarcher/Putnam, 1998, p.12-15.

2 PHILLIPS, Angela. *The Trouble with Boys*. New York: Basic Books, 1994, p. 21.

3 HOLMES, Amy M., "Boys Today: Snakes, Snails and Guns", *USA Today*, 10 de dez. de 1999.

4 PHILLIPS, *The Trouble with Boys*.

5 GOLDBERG, Carey, "After Girls Get the Attention, Focus Shifts to Boy's Woes", *New York Times*, 23 de abr. de 1998.

6 HUNKER, "What Are Boys Made Of?"

7 GURIAN, Michael. *The Wonder of Boys*. New York: Jeremy Tarcher/Putnam, 1996, p. 15.

8 "Newly Released Videotape Offering Insight into Mind of Teen Gunman Kip Kinkel", *NBC News Transcripts*, 22 de jan. de 2000.

9 HOLMES, "Boys Today".

10 "A Devastating Cycle: Substance Abuse, Child Abuse Tragically Linked", *San Diego Union Tribune*, 26 de abr. de 1999, 6(B).

11 KOTULAK, Ronald, "Why Some Kids Turn Violent: Abuse and Neglect Can Reset Brain's Chemistry", *Chicago Tribune*, 14 de dez. de 1993, p. 1.

12 Focus on the Family, "The Family at the End of the 20th Century", 8 e 9 de jun. de 1995.

13 FREDERICK, Diane, "Therapist Discusses Roots of Violence", *Indianapolis Star*, 3 de mar. de 2000, p. 1(N).

14 PERETTI, Frank. *Wounded Spirits*. Nashville: Thomas Nelson/Word, 2000.

15 GOODE, Erica, "Study Finds TV Alters Fiji Girls' View of Body", *New York Times*, 20 de mai. de 1999, p. 17(A).

16 PATTERSON, Karen, "Through Thick or Thin: Americans Lose Sense of Proportion in Struggling with their Weight", *Dallas Morning News*, 29 de ago. de 1999, 1(J).

17 SMITH, Joan, "For 9-Year Old Girls, the Big Fear Is Not the Bogeyman, but Getting Fat", *Chicago Tribune*, 12 de nov. de 1986, p. 30.

18 "Study: Elementary School Pupils Watch Their Wastelines", Associated Press, 2 de mai. de 1989.

19 Children Aware of Dieting, Body Image", Reuters, 6 de jan. de 2000.

20 "Diana in a New Light", ABC News 20/20, 6 de out. de 2000.

21 HALL, Stephen S., "Bully in the Mirror", *New York Times Magazine*, 22 de ago. de 1999, p. 31.

278   Educando meninos

22 Idem.
23 "Boys as Bullies: Researchers Find Aggression Can Be a Road to Popularity", *Chicago Tribune,* 19 de jan. de 2000, p. 7.
24 "Psychologist Dorothy Espelage Discusses Report on Bullies in Schoolyard", *NBC News Transcripts,* 21 de ago. de 1999.
25 PHILLIPS, *The Trouble with Boys.*
26 "Common Thread among School Shootings Is Bullied Teens Striking Back in Rage", *NBC News,* 9 de mar. de 2001.
27 Idem.
28 GUMBEL, Andrew, "San Diego Killings: Nobody Believed the Scrawny Boy's Threat to Bring a Gun to School", *London Independent,* 7 de mar. de 2001, p. 5.
29 Idem.
30 LeBLANC, Adrian Nicole, "The Outsiders", *New York Time Magazine,* 22 de ago. de 1999, p. 36. Copyright ©1999 por New York Times Co. Reimpresso com permissão.
31 Idem.
32 CRITTENDEN, Jules, "High School Horror: United in Grief, 70.000 Mourners Open Their Hearts to Colorado Victims", *Boston Herald,* 26 de abr. de 1999, p. 1.
33 "Common Thread Among School Shootings".
34 "Students' Review Makes Parents Want to Scream", *Plugged In,* 15 de jun. de 1997.
35 LAPIN, Rabino Daniel, Family Research Council Washington Briefing, mar. de 2000.
36 "Media Tied to Violence among Kids", Associated Press, 26 de jul. de 2000.
37 RUBENSTEIN, Steve, "Doctors Advise TV Blackout for Little Kids", *San Francisco Chronicle,* 4 de ago. de 1999, p. 1(A).
38 HART, Archibald. *Stress and Your Child.* Nashville: Thomas Nelson/Word, 1992.
39 PARKER, Kathleen, "Let's Give our Boys a Gift: Self-Control", *USA Today,* 15 de set. de 1999, p. 17(A).
40 American Academy of Pediatrics. Usado com permissão do Family Research Council.
41 VOTH, Harold M. e NAHAS, Gabriel. *How to Save Your Kids from Drugs.* Middlebury: Paul S. Ericksson, 1987.

CAPÍTULO 5: O PAI ESSENCIAL

1 LEARY, Warren, "Gloomy Report on the Health of Teenagers", *New York Times,* 9 de jun. de 1990, p. 24.
2 Bureau of the Census, *Code Blue* (Washington, D.C.).
3 PRUETT, Kyle D. *Fatherneed. Why Father Care Is As Essential As Mother Care for Your Child.* Mankato: The Free Press, 1999.
4 U.S. Department of Health and Human Services, *Morehouse Report,* National Center for Children in Poverty, Bureau of the Census (Washington, D.C.).

[5] "Back to School 1999 — National Survey of American Attitudes on Substance Abuse V: Teens and Their Parents", *National Center on Addiction and Substance Abuse at Columbia University,* ago. de 1999.

[6] POLLOCK, William. *Real Boys: Rescuing Our Sons from the Myths of Boyhood.* New York: Henry Holt and Company, 1998.

[7] KANTROWITZ, Barbara e KALB, Claudia, "Boys Will Be Boys", *Newsweek,* 11 de mai. de 1998, p. 55.

[8] BERLIN, Hannah Cleaverin, "Lads Night Out Can Save Your Marriage", *London Daily Express,* 25 de abr. de 2000.

[9] ATTARIAN, John, "Let Boys Be Boys — Exploding Feminist Dogma, This Provocative Book Reveals How Educators Are Trying to Feminize Boys While Neglecting Their Academic and Moral Instruction", *The World and I,* 1º de out. de 2000.

[10] ELIUM, Don e Jeanne. *Raising a Son.* Berkeley: Celestrial Arts, 1997, p. 21.

[11] PHILLIPS, *The Trouble with Boys,* p. 54-59.

[12] LEMONICK, Michael D., "Young, Single and Out of Control", *Time,* 13 de out. de 1997.

[13] SIMMONS, Dave. *Dad, The Family Counselor.* Nashville: Thomas Nelson Publishers, 1992, p. 112.

[14] Bureau of Justice, *Statistics of the Department of Justice.*

[15] TABOR, Terri, "Keeping Kids Connected: Elgin High Program Puts At-Risk Students on Straighter Path", *Chicago Daily-Herald,* 17 de set. de 1999, p. 1.

[16] ROBISON, James. *My Father's Face: A Portrait of the Perfect Father.* Sisters: Multnomah Press, 1997.

[17] Carta da sra. Karen S. Cotting. Usada com permissão.

[18] WALLERSTEIN, Judith S. e KELLY, Joan B. *Surviving the Breakup.* New York: Basic Books, 1980, p. 33.

[19] PETERSON, Karen S., "Children of Divorce Struggle with Marriage", *Gannet News Service,* 25 de out. de 2000.

[20] CAPALDI, D.M., "The Reliability of Retrospective Data for Timing First Sexual Intercourse for Adolescet Males", *Journal of Adolescent Research,* 11, (1996), p. 375-387.

[21] WU, Lawrence L. "Effects of Family Instability, Income, and Income Instability on the Risk of Premarital Birth", *American Sociological Review,* 61 (1996), p. 344-359.

CAPÍTULO 6: PAIS E FILHOS

[1] TURNER, Dale, "'Dagwood' Image Hides the True Value of Farherhood: It's No Minor Task to Mold Young Lives", *Seattle Times,* 19 de jun. de 1993, p. 8(C).

[2] SCHMIDT, William E., "For Town and Team, Honor Is Its Own Reward", *New York Times,* 22 de mai. de 1987, p. 1.

[3] Idem.

280   Educando meninos

4 BLANKENHORN, David, "Fatherless America: Life Without Father", *USA Today Weekend,* 26 de fev. de 1995, p. 4.
5 GURIAN, Michael. *The Wonder of Boys.* New York: Jeremy Tarcher/Putnam, 1996.

CAPÍTULO 7: MÃES E FILHOS

1 McCONNAUGHERY, Janet, "Romanian Orphans Show Importance of Touch", Associated Press, 27 de out. de 1997.
2 "Parent's Love Affects Child's Health", Reuters, 10 de mar. de 1997.
3 PETERSON, Karen S., "'Small but Significant Finding: Kids' Thrive on More Mom, Less Day Care", *USA Today,* 8 de nov. de 1999.
4 STOLBERG, Sheryl Gay, "Researchers Find a Link between Behavioral Problems and Time in Child Care", *New York Times,* 19 de abr de 2001, p. 22(A).
5 SEEBACH, Linda, "What Parents Want in Child Care", *Washington Times,* 19 de setembro de 2000, p. 20(A).
6 MATHIS, Deborah, "Growing Circle of Stay-at-Home Moms Can Click on Support", Gannett News Service, 5 de set. de 2000.
7 LUSH, Jean, "Mothers and Sons", *Focus on the Family,* 5 e 6 de mar. de 1991.
8 RESNICK, Michael D. et al., "Protecting Adolescentes from Harm: Findings from the National Longitudinal Study on Adolescent Health", *Journal of the American Medical Association,* 10 de set. de 1999.
9 ELIAS, Marilyn, "Family Dinners Nourish Ties with Teenagers", *USA Today,*18 de ago. de 1997, p. 4(D).
10 KELLERHER, Nancy, "Literacy Begins at Home: Research Shows Conversation and Shared Reading Make the Difference; Family Dinner's the Winner", *Boston Herald,* 10 de dez. de 1996, p. 5; Andrew T McLaughlin, "Family Dinners Provide Food for Thought *As Well", Boston Herald,* 14 de mar. de 1996, p. 1.
11 FRIEND, Tim, "Heart Disease Awaits Today's Soft-Living Kids", *USA Today,* 15 de nov. de 1994, p. 1(D).
12 YABLONSKY, Louis. *Father and Sons.* New York: Simon and Schuster, 1982, p. 134.
13 Carta do dr. C.H. McGowen.

CAPÍTULO 8: PERSEGUINDO A LAGARTA

1 ZIGLAR, Zig, "Following the Leader", 20 de set. de 1999.
2 HUNTER, James Davison, "Bowling with the Social Scientists: Robert Putnam Surveys America", *Weekly Standard,* 28 de ago. de 2000, p. 31.
3 "States with Lowest VoterTurnout", *USA Today,* 10 de nov. de 2000, p. 1(A).
4 HUNTER, "Bowling with the Social Scientists".
5 Idem.
6 "Survey: Overworked Americans Can't Use Up Limited Vacation, Raising Health Concerns", *Business Wire,* 21 de fev. de 2001.
7 BARNA, George. *Generation Next.* Ventura: Regal Books, 1995, p. 55.

[8] Armond Nicholl, psiquiatra da Harvard Medical School e do Massachusetts General Hospital, orador da White House Conference sobre a condição da Família Americana, 3 de mai. de 1983.

[9] Idem.

[10] MASON, Deborah, "The New Sanity: Mother's Lib", *Vogue,* mai. de 1981.

[11] DUTTON, Judy, "Meet the New Housewife Wanna-bes", *Cosmopolitan,* jun. de 2000, p. 164-168.

[12] "U.S., Couples Scaling Back Work to Care for Families", Reuters, 3 de dez. de 1999.

[13] MAHER, Maggie, "A Change of Place", *Barrons,* 21 de mar. de 1994, p. 33-38.

[14] Idem.

[15] PARTOW, Donna. *Homemade Busines.* Colorado Springs: Focus on the Family, 1991.

[16] HILL, E. Jeffrey, "Put Family First — Work Will Be There When You Return", *Deseret News,* 25 de nov. de 1999, p. 8(C).

CAPÍTULO 9: AS ORIGENS DA HOMOSSEXUALIDADE

[1] KALB, Claudia, "What Boys Really Want", *Newsweek,* 10 de jul. de 2000, p. 52.

[2] NICOLOSI, Joseph. *Preventing Homosexuality: A Parent's Guide.* Introdução.

[3] PODHORETZ, Norman, "How the Gay-Rights Movement Won", *Commentary,* nov. de 1996, p. 32.

[4] BENNETT, William, "Clinton, Gays and the Truth", *Weekly Standard,* 24 de nov. de 1997, p. 13.

[5] THOMPSON, Larry, "Search for the Gay Gene", *Time,* 12 de jun. de 1995, p.60.

[6] BEGLEY, Sharon, "Does DNA Make Some Men Gay?" *Newsweek,* 26 de jul. de 1993, p. 59.

[7] "Give Me a Break! Can Homosexuals Change and Become Straight?", ABC News 20/20, 3 de mar. de 2001.

[8] GRIBBIN, August, "Public More Accepting of Gays, Survey Finds: Most Believe Orientation Is Genetic", *Washington Times,* 13 de fev. de 2000, p. 6(C).

[9] BRELIS, Matthew, "The Fadin 'Gay Gene'", *Boston Globe,* 7 de fev. de 1999, p. 1(C).

[10] NICOLOSI, *Preventing Homosexuality.*

[11] RITTER, Malcolm, "Some Gays Can Go Straight, Study Suggests", Associated Press, 9 de mai. de 2001.

[12] NICOLOSI, *Preventing Homosexuality,* cap. 2.

[13] Idem.

[14] Idem.

[15] Idem, cap. 1.

[16] GREENSON, Ralph, "Disidentifying the Mother: Its Special Importance for a Boy", *Journal of the American Psychoanalytical Association* 56 (1968): p. 293-302.

[17] NICOLOSI, *Preventing Homosexuality,* cap. 3.

[18] Idem, cap. 1.

282 Educando meninos

[19] BIEBER, I. et al., *Homosexuality: A Psychoanalytic Study of Male Homosexuals.* New York: Basic Books, 1982.

[20] Idem.

[21] NICOLOSI, *Preventing Homosexuality,* cap. 3.

[22] EBERSTADT, Mary, "Pedophilia Chic Reconsidered", *Weekly Standard,* 10 de jan. de 2001, p. 18.

[23] LOPEZ, Kathryn Jean, "The Cookie Crumbles: The Girl Scouts Go PC", *National Review,* 23 de out. de 2000.

[24] "Scout Leaders Relieved by Court Ruling on Gay Troop Leaders", Associated Press, 29 de jun. de 2000.

[25] DOUGHERTY, Jon, "Scouts Still Face Funding Gauntlet", *WorldNet* Daily.com., 20 de fev. de 2001.

[26] Idem.

[27] NELLAN, Terence, "World Briefing", *New York Times,* 2 de dez. de 2000, p.5(A).

[28] "Context AffecTs Age of Consent", *Montreal Gazette,* 1 de dez. de 2000, p. 2(A).

[29] IZENBERG, Dan, "Age of Consent for Homosexual Relations Lowered", *Jerusalem Post,* 2 de nov. de 2000, p. 3.

[30] SWIFT, Michael, "Goals of the Homosexual Movement", *Gay Community News,* 15-21 de fev. de 1987.

[31] ROSTLER, Suzanne e MUNDELL, E.G., "More Americans Having Gay Sex, Study Shows", Reuters, 14 de mar. de 2001.

CAPÍTULO 10: PAIS SOLTEIROS E AVÓS

[1] "Nuclear Family Fading", *Colorado Springs Gazette,* 15 de mai. de 2001, p. 1(A).

[2] FEDER, Don, "Nuclear Family in Meltdown", *Boston Herald,* 23 de mai. de 2001, p. 33.

[3] Idem.

[4] KANTROWITZ, Barbara e WINGERT, Pat, "Unmarried with Children", *Newsweek,* 28 de mai. de 2001.

[5] "Nuclear Family Fading".

[6] KANTROWITZ e WINGERT, "Unmarried with Children".

[7] POPENOE, David e WHITEHEAD, Barbara Dafoe, "The State of Our Unions", Rutgers University Marriage Project, 2000.

[8] ESTES, Ashley, "More Women Are Raising Children on Their Own", *Salt Lake Tribune,* 18 de mai. de 2001, p. 6(A).

[9] "Christians Are More Likely to Experience Divorce than Non-Christians", *Barna Research Online,* 21 de dez. de 1999.

[10] Idem.

[11] "Breakdown on Family Breakdown", *Washington Times,* 25 de mar. de 2001, p. 2(B).

Notas   283

12 FEDER, Don, "Meltdown of Nuclear Family Threatens Society", *Human Events*, 4 de jun. de 2001, p. 9.
13 WHITEHEAD, Barbara Dafoe, "Dan Quayle Was Right", *Atlantic Monthly*, abr. de 1993, p. 64.
14 GALLAGHER, Maggie, "Fatherless Boys Grow Up into Dangerous Men", *Wall Street Journal*, 1º de dez. de 1998, p. 22(A).
15 Idem.
16 WHITEHEAD, "Dan Quayle Was Right".
17 Idem.
18 GORDON, Debra, "Mama's Boys", *The Virginian-Pilot*, 9 de jan. de 1994, p. 6. Copyright © 1994, *The Virginian-Pilot*.
19 WIGGEN, Eric. *The Gift of Grandparents.* Wheaton: Tyndale House Publishers, 2001, p. 27-28.
20 Idem, p. 29.
21 Idem, p. 33-34.
22 Idem, p. 69.
23 Idem, p. 116.
24 Idem, p. 162.
25 COMRADE, Tender. Copyright 1943, RKO Radio Pictures. Usado com permissão da Turner Entertainment Co.
26 FULLER, Cheri, "Motivating Your Children to Learn", *Focus on the Family*, 7 de set. de 1990.

CAPÍTULO 11: VAMOS EM FRENTE!

1 Cobertura Olímpica pela NBC de Sydney, Austrália, de set. de 2000.
2 WISE, JR., H. Alexander, "Lee: Why This Man, and His Era, Merit Our Consideration".
3 LANSING, Alfred. *Endurance.* Wheaton: Tyndale House Publishers, 1999.
4 LANSING, *Endurance.*
5 WONG, Edward, "New Rules for Soccer Parents: 1) No Yelling, 2) No Hitting Ref", *New York Times*, 6 de mai. de 2001, p. 1.
6 Rudyard Kipling, "If".
7 GILDER, George, "Men and Marriage", *Focus on the Family.*
8 STARR, Mark e BRANDT, Marth, "...and Thrilled Us All", *Newsweek*, 19 de jul. de 1999, p. 50.
9 Idem, p. 54.
10 HERSHISER, Orel, "A Visit with Orel Hershiser", *Focus on the Family.* 17 de abr. de 1989.

CAPÍTULO 12: OS HOMENS SÃO TOLOS

1 MORROW, Lance, "1968: Like a Knife Blade, the Year Severed Past from Future", *Time*, 11 de jan. de 1988, p. 16.
2 "Woman Is the Nigger of the World", publicado em 24 de abr. de 1972.

[3] INGRASSIA, Michelle, "NOW and Then: A Look at the Origins of Feminism", *Newsday,* 29 de out. de 1991.

[4] WYATT, Gene, "'Warhol' May Give Solanas Her Fifteen Minutes of Fame", *Tennessean,* 21 de jun. de 1996, p. 5(D).

[5] JACKSON, David, "The Beat Goes On: 1968-1993: 25 Years Later, America Still Feels Era's Influence", *Dallas Morning News,* 26 de dez. de 1993, p. 1(J).

[6] COLLLER, Peter e HOROWITZ, Davi. *Deconstructing the Left: From Vietnam to the Persian Gulf.* Lanham: Second Thoughts Books and Center for the Study of Popular Culture, 1991, p. 18.

[7] MANTILLA, Karla, "Kids Need 'Fathers' Like Fish Need Bycicles", *Off Our Backs,* jun. de 1998, p. 12-13.

[8] "Demographics of Titanic Passengers: Deaths, Survivals and LifeBoat Occupancy".

[9] Encyclopedia Britannica Online.

[10] "Demographics of Titanic Passengers."

[11] Idem.

[12] FIELDS, Suzanne, "Play, Boys: these Days It's All Women's Work", *Washington Times,* 18 de out. de 1999, p. 19(A).

[13] WETZSTEIN, Cheryl, "Has Man-Bashing Become Hallmark of Greeting Cards?" *Washington Times,* 1º de dez. de 1999.

[14] SCRUTON, Roger, "Modem Manhood", *New York City Journal,* 19 de jan. de 2000.

[15] PARKER, Kathleen, "Let's Give Our Boys Self-Control", *USA Today,* 15 de set. de 1999.

[16] DOWD, Maureen, "Liberties: Pretty Mean Women", *New York Times,* 1º de ago. de 1999, p. 15D.

CAPÍTULO 13: MENINOS NA ESCOLA

[1] POLLOCK, William. *Real Boys.* New York: Henry Holt and Company, 1998, p. 15.

[2] KANTROWITZ, Barbara e KALB, Claudia, "Boys Will be Boys", *Newsweek,* 11 de mai. de 1998, p. 55.

[3] Idem.

[4] FREMON, Celeste, "Are Schools Failing Our Boys?", MSNBC.com, 5 de out. de 1999. Usado com permissão.

[5] FULLER, Cheri, "Preparing Children for Learning", *Focus on the Family,* 29 e 30 de ago. de 1991.

[6] KONDRAKE, Morton, "If Fourth Graders Can't Read, Congress Is Failing to Lead", *Roll Call,* 23 de abr. de 2001.

[7] MATTOX JR., William R., "The One-House Schoolroom: The Extraordinary Influence of Family Life on Student Learning", *Family Policy,* The Family Research Council, set. de 1995.

[8] ARCHER, Mike, "Boys and Books Can Be a Great Mix", *Orlando Sun-Sentinel,* 2 de jun. de 1999, p. 1.

[9] Idem.

[10] Kart, Larry, "Inside Jonathan Winters: The World is a Funhouse and Laughter is the Best Revenge", *Chicago Tribune,* 17 de jan. de 1998.

[11] Myskow, Nina, "I'm Like a War Victim with Food; I'd Fight My Dog for a Bone", *The Mirror,* 15 de set. de 2000.

Capítulo 14: Predadores

[1] Leo, John, "No-Fault Holocaust", *U.S. News and World Report,* 21 de jul. de 1997, p. 14.

[2] "Senator Barbara Boxer Clarifies Her Priorities", *Weekly Standard,* 12 de fev. de 2001.

[3] Leo, John, "Singer's Final Solution", *U.S. News and World Report,* 4 de out. de 1999, p. 17.

[4] Davis, Laura e Keyser, Janis, "7-Year Olds Exploring Each Other's Bodies", *Maryland Family Magazine,* ago. de 2000, p. 28.

[5] Goodman, Ellen, "Battling Our Culture Is Parents' Task", *Chicago Tribune,* 18 de ago. de 1994.

[6] Clary, Mike, "Boy, 14, Gets Life Term in Wrestling Killing", *Los Angeles Times,* 10 de mar. de 2001, p. 1(A).

[7] MTV 1993 Media Kit.

[8] Poniewozik, James, "Rude Boys", *Time,* 5 de fev. de 2001, p. 70.

[9] Gordon, Devin, "Laughing Until Ir Hurts", *Newsweek,* 2 de out. de 2000, p. 70.

[10] Poniewozik, "Rude Boys".

[11] Idem.

[12] "My Gift to You" © 1997 por Korn. Publicado por WB Music Corp/Jolene Cherry Music/Goathead? Music. Do CD *Follow the Leader* © 1998 Sony Music Entertainment.

[13] Ahrens, Frank "A Stern Rebuke: Shock Jock's 'Joke' a Flop in Denver", *Washington Post,* 28 de abr. de 1999, p. 3(C).

[14] MacFarquhar, Neil, "Naked Dorm? That Wasn't in the Brochure", *New York Times,* 18 de mar. de 2000, p. 1(A).

[15] Wetzstein, Cheryl, "Polls Finding Growing Concern over 'Moral' Direction", *Washington Times,* 23 de abr. de 1997, p. 5(A).

[16] *Baby Boomers* são os nascidos logo após a Segunda Guerra Mundial, fins de 1940 até princípios de 1960.

[17] Malkin, Michelle, "Baby Boomer Parents Are Asleep on the Job", Creators Syndicate, 17 de nov. de 2000. Com permissão de Michelle Malkin e Creators Syndicate, Inc.

[18] Freund, K. e Watson, R.J., "The Proportions of Heterosexual and Homosexual Pedophiles among Sex Offenders against Children: An Exploratory Study", *Journal of Sex and Marital Therapy,* 18, n° 1 (primavera de 1992), p. 34,43.

[19] Idem.

286   Educando meninos

20 "New Cyber-Safety Network Formed to Help Parents Connect With Teens to Openly Discuss Best Uses of the Internet".

21 SCHWARTZ, John, "Internet Filters Used to Shield Minors Censors Speech, Critics Sai", *New York Times*, 19 de mar. de 2001.

22 WOOD, Bill, "Urgent", *United Press International*, 24 de jan. de 1989.

23 BUTTS, Steven, "Pornography: A Serious Cultural Disorder that Is Accelerating", *Lancaster (PA) Sunday News*, 9 de mar. de 1997, p. 4(P).

24 EDWARDS, Ellen, "Plugged-in Generation: More than Ever, Kids Are at Home with Media", *Washington Post*, 18 de nov. de 1999, p. 1(A).

25 BAUDER, David, "Survey: It May Not Be Punishment to Send Children to Their Rooms", Associated Press, 26 de jun. de 1997.

26 McGIBBON, Ginny, "Columbine: Looking for Lessons; Visual Violence Triggers Dire Warning", *Denver Post*, 14 de jun. de 1999.

27 "The Einstatzgruppen — Mobile Killing Units".

28 Idem.

29 EMAN, Diet, "Courageous Choices", *Pocus on the Family*, 24 de mai. de 2001.

30 BRENNAN, Patricia, "The Link Between TV and Violence", *Washington Post*, 8 de jan. de 1995.

31 McGIBBON, "Columbine".

CAPÍTULO 15: PROXIMIDADE

1 McDOWELL, Josh, "Helping Your Kids to Say No", *Focus on the Family*, 16 de out. de 1987.

2 JOHNSON, Greg e YORKEY, Mike. *Daddy's Home*. Wheaton: Tyndale House Publishers, 1992, p. 56.

3 SHERRILL, Martha, "Mrs. Clinton's Two Weeks out of Time: The Vigil for Her Father, Taking a Toll Both Public and Private", *Washington Post*, 3 de abr. de 1993, p. 1(C).

4 LAURA Sessions Stepp, "Parents Are Alarmed by an Unsettling New Fad in Middle Schools: Oral Sex", *Washington Post*, 8 de jul. de 1999, p. 1(A).

5 BOUCHARD, Thomas J. et al., "Sources of Human Psychological Differences: The Minnesota Study of Twins Reared Apart", *Science*, 12 de out. de 1990, p.223.

6 "Twins Separated at Birth: The Story of Jim Lewis e Jim Springer", *Smithsonian Magazine*, out. de 1980.

7 RITTER, Malcolm, "Study Suggests Genes Influence Risk of Divorce", *Associated Press*, 27 de nov. de 1992.

8 Idem.

CAPÍTULO 16: DISCIPLINANDO MENINOS

1 Publicado em português pela Editora Vida. (N. do T.)

2 SMITH, Tom W., "Ties That Bind: The Emerging 21st Century American Family", *Public Perspective*, 12:1, jan. de 2001, p. 34.

³ D'Aulaire, Ola e D'Aulaire, Emily, "Now What Are They Doing at That Crazy St. John the Divine?", *Smithsonian Magazine*, 23:9, dez. de 1992, p. 32.
⁴ Dostoievsky, Fyodor, *The House of The Dead*. New York: Viking Press, 1860.
⁵ *Parenting*, mai. de 1992, p. 45-46.
⁶ Blue, Ron e Judy. *Money Matters for Parents and Their Kids*. Nashville: Thomas Nelson, 1988, p. 46.
⁷ Reed, Ray, "Abusers Often Start with Animals", *Roanoke Times e World News*, 19 de janeiro de 1995, p. 1 ©.

Capítulo 17: A suprema prioridade
¹ "Unsupervised Teens Do Poorly in School, Want Afterschool Activities, New Survey Finds", *U.S. Newswire*, 6 de mar. de 2001.
² Schaeffer, Francis A. *He Is There and He Is Not Silent*. Carol Stream: Tyndale Publishers, 1972.
³ Dobson, James. *Life on the Edge*. Nashville: Word Publishers, 1995, p. 41.
⁴ "Teens and Adults Have Little Chance of Accepting Christ As Their Savior", *Barna Research Online*, 15 de nov. de 1999.
⁵ Vice-Presidente Albert Gore, Jr. no Desjejum Presidencial, 1995.
⁶ Canada, Geoffrey. *Reaching Up for Manhood*. Boston: Beacon Press, 1998, p. 103-106. Copyright © 1998 por Geoffrey Canada. Reimpresso com permissão da Beacon Press, Boston.
⁷ Bombeck, Erma, "Fragile Strings Join Parent, Child", *Arizona Republic*, 15 de mai. de 1997.
⁸ Sawtell, Jean W., "It's Tough on a Dog". Copyright © 2000 por Jean W. Sawtell. Todos os direitos reservados.

Compartilhe suas impressões de leitura escrevendo para:
opiniao-do-leitor@mundocristao.com.br
Acesse nosso *site*: www.mundocristao.com.br

Diagramação:	Triall Composição Editorial Ltda
Revisão:	Theófilo José Vieira e Geuid Dib
Gráfica:	Imprensa da fé
Fonte:	Minion Pro
Papel:	Hylte Cream 70 g/m² (miolo)
	Cartão 250 g/m² (capa)